CARIO'R DDRAIG

Orig Williams

CARIO'R DDRAIG

Orig Williams

STORI EL BANDITO

GOLYGWYD GAN
MYRDDIN AP DAFYDD

Argraffiad Cyntaf: Mehefin 1985

(h) *Gwasg Carreg Gwalch*

*Rhif Rhyngwladol:
0 86381 048 9*

*Diolch i'r llu fu mor hael wrth fenthyca lluniau,
ac i Mal Humphreys, Bryn Siriol, Ffordd y Gogledd, Caernarfon,
am y cartwnau.*

**GWASG
CARREG
GWALCH**

*Argraffwyd a chyhoeddwyd gan Wasg Carreg Gwalch,
Capel Garmon, Llanrwst (06902) 261*

I
WENDY,
I
TARA
AC I'R
WERIN

NODYN CYN CYCHWYN

O Ysbyty Ifan drwy Timbyctŵ i Niw Iorc — iesgob, mae'n saff bod gen i stori i'w hadrodd erbyn hyn, medda fi wrthyf fi fy hun,
— a dyma hi!

Dymunaf ddiolch i bawb a'm cynorthwyodd i brocio'r cof, yn enwedig Huw Sêl, ac i Myrddin, Gwasg Carreg Gwalch am gadw'r cyfan ar y rêls.

ORIG WILLIAMS

Gyhyrog gawr o Gymro
A dreuliodd oes yn reslo,
'Mhle bynnag bu ar draws y byd:
Y Ddraig o hyd sy'n chwifio.

Gair Bach...

GAN RAY GRAVEL

Reslwr yn trin beiro! — Mae'r peth yn annisgwyl, bron iawn â bod yn anhygoel! Fe allwn ni ddychmygu reslwr yn trin llawer o bethau...ond prin bod beiro yn un o'r pethau hynny. Ond o adnabod Orig Williams — yr 'El Bandito' ei hun — rwyf wedi mynd i ddisgwyl yr annisgwyl ganddo erbyn hyn.

Meddyliwch am wreiddiau'r dyn. Un o Ysbyty Ifan yw e — lan ym mhen uchaf Nant Conwy. Maen nhw'n dweud bod y lle hwnnw wedi bod yn berwi gyda dynion caled ar hyd yr oesoedd. Yno yr oedd Rhys Gethin, prif gadfridog Owain Glyndŵr yn byw. Oddi yno y daeth y Gwylliaid Cochion yn wreiddiol — ac mae rhai'n dal i fyw yno heddiw ac yn mynd i'r Clwb Ffermwyr Ifanc lleol, medden nhw! Na, erbyn meddwl, does dim yn annisgwyl yn y ffaith mai Ysbyty Ifan roddodd y reslwr Cymraeg proffesiynol cyntaf i'n gwlad.

Bob tro rydw i'n gweld y Bandit, rydw i'n siŵr o glywed rhyw stori newydd ganddo fe — a honno bob amser yn stori liwgar o'i orffennol. Ac ar ganol stori yn aml fe fydd y cefn yn sythu a'r llais yn codi wrth iddo ddyfynnu darn o farddoniaeth Gymraeg — mae ganddo gannoedd o benillion ar ei gof. Gan fod ganddo stori gwerth ei hadrodd, a hoffter o lenyddiaeth, roedd y llyfr hwn yn siŵr o gael ei sgrifennu yn y diwedd, felly.

Cig a gwaed sydd yn y llyfr hwn — dyn go iawn yn sôn am gymeriadau go iawn. Mae rhai ohonyn nhw'n dipyn o adar a blas y pridd ar ambell stori amdanyn nhw, ond fel y dywed yr awdur: "Mae'u calonnau nhw yn y lle iawn". Does yna ddim crafu tîn yma — nid drwy lyfu llaw pwysigion y daeth Orig yn ei flaen. Mae'r gwŷr mae e'n eu canmol a'u hedmygu wedi bod yn ffrindiau calon iddo, ac mae'r rhai mae e'n eu colbio wedi codi'i wrychyn e o ddifri. Efallai bod rhai ohonoch chi'n ei weld e'n ddyn gwyllt, ond all neb ei alw e'n ddyn ffals.

Efallai mai dyma'r lle i nodi hefyd bod Orig wedi glanhau'r iaith cyn rhoi'r llyfr yn y wasg. Does neb yn disgwyl i fois yr R.A.F., peldroedwyr na reslwyr i siarad heb regi bob yn ail gair, ond teimlai'r awdur y byddai llyfr o 500 tudalen ychydig yn rhy faith! Gobeithio na fydd neb ddim dicach wrtho oherwydd hynny..!

Nid yn aml y bydd Cymru yn cadw ei harwyr ar ei thir ei hun — i 'Merica neu Loegr y mae pob Burton, Tom Jones, Rush a Watkins yn mynd, — ac yn amlach na pheidio, yno y cân nhw fwyaf o barch hefyd. Ond arhosodd Orig yng Nghymru, ac mae bellach wedi cartrefu rhwng Llanfair Talhaearn a Llansannan mewn hen ffermdy sy'n wynebu Mynydd Hiraethog. Ydy, mae e'n dal i deithio'r byd — ond mae e'n gwneud yn siŵr ei fod yn mynd â Chymru gydag e i bob man yr aiff e. Mae e wedi bod yn gywir i'w wreiddiau bob amser — a does ryfedd bod pobl Cymru wedi bod yn ffyddlon iddo yntau. Cymro i'r carn ydy Orig — wedi 'Cario'r Ddraig' i bob cwr o'r byd.

Erbyn meddwl o ddifri, yr unig beth fuasai'n annisgwyl ynglŷn â'r gyfrol hon fyddai iddi beidio â gwerthu pum mil o gopiau mewn pum mis! O'r diwedd dyma ichi lyfr sy'n mynd i gyrraedd calonnau miloedd o Gymry. Ray, bydd ddistaw — Orig: dwed dy stori!

Ray Gravell

Prolog

"Rhai ymffrostiant mewn prydferthwch
Gwledydd pell mewn swynol gân
Ond i mi 'toes dan yr heulwen
Wlad mor bêr â Gwalia Lân."

"Allah Madhat!...Allah Madhat!"

Roeddwn i'n sefyll yn y gornel goch yn y ring yng nghanol y cae criced enfawr yn Lahore, Pakistan. Fûm i erioed cyn belled o Gymru ag yr oeddwn i'r foment honno, eto gallwn glywed Dafydd Lloyd yn canu'r geiriau uchod. Y llais tenor clir, gora'n-y-byd hwnnw am funud yn boddi bloeddiadau'r dorf o gan mil. Heb os. Dafydd ydi'r pitchiwr fry, ar law dde Duw, - ond doedd hyd yn oed y fo ddim yn medru byddaru'r dorf yma am yn hir iawn...

"Allah Madhat!...Allah Madhat!"

Roedd yr awyr yn rhwygo gan y gweiddi. Ac y fi, Orig Williams o 'Sbyty Ifan, oedd yr unig smotyn gwyn yn y Stadiwm i gyd. Ac am fy ngwaed i roedd y rhain i gyd yn gweiddi...Na, rhoswch, — dw i'n rong rŵan — mi roedd 'na fwy o wyn yno na hynny. Roedd 'na gan mil o wynebau yn dangos gwyn eu llygaid a gwyn eu dannedd wrth ysu am weld eu harwr — Akram — yn malu Orig Williams mewn gornest ymaflyd codwm.

Yn sydyn, dyma waedd uwch adwaedd, a'r dorf i gyd ar ei thraed, a'r bloeddio os rhywbeth yn uwch ac yn fwy ffyrnig. Roedd Akram ei hun wedi ymddangos o'i stafell newid ac wedi cychwyn ar ei daith o rhyw ddau gant o lathenni i'r cylch reslo. Cawr chwe troedfedd a thair modfedd oedd Akram, yn gyhyrog fel bustach a'i fantell fawr o'n chwifio y tu ôl iddo fo gan wneud iddo edrych fel rhyw Dduw Groegaidd.

A'r nesa peth i Dduw oedd o i'r dyrfa hefyd — "Boed Allah yn nerth i ti" roeddan nhw'n ei weiddi — fel 'tasa'r uffar ddim digon cry' yn barod...Dyma'r Cymro yn mynd yn wynnach...

"Allah Madhat!...Allah Madat!"

"Lle mae fy Nuw i?" meddwn i wrthyf fy hun. Duw'r Hen Gorff? Duw'r Ysgol Sul yn Ysbyty Ifan? Roeddwn i wedi cael ar ddallt mai gennon ni roedd yr *'inside track'* i'r nefoedd, ond roedd y Mwslemiaid 'ma'n barod i ddadlau eu hachos. A 'sgarmes, nid sasiwn, oedd eu ffordd nhw o ddadlau.

"Oes 'na bosib dianc?" oedd yr ail gwestiwn a wibiodd drwy fy meddwl. Cachwr neu beidio, mae'n braf bod yn 'gachgi byw' weithiau...Ond na, mi fasa'n haws i Stalwyn Sir gael ei dderbyn i mewn i leiandy na fasa i mi ddenig allan o Stadiwm Lahore y pnawn hwnnw. Ar wahân i'r can mil o dorf oedd yn ymestyn at y gorwel i bob cyfeiriad, yn union o gwmpas y cylch reslo roedd mil o reslwyr profiadol o dan arweiniad Bholu eu pencadfridog. Y fo oedd brawd Akram a hwy ill dau, ynghyd â'u pedwar brawd arall — Aslam, Goga, Azam a Jahir — oedd y Maffia ym Mhakistan. Roedd y lle wedi'i selio fel twll dîn Pharo — a 'nhynged innau wedi'i setlo...

"Allah Madhat!...Allah Madhat!"

Roedd y tarw du'n dal i ruthro yn nes ataf i.

"Mi rydw i wedi gwneud clamp o gamgymeriad yn fan 'ma," meddwn i wrthyf fy hun. *"Do, cythral o gamgymeriad, hefyd. Ond dyna fo — rhy hwyr codi pais..."*

Taswn i 'chydig yn iau, mi faswn i wedi hen wlychu 'nhrôns. Beth ddaeth tros fy mhen i i gychwyn ponshian efo'r reslo gwirion 'ma. Yn y fan a'r lle, mi wnes addewid i mi fy hun, petawn i, drwy ryfedd drefn yn dod o'r cylch hwnnw'n fyw, y baswn i'n rhoi'r gorau i reslo am byth. Caeais fy llygaid gan obeithio mai hunllef oedd y cyfan. Ac wrth gau fy llygaid i ddianc oddi wrth argyfwng y funud, beth welais i ond rhes o dai cerrig... hen bont dros Afon Conwy...y felin...a gweithdai'r saer a'r gof... a'r hogia' ar y sgwâr...

Pentref Ysbyty Ifan, lle cychwynnodd fy nhaith ar y ddaear hon. Os na orffennir fy nhaith y pnawn 'ma, mi af yn ôl i Ysbyty Ifan — yn ôl i fyw ymblith fy mhobol fy hun...

Ysbyty Ifan

PENNOD 1

"Ein hamser ni a'u hamser nhw."

Pan oeddwn i'n hogyn, roedd yn gas gen i orfod trïo esbonio wrth bobol lle roedd Ysbyty Ifan. "Sbyty be?" oedd ymateb y Cymry; "Spitti Effan?" holai'r Saeson, a'u cegau'n gam. Erbyn hyn, tydw i ddim mor swil, ac mi fydda i'n deud:

"Yli di, 'ngwas i, os wyt ti fyth am fynd i'r nefoedd, mi fyddi di'n troi oddi ar yr A5 wrth Bentrefoelas, mynd drwy bentref Ysbyty Ifan, ac yna i fyny heibio Pennant a Blaen Coed am y Migneint Mawr. Os byddi di'n ddigon lwcus, rhywle'n y fan honno y doi di o hyd i'r palmant aur sy'n mynd a chdi ar dy ben at Giatiau Pedr. 'Sbyty Ifan ydi'r 'last stop' — ac os byddi di'n lwcus drybeilig, mi fyddi wedi cael cyfle i fynd yno cyn iti farw."

Bob tro y bydda i'n meddwl am 'Sbyty, mi fydda i'n meddwl am y lle fel rhyw gastell Cymreig. Does 'na ddim waliau o amgylch y lle, dim milwyr wedi baricedio'r ffyrdd, dim byd fel 'na, — eto mae o'n saff o fod y pentref gyda'r Cymreiciaf yng Nghymru. Roedd hynny'n wir am nifer o bentrefi chwarter canrif yn ôl wrth gwrs, ond mae 'Sbyty wedi aros fel 'na hyd heddiw — pob plentyn yn yr ysgol yn Gymro neu Gymraes iaith gyntaf, llewyrch ar y cymdeithasau a'r ieuenctid yn aros yn y fro. Mae 'na graciau wedi ymddangos yn y cadernid bellach wrth gwrs, ond mae 'na rhyw benderfyniad annibynnol ymysg y bobl sy'n byw yno, ac nid ar chwarae bach y gwnaiff y castell yma ddymchwel.

Ac yma y magwyd fi. Arferai Lewis Wiliam, hen ewythr i mi oedd yn byw yn y Pandy yn 'Sbyty, fynd o gwmpas y pentref efo bwced i hel piso. Dwi'n ei gofio fo'n mynd ar hyd Stryd y Felin yn holi'r gwragedd os oeddan nhw wedi piso'n o lew y diwrnod hwnnw. Yr adeg honno roeddan nhw'n defnyddio piso — sy'n gry mewn amonia, mae'n debyg — ar gyfer trin y gwlân yn y Pandy. Dywedai'r hen Lewis bob amser mai piso dynes gwallt coch oedd y stwff gora un at buro'r gwlân!

Y cof cyntaf sydd gen i ydi chwarae pêl droed ar iard yr ysgol. Roeddwn i'n byw yn Rhif 2 Rhes Fawr, a Norman yn Rhif 5 o'r un rhes, a ni'n dau oedd y capteiniaid gan mai ni oedd y chwaraewyr gorau. Roedd hanner dwsin o'r deuddeg o hogia oedd yn yr ysgol yn hogia ffarmwrs, ac mi roedd y rheiny'n wfftio atom ni'n lladd ein hunain yn rhedeg a chicio pêl, a gan nad oedd gan y pymtheg o enethod oedd yno fawr o ddiddordeb yn y gêm 'chwaith, chwarae tri-bob-ochor y byddan ni.

Arsenal oedd *y* tîm yr adeg honno — roeddan nhw wedi ennill popeth yn y tridegau, tebyg iawn i Lerpwl y dyddiau yma. A dyna sut byddan ni'n chwarae ar yr iard — Norman yn Ted Drake, 'centre forward' Arsenal a finnau'n Eddie Hapgood, y cefnwr. Cotia i lawr i nodi'r gôls; pêl dennis fel pêl droed (roedd hi'n adeg rhyfel ac felly'n gyfnod o brinder lledr); 'sgidiau hoelion mawr yn lle 'sgidiau pel droed — ond roeddan ni'n rêl bois. Mi ddaliodd Ted Drake ac Eddie Hapgood yn ffrindiau mawr, a Chymraeg roedd y ddau'n ei siarad.

Dechrau breuddwydio...

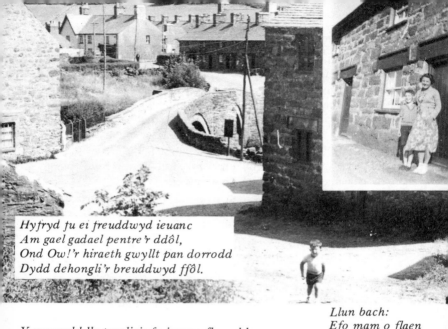

Hyfryd fu ei freuddwyd ieuanc
Am gael gadael pentre'r ddôl,
Ond Ow!'r hiraeth gwyllt pan dorrodd
Dydd dehongli'r breuddwyd ffôl.

Y meysydd lle treuliais fy ieuanc flynyddau
Lle gwyliais agoriad y blodau a'r drain.

Llun bach:
Efo mam o flaen
2 Rhes Fawr.

Yn nyddiau'r hen siroedd, roedd Afon Conwy yn nodi'r ffin rhwng dwy sir, ac o'r herwydd roedd hanner y pentref yn Sir Gaernarfon a'r hanner arall yn Sir Ddinbych. Yn Sir Ddinbych yr oeddwn i'n byw, ond yn Sir Gaernarfon yr oedd unig bistyll y pentref, ac felly mi fyddai 'na gryn drafeilio dros y bont yn ôl ac ymlaen o'r pistyll. "Cario dŵr tros afon" oedd hi yn 'Sbyty! Dw i'n cofio'n iawn gweld dynion Cyngor Hiraethog yn rhoi tap ar ein hochor ni i'r bont yn y diwedd. A iesgob, roeddan ni'n meddwl ein bod ni'n rêl swancs yrŵan gan nad oedd yn rhaid inni fynd allan o'r sir i nol dŵr yn dilyn hynny. Ond nid oedd cymaint o swyn mewn nôl dŵr o dap ag oedd 'na wrth gario o'r hen bistyll.

A digon oedd, er llifo cŷd,
I lenwi holl biseri'r byd.

   — Dyna hanes pistyll bach y Llan yn 'Sbyty hefyd.

Mi ddigwyddodd dau beth yn ystod y rhyfel ddaru darfu ar drefn arferol pethau yn 'Sbyty. Y cyntaf oedd i Winston Churchill benderfynu anfon soldiwrs yno. Mi gyrhaeddon nhw efo'u Gynnau Saethu Awyrennau, eu Gynnau Ack-Ack a chlampau o lampau awyr. Roedd hanner y pentrefwyr wedi dotio at y sylw roedd y pentref yn ei gael, gan ganmol Churchill am edrych ar ôl 'Sbyty. Roedd yr hanner arall yn taeru nad oedd Hitler erioed wedi clywed sôn amdanom ni, ac mai ar y 'blydi Suson' roedd y bai am yr helbul i gyd. onid y nhw oedd wedi troi'r clociau a'n rhoi ddwyawr o flaen yr haul? Roedd y Bod Mawr yn saff o fod yn gwybod faint o'r gloch ddyliai hi fod, heb i'r Saeson 'na ymyrryd efo'i betha fo. Sut oedd modd dweud wrth fuwch bod y Saeson wedi newid yr amser a'i bod hi i fod i odro ddwyawr ynghynt erbyn hyn? Penderfynwyd mai cyfraith ffyliaid oedd y ddeddf hon o eiddo'r Saeson, ac fe'i hanwybyddwyd hi'n llwyr yn Ysbyty Ifan, gan adael y clociau fel roeddan nhw. Popeth yn dda — ond roedd hi'n siop siafins weithiau pan fyddai hi'n rhaid dal bws neu drên. "Ein hamser ni, 'ta'u hamser nhw?" oedd y cwestiwn yr adeg honno.

Yr ail ddigwyddiad mawr oedd dyfodiad y Faciwîs. Plant Saeson Lerpwl oeddan nhw. "Chwarae teg i'r hen bethe bach, bechod drostyn nhw," meddai rhai. "Go damio nhw," meddai eraill. "Does a wnelo'r rhyfel ddim byd â ni."

Faciwîs o Sgotland Road oeddan nhw, heb weld na dafad nac oen na buwch erioed. Pan fyddai un o'r ffermwyr yn dod a chaseg at y stalwyn, roeddan nhw'n ein galw ni'n "Dirty Bastards" am ein bod ni'n mynd yno i wylio — ond peth hollol naturiol oedd hynny i blant y pentref wrth gwrs. Ar ben hynny, roeddan nhw'n teimlo'n hollol estron yn y gymdeithas uniaith Gymraeg oedd yno ar y pryd.

Roedd y soldiwrs wedi bod yn chwarae pêl droed efo ni ar y dechrau, ond roedd y broblem iaith wedi codi'i phen bryd hynny hefyd, ac felly pan gyrhaeddodd y Faciwis, efo'r rheiny y byddai'r soldiwrs yn chwarae.

Tua 1943/44, mi fu rhyw dro arall ar fyd pan ddanfonwyd Carcharorion Rhyfel o'r Eidal a'r Almaen i weithio ar ffermydd 'Sbyty. Doedd y rhain ddim yn medru siarad Saesneg 'chwaith, ac felly roeddan nhw yn yr un cae â ni fel petai. "Byd o Heddwch" oedd yna yn 'Sbyty, a doedd neb yn teimlo dim atgas-

16

Plant Ysgol Ysbyty Ifan yn ystod y tridegau.
Yr ail o'r chwith yn y rhes ganol ydi'r hogyn llon, diniwed,
cyn i'r byd mawr ei barÃ«ddu.

edd at yr Almaenwyr na'r Eidalwyr yno, a ddaru 'run o'r rheiny
drio dianc chwaith trwy gydol yr amser y buon yno. Arhosodd un
neu ddau yn yr ardal ar Ã´l y rhyfel hefyd — Hans oedd un ohonyn
nhw, ac mi fu'n chwarae 'inside right' i Bentrefoelas am dipyn.
Drwy gyfrwng ein Saesneg clapiog a llu o arwyddion, roedd hen
hogs y pentref yn tynnu 'mlaen yn iawn efo'r carcharorion.

Yn 'Sbyty y Sais, ac nid neb arall, fu'r gelyn pennaf
erioed. Arno fo roedd y bai am yr holl helbul ddaeth i'r pentref,
ac mi wnaeth y soldiwrs un peth anfaddeuol sef rhoi Neuadd y
Pentref ar dÃ¢n. Rhywun wedi rhoi ei gÃ´t fawr i sychu'n rhy agos
i'r stÃ´f oedd yr esgus, ond waeth bynnag, llosgwyd y neuadd yn
lludw. Ar Ã´l hynny, bu raid i'r soldiwrs fyw mewn pebyll a rhynnu
yn y rheiny yn nannedd y rhewynt a chwipiai dros Fynydd
Hiraethog drwy'r gaeaf. "Eitha gwaith Ã¢ nhw,'' oedd y ddedfryd.

Un o'r 'dyddiau mawr' yn 'Sbyty oedd diwrnod trip yr
Ysgol Sul. Byddai trip y capel a thrip yr Eglwys yn mynd ar yr

un diwrnod — i Landudno neu i'r Rhyl, bob amser. Mynd efo Mam a Nain y byddwn i, gyda digon o frechdanau am bythefnos. Mi gofia i rŵan un o'r tripiau yma i'r Rhyl, a'r hyn 'trawodd fi oedd bod 'na ferched mor grand yno. Fyddai merched 'Sbyty byth yn gwisgo lipstic:

"Roedd merched yno'n ferched pur
Heb ddamnio'u plant, na chwant na chur."

Yr adeg honno mi fyddwn yn sefyll o flaen Woolworths yn dotio at y paent a'r powdwr a'r crandrwydd yma. Flynyddoedd maith yn ddiweddarach, ar ôl i'r hen fyd 'ma fy nhrin i a'm rhoi i yn fy lle, mi gefais i fy hun yn ôl yn y Rhyl, ond welais i ddim crandrwydd yn perthyn i'r merched paentiedig oedd yno bryd hynny.

Bellach, roedd gronynnau fy amser yn y pentref bach yn rhedeg rhwng fy nwylo. Yn un ar ddeg oed, dyma adael yr ysgol fach am Ysgol Eilradd Pentrefoelas. Yn y fan honno roeddwn i'n cael chwarae pêl droed efo pêl go iawn ac uwch ben fy nigon. Ymhen chwe mis dyma basio i fynd i'r Ysgol Sir yn Llanrwst. Aros yn y dref ar hyd yr wythnos, a dychwelyd adref dim ond i fwrw'r Sul oedd fy hanes i wedyn. Eisoes roeddwn wedi gadael "ein hamser ni" ac wedi dod yn rhan o'u "hamser nhw".

Ysgol Llanrwst

PENNOD 2

"Dreifar bys neu rhywbeth fydd hwn,
coeliwch chi fi."

"Llanrwst Grammar School" oedd yr enw swyddogol ar hen Ysgol Rad Llanrwst, a dyna oedd iaith yr addysg yno hefyd. "Ysgol Dyffryn Conwy" ydi enw'r lle erbyn hyn, ond er bod yr enw a'r addysg yno wedi cymreigeiddio, wedi seisnigeiddio'n drybeilig mae'r plant yno.

Mae'n rhaid nad oedd yr addysg yn rhy ddrwg pan oeddwn i yno oherwydd bu'n feithrinfa i gewri mewn amryfal feysydd. O'r genhedlaeth a fu yno'r un adeg a fi, cododd John Ellis Jones, J.B. Hughes ac Alwyn Owens i fod yn ddarlithwyr yng Ngholeg Prifysgol Gogledd Cymru, Bangor; mae John Phillips yn llawfeddyg o bwys; aeth Aelwyn o Gapel Curig a Raymond Byles yn uchel i fyny ym myd yr Eglwys yng Nghymru; cafodd Gwyn Owens a Dafydd Steshon swyddi pwysig gan Heddlu Gogledd Cymru; aeth Einion Holland i'r brig yng nghwmni yswiriant Pearl; dring-

Rhan o lun mawr Ysgol Ramadeg Llanrwst ym 1946.

odd Peredur Roberts yn uchel yng nghwmni I.C.I. — ac aeth Orig Williams oddi yno i fod y reslar Cymraeg proffesiynol cyntaf erioed!

Fel pawb arall, rydw innau'n cofio fy niwrnod cyntaf yno'n iawn. Un o hogs y wlad oeddwn i, yn dod i ganol heidiau mwy bydol-hyddysg o Lan Conwy, Dolgarrog a Llanrwst. Efo'r hogia swil roeddwn i, yn tindroi yn y gornel gan ofni hogia Fform 5 a 6 am ein bywydau. Yn sydyn dyma un o hogia Fform 5 ymlaen gan ddeud, "Dow, mae 'Sbyts yma hefyd." John Savy, mab bwtsiar teithiol Penmachno oedd o, a phan ddaru o fy nabod i, mi gododd fy nghalon i'n arw.

Roedd yna gemau pêl droed go iawn yn Llanrwst, a fûm i fawr o dro cyn setlo lawr yno, gan freuddwydio cael chwarae i dim cyntaf yr ysgol. Fûm i ddim yno'n hwy na rhyw flwyddyn cyn i athro hanes a chwaraeon newydd gyrraedd yno, sef Dewi Rees. Hwntw oedd o — Hwntw oedd pawb yr ochr draw i Ddolgellau'r adeg honno o ran hynny, — ond erbyn dallt, o Landdewibrefi y deuai o.

Dw i'n cofio'r olwg gyntaf ges i arno — rhyw geiliog pwysig yn cerdded i mewn i'r dosbarth, ac er ei fod o'n fach ac eiddil, mi sgwariodd hynny fedrai o gan ofyn:

"Now, can you understand me speak?"

O feddwl am y peth, go brin ei fod yntau'n ein dallt ninnau. Ond roedd o'n rêl boi, ac y fo oedd i ddewis tîm pêl droed yr ysgol.

Buan y cychwynnodd gynnal treialon rhwng gwahanol ddosbarthiadau — dosbarth 3R, lle roeddwn i, yn erbyn 4A ac yn y blaen. Rhyw ddiwrnod dyma ddallt oddi wrth y bwrdd hysbysu fy mod i gael treial fel 'inside left' i dim y 'Possibles' yn erbyn y 'Probables'.

Eric Rough, capten tîm yr ysgol a'u 'right half' nhw oedd yn fy marcio i — chwaraewr arbennig o dda, a 'toeddwn i'n cael dim hwyl arni. A dweud y gwir, roeddwn i'n chwarae fel rhech mewn pot jam. Ond yn sydyn dyma gliriad o'r cefn a'r bêl yn dod lawr tuag ataf i o'r uchelderau. Dyma fi'n troi'n sydyn a thrapio'r bêl gydag ochr allan fy nhroed, troi eto a churo Eric Rough — oedd yn wyrth ynddi'i hun — a rhoi clec i'r bêl dros ben y cefnwr i'n hasgellwr ni. Dyma yntau'n canoli'r bêl ac Em Jones yn sgorio. Hwre — fy ngôl i oedd hi!

Tîm pêl droed Ysgol Llanrwst 1946-7.
Y freuddwyd yn graddol ddod yn wir i'r pedwerydd o'r chwith
yn y rhes gefn.

Dyma Dewi Rees ataf a gofyn a fedrwn i wneud yr un peth eto. "Medraf, bob tro," meddwn innau — a dyna'r celwydd cyntaf imi gofio'i ddweud. Ond drwy'r lwc mul yna, mi gefais fy lle yn y tîm cyntaf — a hynny fel hanerwr chwith.

Roedd ganddom dîm bach gweddol yn yr ysgol — yn medru cadw'n pennau'n uchel yn erbyn tîm Ysgol Sir Ffestiniog ac ati, ond fel rheol yn cael cweir gan hogia'r glannau o ysgolion Llandudno a Bae Colwyn. Wedi blwyddyn o chwarae bob Sadwrn i'r tîm, dyma dipyn o'r hogia hyn yn 'madael, a rhaid oedd cael capten newydd.

Hogia'r ysgol i gyd fyddai'n pleidleisio i ddewis y capten bob amser, — a'r flwyddyn honno, yn hollol annisgwyl, y fi o bawb gafodd ei ddewis. Roeddwn wedi mopio'n lân — pwy fase'n meddwl y basa hogyn o 'Sbyty'n gapten tîm yr ysgol!

Mi gawsom dymor eithaf llwyddiannus — roeddem yn chwarae gemau'r ysgol yn y bore, gan ein gadael ni'n rhydd i weld Llanrwst Town yn chwarae yng Nghyngrhair Dyffryn Conwy yn y prynhawn. Tua 1946-47 oedd hyn — cyfnod llewyrchus iawn yn hanes y gynghrair honno, gan fod yr hogiau i gyd newydd ddod adref o'r rhyfel, a phawb mewn cyflwr corfforol da. Ac yn raddol, dyma freuddwyd newydd yn cychwyn corddi yn fy mherfedd i — tybed fyddai'n bosib i mi gael chwarae i Llanrwst Town rhywbryd.

Dyna oedd hi wedyn — meddwl am chwarae ar yr un cae a Jerry Pierce, pennaf sgoriwr Llanrwst, a'i frawd John French oedd yn rhoi'r bas dyngedfennol iddo bob tro, Bob Kitty'r hanerwr, Tom Library yn y gôl a Dei Llanfair yn 'centre half'. Pum i chwarae dros Llanrwst Colts. Y fi oedd y capten am ddau dymor ac aethom i gêm derfynol Cwpan Gogledd Cymru ddwywaith gan golli un gôl i ddim yn erbyn Llandudno ddwywaith. Roeddwn i'n chwarae fel dau ddyn yn ystod y gemau hyn, gan obeithio tynnu sylw swyddogion y clwb a chael lle yn y tîm cyntaf, ond methu wnes i.

Yn y cyfamser bu Dewi Rees yn gefn mawr i mi, a dw i'n ei gofio'n gofyn imi rhyw bnawn yn yr ysgol: "Orig, beth wyt

Tîm tref Llanrwst ar ddiwedd y pedwardegau.
Y rhain oedd fy arwyr mawr lleol yn ystod fy llencyndod.

ti'n feddwl ei wneud unwaith y gwnei di adael yr ysgol 'ma? Does gen ti fawr o amser ar ôl rŵan, a does gen ti ddim diddordeb mewn dim ar wahân i chwaraeon."

Hen gwestiwn cas gan iddo fo'i ofyn o o flaen y dosbarth i gyd. Mi wyddwn i'r ateb ynof fi fy hun, sef: "Peldroediwr proffesiynol", ond sut oedd dweud hynny o flaen pawb? Yr adeg honno, doedd neb wedi clywed am un o'r ardaloedd gwledig yn mynd i chwarae i un o'r timau mawrion.

"Dydw i ddim yn gwybod," oedd yr ateb llawn dychymyg a roddais i. Dyma Dewi Rees yn troi at y dosbarth a dweud:

"Dreifar bys neu rhywbeth felly fydd hwn, coeliwch chi fi." A dyna finnau a 'mhen i lawr mewn cywilydd — oeddwn, roeddwn i'n dal i fedru cochi'r adeg honno!

Ond roedd Dewi Rees reit agos ataf i hefyd, ac yn siarad am chwaraeon fel 'tae o'r un oed â mi. "Welaist ti'r 'Empire News', ddoe?" holodd, wedi rhyw wers sych ar yr Oesoedd Canol.

"Do, syr," meddwn innau — yr 'Empire News' oedd y papur gorau o ddigon am chwaraeon yr adeg honno, ac mi fyddwn i'n ei studio mor galed bob Sul nes byddai'r print yn dechrau pylu.

Y Sul arbennig hwnnw, roedd Tommy Farr wedi dechrau sgwennu hanes ei yrfa a rhywle tua'r dechrau, mi gofiaf y frawddeg hon: "I am no angel, there are no angels in Tonypandy, nor yet in all the coalfields of my native Wales." Roedd honno wedi cynnau rhyw dân ynof i, ac o siarad efo Dewi Rees, mi wyddwn ei fod yntau wedi teimlo'r un peth. Dyna pryd y deallais i ein bod ni ill dau'n llosgi'r un petrol.

Ia, Tommy Farr: "'rhen ffrind o Donypandy ddu" a safodd bymtheg rownd ym Madison Square Gardens yn erbyn y pencampwr Joe Louis a cholli o drwch blewyn un dyfarniad yn y diwedd. Taerai 'nhaid, fu'n gwrando ar y ffeit ar y radio drwy'r nos, mai Farr oedd y buddugwr — yn wir, roedd Cymru gyfan a phawb call arall yn credu hynny. Ia, Farr ddylai fod wedi cael y Teitl 'Viscount Tonypandy' ac nid yr hen wlanen hwnnw ddaru hawlio'r teitl iddo'i hun flynyddoedd yn ddiweddarach.

Yr adeg honno, 'fedrwn i ddim cael digon i'w ddarllen am Tommy Farr, Jimmy Wilde, Jack Peterson, Johnny Basham a Peerless Jim Driscol — paffwyr byd enwog oedd y rhain, a Chymry i'r carn. Hogia wedi cael addysg galed yn y 'Boxing Booths' yn

*Tommy Farr yn cael ei gloriannu cyn y ffeit fawr yn erbyn
Joe Louis yn Efrog Newydd yn 1936.*

Ne Cymru.

Ond nôl at fy addysg swyddogol i — yn ail at chwaraeon,
fy hoff bwnc i yn yr ysgol oedd Llenyddiaeth Gymraeg. R.H.
Pritchard Jones oedd yn dysgu'r pwnc hwnnw, ac roedd ganddo'r
ddawn i ennyn diddordeb. Roedd o'n adroddwr tan gamp hefyd,
— mi'i clywa' i o rŵan:

"Oni chwalwyd pob cysegr
Oni ddrylliwyd pob ysgrîn
Ple bu gwerin Ffrainc a Belgium
O flaen Duw yn plygu glin."

Dyna ichi farddoniaeth anhygoel! Mi fydda i wastad yn
diolch 'mod i'n medru siarad Cymraeg ac yn medru dallt a mwyn-
hau ei barddoniaeth hi. Mae'n saff gen i nad oes 'na iaith arall yn
y byd gyda chymaint o deimlad y tu ôl i'w geiriau hi.

Yn ystod gwyliau'r haf mi fyddwn i'n mynd i weithio at
Huw Sêl, saer coed yn 'Sbyty. Mi wyddai Huw'n iawn na wnawn
i saer gwerth sôn amdano — mae o'n dal i f'atgoffa i am y giât
honno wnes i gan wneud tyllau'r pegiau gymaint deirgwaith ag
roeddan nhw i fod! Ta waeth, mae'r giât i'w gweld yn 'Sbyty
hyd heddiw! Ond dydi'r ffaith nad ydi Huw Sêl yn fy ystyried yn
fawr o saer yn mennu dim arna i, oherwydd mi wn mai y fo ydi'r

Y giât a godais yn 'Sbyty.

Ail-adeiladu'r neuadd yn 'Sbyty
dan oruchwyliaeth Huw Sêl (llun bach)

"Adeiladwyd gan dlodi, — nid cerrig
   Ond cariad yw'r meini,
   Cyd-ernes yw'r coed arni,
   Cyd-ddyheu a'i cododd hi."

saer gwlad gorau yn y byd.

Ar ben hynny, mae Huw Sêl yn fardd ac yn gynganeddwr, ac yn perthyn i'r traddodiad bendigedig hwnnw o drin geiriau sy'n rhan o etifeddiaeth ardal 'Sbyty. Cangen o'r un goeden oedd Thomas Jones, Cerrigelltgwm, ffarmwr a phorthmon lleol. Roeddwn wedi gwirioni ar ei gerddi o. Dyma ichi ddau bennill o'i waith

"Hed y gwcw, hed yn fuan,
Hed dros fro Arennig Fawr,
Ac nes d'od i 'Sbyty Ifan
Paid â rhoi dy droed i lawr,
Cân di yno ar y goedfron
Uwch ben beddrod Wil fy mrawd,
'Chafodd ef, am fywyd tirion
Ddim ond bedd y dyn tylawd.

Hed ymlaen dros Afon Conwy
A thros Fwdwl Eithin draw
Gweli dŷ yn Hafod Elwy
Ar y rhostir llwm gerllaw;
Disgyn yno, er na cheffi
Ddim ond draenen dan dy droed,
A dod gân lle ces fy llonni
Gan y gwcw gynta 'rioed."

Thomas Jones, Cerrigelltgwm — porthmon a bardd.

Yn ogystal â diolch am fy iaith, mi fydda i hefyd yn diolch am y cyfoeth gefais i'n 'Sbyty. Cyn i'r soldiwrs diawl 'na ei llosgi hi i lawr, roedd y neuadd yn brysur iawn yn 'Sbyty ac roedd yn chwith ar ei hôl. Mi fyddai yno gyngherddau, nosweithiau llawen, eisteddfodau a dramau yn byrlymu yno. Mi gofiaf yr hen unawdau rŵan — "Y Dymestl", "Llam y Cariadau", "Cwm Llywelyn" a'r "Marchog". Roedd hyn yn gyffredin drwy gefn gwlad Cymru'n y cyfnod hwnnw wrth gwrs, ond roedd 'na un peth arbennig yn perthyn i'r cyngherddau yn 'Sbyty.

Ac yn rhyfedd iawn, mi gafwyd y "peth" arbennig hwnnw drwy ddyfodiad y Faciwîs i'r ardal. Mi rydw i wedi lladd ar y rheiny eisoes, ond does 'na byth 'run cythral sy'n ddrwg i gyd, a'r fendith ddaeth yn sgîl y Faciwîs oedd gŵr o'r enw Osborne Roberts a'i wraig, Dame Leila Megane. Cyfeilydd a chyfansoddwr oedd Osborne — y fo gyfansoddodd y dôn "Pennant" — ac unawdydd yn Convent Garden yn Llundain oedd Leila. Pan dorrodd y rhyfel, symudodd y ddau gyda'u merch o Lundain i fyw yn Nhy'n Bryn, 'Sbyty, gan mai mab y Post yn 'Sbyty oedd Osborne yn wreiddiol.

Mae recordiau Leila Megane ar gael heddiw, ond gwael iawn oedd safon y recordio'r adeg honno, ac nid ydyn nhw'n deilwng ohoni. Bu'n gantores opera fyd-enwog, ac yn un o'r ychydig Gymry a ganodd yn nhŷ opera enwog La Scala, Milan.

Pan ddaethant i 'Sbyty, bu Osborne yn organydd yng Nghapel Seion yno, a dewisodd Leila Megane y sedd nesaf at ein sedd ni yn y capel. Wel, dyna fendigedig oedd cael gwrando ar y llais hwnnw yn morio canu. "Y Nefoedd" oedd ei ffefryn·

"Hiraethu mae fy nghalon drist
 Am weld y teg ardaloedd;
Fy Nuw, fy Iesu, O! fy Nhad,
A gaf fi ddod i'r hyfryd wlad,
 I'th foli yn y nefoedd?"

Byddai'n canu, ac yna'n dyblu'r gan, a gweddill y gynulleidfa'n mynd yn fud wrth wrando arni — un o leisiau mwyaf cyfoethog yr oes. Ar ben hynny, bu'r ddau ohonyn nhw'n gefn i nifer o gantorion lleol wrth eu hofforddi a rhannu'u profiad gyda nhw. Dringodd un o'r rhain i fod yn un o brif denoriaid Cymru, sef "Perganwr Penmachno" — Ritchie Thomas, gŵr arall y mae gen i barch mawr tuag ato.

Mi fyddwn i'n dal i drïo cadw'n heini dros yr haf hefyd, er na fyddai dim pêl droed i'w chwarae'r tymor hwnnw wrth gwrs. Mi fyddwn i'n rhedeg cylch o chwe milltir i fyny o Penrhiwfawr o 'Sbyty i Bentrefoelas ac yn ôl ar hyd Ffordd Newydd. Roedd pobol yr ardal yn meddwl 'mod i o 'ngho wrth gwrs, ac yn edrych ar y trowsus bach a'r 'sgidiau dal adar yn reit ddilornus gan ddweud: "Wnaiff hwn byth ffarmwr!"

Tua'r un amser, daeth person newydd i fugeilio'r Eglwys yn 'Sbyty, lle roedd Nain yn aelod ffyddlon. O Ferndale yn y Rhondda y daeth y Parch. Cen Evans ac roedd ganddo ddau fab, sef Dewi oedd yn hŷn na mi, ac a aeth yn ei flaen i fod yn brifathro yn ysgol Dyserth ac yn dad i Sioned Mair, yr hogan swynol honno sydd i'w gweld ar S4C o dro i dro.

Y mab arall oedd Lloyd, — roedd o yr un oed â mi ac yn rhannu'r un diddordeb mawr mewn chwaraeon. Mi chwaraeodd Lloyd a finnau am oriau di-ri wrth yr hen neuadd, y fi'n y gôl iddo fo gael deg cynnig o'r smotyn gwyn, ac wedyn y ddau ohonom yn cyfnewid lle. Yn nhyb papurau newydd y cyfnod, Billy Liddel (Lerpwl) neu Dougie Reid (Portsmouth) oedd y cicwyr gorau ar y bêl lonydd bryd hynny. Does arna i ddim eisiau brolio (wrth gwrs!), ond petasen nhw wedi ychwanegu dau arall at y rhestr honno...

Yn yr haf hefyd mi fyddwn i'n chwarae dipyn o griced i dim yr ysgol, ond 'chefais i fawr o flas ar y gêm honno. Bowlar chwim oeddwn i, a'r unig bleser a gawn i mewn gêm oedd bowlio bownsars at bennau'r gwrthwynebwyr!

Rhedeg oedd yn mynd a 'mryd i yn yr haf — mi roeddwn i fel milgi dros unrhyw bellter rhwng hanner can llath a chwarter milltir gan gipio cwpan "Victor Lodorum" deirgwaith yn yr ysgol.

Tîm criced Ysgol Llanrwst ym 1947.
Lloyd yw'r chwaraewr pellaf ar y chwith yn y rhes gefn,
a'r athro wrth ei ochr yw Dewi Rees.

Roedd Huw Sêl yn dallt yn iawn mai chwaraeon oedd yn rhoi tân yn fy mol i, ac mi fyddai'n gadael i mi fynd oddi wrth fy ngwaith saer pan fyddai yna chwaraeon neu fabolgampau yng ngwahanol drefi a phentrefi'r ardal. Arferwn fynd gyda John Phillips i fabolgampau Llanrwst, Dinbych, Llandudno ac ati gan gynnig ym mhob ras. Punt i'r enillydd, deg swllt i'r ail fyddai hi, ac mi fyddem yn rhannu'r enillion rhyngom ar ddiwedd y dydd, a thrwy hynny'n gwneud arian da drwy wyliau'r haf.

Llawfeddyg yw John erbyn hyn, a bellach roedd cyfnod chwalu hen ffrindiau'r ysgol eisoes wedi dechrau:

"Aed un i'r gad, a'r llall i'r môr
A'r llall i dorri mawn..."

Dyna sut y bu hi. Pan oeddwn ar fy mlwyddyn olaf yn yr ysgol, daeth yr alwad i minnau wneud fy ngwasanaeth dros y 'king an' country' bondigrybwyll. Deunaw mis oedd yr orfodaeth bryd hynny, ac roeddwn wedi penderfynu mai'r R.A.F. fyddai'n cael y fraint o fy ngwasanaeth i. Ar y nawfed o Fedi, 1949 dyma fi'n ateb y wŷs i R.A.F. Padgate ger Warrington, heb unrhyw syniad beth oedd o 'mlaen i.

"Euthum i wersyll ger y dref
Lle torrai gwŷr di-Dduw eu llef."

Yn y Wisg Gaci

PENNOD 3

You're only a caveman!"

"O ben Hiraethog draw
Cychwynnodd bachgen llon,
Cychwynnodd lawer gwaith —
Roedd ofnau dan ei fron."

Daeth y llanc ifanc, llon o'r enw Orig Williams, oedd wedi treulio deunaw mlynedd gyntaf o'i oes yn ddibryder rhwng 'bryniau aur' ei wlad yn Ysbyty Ifan, yn 'Aircraftsman 2449290 Williams, O.' dros nos.

Roeddwn eisoes wedi pasio'r prawf meddygol yn A1, ond fum i fawr o dro cyn dallt mai corff A1 roeddan nhw isho, nid dyn A1. O'r foment y cyrhaeddais y gwersyll, dyma nhw'n cychwyn fy niraddio fel dyn.

Y gwallt gafodd hi gynta'. "All off", meddai rhyw lembo o gorporal, a dyma'r barbwr yn dechrau ar fy ngwegil i gyda'i injan a'i gyrru hi syth drosodd i 'nhalcen i. Cyn pen chwinciad, roeddwn i'n edrych fel dafad newydd ei chneifio.

Mi wyddwn ar fy union 'mod i wedi dod i ganol rêl basdads o ddynion. Bron na fuasai'n well gen i fod yn ddafad fynydd ar gynefin yn y Migneint, na dod i'r fan hon i'r rhain gael eu sbort.

"O mor wahanol ydyw'r byd
O uchelderau'r mynydd mud."

"Uniform next. Left, right; left, right; left, right," meddai'r sbrigyn corporal.

"Dw i'n gwybod sut mae cerdded 'ngwas i," meddwn innau wrthyf fy hun, a ffwrdd â ni i'r stôrs fel dau bengwin.

"What size, head are you?" holodd y boi y tu ôl i'r cowntar.

"Iechyd, I don't know," atebais innau'n ffwndrus.

"Don't you know how big your bloody head is?" meddai'r

boi, bron â chael ffit.

"Well, its a lot smaller than it was when I came here ten minutes ago," meddwn innau mewn llais bach.

"We don't need any of your bloody cheeks here, you bloody mountain goat," oedd cyngor y clapyn corporal.

"Try this," meddai dyn y stordy, gan daflu un ataf.

"Too big," meddwn innau.

"It wouldn't be if it was for your mouth," meddai yntau.

"Wel, dyma gychwyn da," meddwn i wrthyf fy hun. O'r diwedd mi gefais fy iwnifform, ynghyd â reiffl a bidog. Yna dechrau chwe wythnos o "Square Bashing" — martsio, saethu reiffl, mwy o fartsio, trin Thompson mashin-gyn, martsio eto, rhedeg yr 'assault course' gyda phac trwm ar ein cefnau, a mwy a mwy o blwmin martsio.

Deuai mil o recriwts newydd i Padgate bob wythnos — i gael eu dillad a'u rhif a thorri'u gwalltiau. Ar ben hynny roedd dwy fil yno'n derbyn hyfforddiant elfennol, a dwy fil arall o staff parhaol. Pum mil ohonom, a dim ond un awyren rhyngom ni i gyd! Hen Spitfire oedd honno wedi'i gadael wrth y brif fynedfa er mwyn dangos i'r byd mai'r Royal Air Force oeddan ni. Roedd y rhagolygon imi gael fy nhraed oddi ar yr hen ddaear 'ma yn bur fain.

Un diwrnod fodd bynnag dyma 2449290 A.C. Williams O. yn cael gwys i ymddangos o flaen y Wing Commander Young D.F.C. (Distinguished Flying Cross). Martsio i mewn a chlamp o saliwt.

"Stand at ease, Williams," meddai dyn digon rhesymol ei olwg wrthyf.

"How would you like to become Air Crew?" holodd.

Ar wahan i adeg rhyfel, roedd cael cynnig ymuno â'r Air Crew yn anrhydedd mawr. Mewn cyfnod o ryfel wrth gwrs, roedd cymaint yn cael eu lladd nes bod croeso i bob Wili Wirion ymuno. Ond roedd hi bellach yn 1949.

"I don't know, Sir," meddwn yn syfrdanol. "Why me?"

"Never ask questions to your superiors, son," meddai'r W.C. "But on this occassion, I will tell you why. Strange as it may seem you are one of the only three people on this Camp with Pulheems One."

Toedd gen i ddim syniad am beth roedd y dyn yn sôn, ond roedd o newydd ddweud wrthyf i am beidio'i holi o. Munud hir o ddistawrwydd felly. Toc, mi ddalltodd y pwysigyn, a dweud ar ôl crafu'i wddw:

"Well, I will explain Pulheems One to you."

Esboniodd bod manylion cyflwr corfforol a iechyd pob aelod o'r R.A.F. yn cael eu nodi ar Ffurflen 48. Byddai'r enw — a'r rhif, wrth gwrs — ar y clawr, ac o dan hynny, y llythrennau hyn:

P U L H E E M S
1 1 1 1 6 6 1 1

Ystyr y llythrennau oedd "Physique, Upper Limbs, Lower Limbs, Hearing, Eye Left, Eye Right, Mentality, Stability" a'r rhifau uchod oedd y marc uchaf y medrid ei sgorio gan roi 'Pulheems One'. 'Pulheems Two' oedd gan y mwyafrif llethol, ond roedd blynyddoedd o ymarfer caled ar y tir garw o gwmpas 'Sbyty wedi gadael ei ôl arnaf.

Ar ôl clywed fy mod wedi ei ddeall, gofynnodd beth oedd fy ymateb. Gofynnais am noson i ystyried y mater. Roedd deg ar hugain ohonom yn rhannu'r cwt cysgu, a bûm yn trafod y pwnc gyda'r rheiny. Pawb yn boeth eu cynghorion:

"In this bleedin lot, you never volunteer for anything, Taffy."

"Why you, Taffy? You're only a caveman!"

"Sure you understood him right, Taff?"

"They must need a rear-gunner somewhere!"

Y sylw olaf roddodd y lwmp yn y cwstard. Gwyddai pawb yn yr awyrlu mai'r 'rear-gunner' oedd piau'r joban mwyaf ciami yn y byd. Eisteddai hwnnw yng nghefn yr awyren, yn wynebu at yn ôl, ac er bod gwn da ganddo, toedd o'n dda i ddim byd yn aml gan fod y gelyn yn dod o'r tu ôl iddo bron bob tro. Y rear-gunner fyddai'n ei chael hi amlaf o holl aelodau'r awyrlu. Gwrthod y cynnig gyda diolch fu fy hanes i. "You must be insane," cyfarthodd dyn y fedal.

Fwrw'r Sul canlynol roedd ein sgwadron ni'n cael y ffrwyn ar ein gwarrau am ddiwrnod cyfan — y "24 hour pass". Dyma'r tro cyntaf ers i mi gyrraedd Padgate i mi gael amser rhydd, ac er cymaint fy nyhead i weld 'Sbyty, nid oedd amser yn caniatau i

mi fynd yn ôl yno'r tro hwn. Yma, mae'n siŵr, y deuthum i
wybod beth oedd hiraeth go iawn am y tro cyntaf erioed.

"Gadewais wlad fy nhad a mam
A hiraeth dwys ym mhwys fy nghefn
Edrychais ar ei glannau'n hir
Rhag ofn nas gwelwn hi drachefn,
Wrth fynd o'r golwg yr oedd un
Yn glaf o galon ar y bwrdd,
Lle mae'r gŵr na châr ei wlad
Pan fo'i long yn mynd i ffwrdd?"

Ond roedd rhaid gwneud defnydd iawn o'r pedair awr ar
hugain 'ma. Penderfynais dreulio'r amser yn Lerpwl hefo merch
ddymunol o'r enw Sylvia. Bu Sylvia ar wyliau yn 'Sbyty'r haf
hwnnw — hi a thair merch arall dwy ar bymtheg oed. Mi allwch
ddychmygu'r cynnwrf fu ymhlith yr hen hogs yn y pentref pan
glywson bod pedair slasien handi ar eu gwyliau yn rhes dai'r Afon
Bach! I fanno'r oedden ni i gyd yn tyrru'r cyfle cyntaf gawson
ni, gan sythu a s'nwyro fel rhyw geiliogod dandi.

Roeddan nhw'n hen genod iawn hefyd, ac mi fuon yn
chwarae rowndats a ballu hefo ni. Yn raddol bach roeddwn i
wedi cychwyn ffansïo'r Sylvia 'ma. Yn sydyn, dyma storm o law
tarannau. Dyna ben ar y chwarae, a dyma ni i gyd yn rhedeg i
'mochel yn sied wair Ty'n Porth. Ymhen rhyw chwarter awr,
mi arafodd y glaw, a phwy ddaeth i mewn i'r sied ond mam un
o'r hogia. Roedd hi wedi bod yn chwilio amdano ar ôl iddi gych-
wyn glawio, ac roedd hi'n wlyb at ei chroen. Pan welodd y merch-
ed yn fanno hefo ni, wel, dyma gychwyn ei deud hi ac mi siarsiodd
y genod i "leave 'Sbyty boys alone, you blydi hwrgwns!" A'r
peth olaf oedd gan yr hen ''Sbyty boys' ei eisiau oedd cael llonydd
gan bishyns handi!

Dyna sut y dois i i'w nabod hi, ac mi sgwennais ati o
Padgate i ddweud y gwelwn hi yn Lime Street Station. Felly fuodd
hi, criw ohonom yn cyrraedd Lerpwl yn gwisgo'n hiwnifform yn
gyhoeddus am y tro cyntaf erioed. Roedd rhai o'r hogia wedi
mopio ar gael gwisgo lifrai'r brenin, ond doedd gythral o ots gen i.

Cyrraedd Lime Street, cwarfod Sylvia, a ffwrdd â ni i'r
pictiwrs. Pob dim yn mynd yn werth chweil tan y dois i allan

o'r pictiwrs. Dyna lle roeddan ill dau'n cerdded lawr y stryd pan deimlais dap ar fy ysgwydd. Troi, a dyna lle roedd dau blismon R.A.F. yn edrych yn gas.

"Excuse us, lady," meddai un. "We need a word with this Aircraftsman."

Dyma fynd â mi o'r neilltu a dweud wrthyf fy mod wedi sarhau iwnifform y brenin.

"We are putting you on Charge Form 252 for insulting the King's Uniform," medden nhw. "Dismiss."

Y cwbwl oeddwn i wedi'i wneud oedd anghofio gwisgo 'nghap ar ôl dod allan o'r pictiwrs! Euthum yn ôl at Sylvia gan anghofio'r cyfan am y mater.

Fore Llun, a ninnau ar barêd, dyma lais y Station Warrant Officer — bwldog y gwersyll — yn gweiddi "290 A.C. Williams, O. — report to my office immediately."

Ffwrdd â fi, fel ci wedi colli'i gynffon. Dyma sefyll y tu allan i'w swyddfa, bron iawn â chachu llond fy nhrowsus.

"Come in, you pillock," chwyrnodd.

Gwelais y ffurflen 252 ar ei ddesg, a dyma fo'n cychwyn arna i. Mi fuasai rhywun yn meddwl 'mod i wedi gwirfoddoli i ymuno â'r Hitler Youth neu rywbeth, yn hytrach nag anghofio gwisgo 'nghap. Saith niwrnod 'Confined to Barracks' oedd diwedd y stori.

Rŵan 'ta, roedd hi'n hawdd iawn derbyn y 'C.B.' — y peth anodd oedd cael eich rhyddhau o'r gosb honno. Roedd rhaid rhoi cyfrif ohonoch eich hun yn y giardrwm bob pedair awr rhwng chwech y bore a deg yr hwyr, a hynny yn eich gwisg lawn a phac cyflawn ar eich cefn. Arolwg manwl wedyn. Un brycheuyn, yna byddai'r gosb yn ymestyn dros gyfnod pellach. Ydi'r sgidiau'n lân? Ydi'r botymau'n sgleinio? Os nad oeddan nhw — "Further two days C.B., you dirty pig" fyddai hi.

Hwn oedd y C.B. cyntaf i mi'i gael, ac mi fûm arno am ddeuddeg niwrnod.

Cicio Pêl yn yr Awyrlu

PENNOD 4

> "Tynnwch y ffwtbol 'ma o'i waed o, Kitty Williams
> — a gyrrwch o i'r weinidogaeth."

Roedd rhyw gant ohonom ar parêd un diwrnod, a dyma'r corporal yn gweiddi (gweiddi y byddai o bob amser o ran hynny, hyd yn oed pan fyddai o'n siarad):

"Right, I want eleven volunteers."

Roeddan ni i gyd yn hen bennau erbyn hyn. Symudodd neb yr un bawd na throed.

"Are you all deaf as well as daft? I want eleven volunteers — step forward."

Pawb yn hollol lonydd.

"Right, hands up those of you who think they can play football."

Hanner cant o freichiau'n saethu i'r awyr. Aeth o amgylch yn holi'r hogiau i bwy y bu pawb yn chwarae cyn ymuno a'r awyrlu. "Chelsea", "Arsenal", "West Ham" ac ati oedd yr atebion brwdfrydig. "You?" meddai'r corporal wrthyf.

"Llanrwst Grammar School," meddwn.

"Never bloody heard of it," meddai, ac yn ei flaen.

Drwy lwc roedd cymaint eisiau chwarae nes y bu rhaid trefnu treial i bawb gael cyfle i ddangos ei ddawn. "A Wing" yn erbyn "B Wing" oedd hi, ac yn nhîm yr "A Wing" yr oeddwn i. 'Chefais i ddim gêm yn ystod yr hanner cyntaf gan fod hogia Chelsea ac Arsenal yn cael y flaenoriaeth, ond dyma gael fy ngalw i'r cae ar ddechrau'r ail hanner.

Erbyn hyn roeddwn yn cychwyn amau nad oedd hanner y chwaraewyr yn ddim mwy na chefnogwyr y timau mawrion. Cyhoeddwyd y tîm ar ôl y treial, ac roeddwn yn hapus iawn 'mod i wedi fy newis i chwarae 'left half', a hefyd yn gapten ar y tîm.

Roedd pedwar ar ddeg o dimau eraill yng nghystadleuaeth y Gwersyll ac fe lwyddasom ni i gyrraedd y gêm derfynol. Yr hyfforddwyr ymarfer corff (y 'P.T.I.'s') oedd ein gwrthwynebwyr yn y gêm honno, a chafodd y Gwersyll cyfan bnawn rhydd i'n gwylio. Torf o 5,000 felly – dipyn mwy nag oedd ar gae Ysgol Llanrwst!

Roedd y P.T.I.'s yn Gorporals a Sarjants i gyd, ac yn aelodau o staff barhaol y Gwersyll, ac oherwydd eu swydd, roedd-ent yn gyfarwydd â'n dull ni o chwarae. Bob tro y cawn i'r bêl, mi fyddai'u golgeidwad nhw'n gweiddi: 'Watch his left leg! Stand on his left leg – he's useless on his right leg.''

Un-dim iddyn nhw oedd hi ar yr hanner, a 'toedd hynny ddim yn rhy ddrwg a dweud y gwir gan eu bod nhw'n dîm da iawn. Rhyw chwarter awr cyn diwedd yr ail hanner, derbyniais y bêl yng nghanol y cae, dyma dorri drwodd ac ymlaen rhyw bym-theg llath ac yna clec iddi fel bwled heibio'r golgeidwad cegog. Cyfartal oedd hi hyd y diwedd, a bu rhaid chwarae hanner awr yn ychwanegol.

O fewn deng munud dyfarnwyd cic gosb i ni. ''Watch my left foot, Sargeant,'' meddwn wrth roi'r bêl ar y sbotyn ac edrych yn gas ar y golgeidwad. ''Fiw i mi fethu hon,'' oedd yn taranu y tu mewn i 'mhen.

Tri cham...a chlec! Roedd y bêl yn y rhwyd a'r geg fawr heb symud. Bu bron i mi fynd ato a dweud wrtho am roi'i fys yn ei din a whislo, ond cofiais mewn pryd ei fod o'n Sarjant a fin-nau'n ddim ond pry' cachu.

Y fi oedd yn chwerthin y foment honno, ond y fo chwarddodd olaf gan iddyn nhw sgorio dwy gôl cyn y diwedd gan ennill 3-2.

Ar ddiwedd y gêm dyma'r golgeidwad ataf gan fy ngorch-ymyn i fynd i'w swyddfa am naw o'r gloch bore drannoeth. Nodiais, gyda 'nghalon yn fy 'sgidiau. ''Yr hen gŵd maharan,'' meddwn wrthyf fy hun. Ond drannoeth, a finnau yno'n brydlon, gwenu ddaru'r Sarjant ac ysgwyd llaw gan ddweud: ''You played a blinder yesterday, Taffy.''

''Dew, hen foi iawn ydi hwn,'' meddwn i wrthyf fy hun. Yn tydi dyn yn fodlon newid ei farn am rywun unwaith y caiff o'i ganmol ganddo!

Sarjant Brooking oedd ei enw erbyn dallt, ac mi aeth hi'n sgwrs reit gartrefol rhyngom ni. O lle roeddwn i'n dod? Oeddwn i'n hoffi'r R.A.F.? Wel, oeddwn — gwerth chweil," meddwn i wrtho fo. "Clwyddau noeth, cachgi dau wynebog," meddwn i wrthyf fy hun.

"How do you like Padgate?" gofynnodd.

"Great," atebodd y bradwr.

"Then I will try and get you posted here if you like — I can't promise, you understand, but I can try."

Diolchais i'r Sarjant, a ffwrdd â mi. Erbyn hyn roedd pawb yn sôn am y 'posting' 'ma. Pawb eisiau cael eu gyrru i ymyl eu cartrefi yn naturiol, a phawb yn ofni'r gwaethaf — cael eu gyrru i'r Almaen neu i ogledd yr Alban.

R.A.F. Valley, Môn neu R.A.F. Sealand ger Caer oedd fy newis i, ond roeddwn i'n berffaith fodlon ar Padgate hefyd, ond doedd wiw i mi sôn am y sgwrs fu rhwng y Sarjant a minnau wrth y gweddill o'r hogiau wrth gwrs.

Roedd pawb ond pedwar ohonom wedi llwyddo i gyrraedd y safon a phasio'r hyfforddiant elfennol yn Padgate. Ar ôl y "Passing Out Parade", roedd pawb yn cael amlen yn cynnwys ei diced trên adref am wythnos o hoe, a hefyd darn o bapur gyda manylion ei bosting arno.

Dyma'r enwau'n cael eu galw yn nhrefn yr wyddor. Anderson o Lundain wedi'i yrru i Kinross, yn yr Alban — cychwyn sâl; Baxter o Lerpwl i Dde Cymru — piti garw; Browning o'r Alban i Berlin! Iechydwriaeth, beth fydd hanes hen bechadur o 'Sbyty a gafodd C.B. tybed?

Roedd hi'n rhestr faith, a bu'r swyddog yn hir cyn cyrraedd Williams. Ond wedi cnoi 'ngwinedd am bron iawn i ganrif, dyma glywed mai yn R.A.F. Padgate yr oeddwn i i aros. Dyna ryddhad, a'r hogia eraill yn methu dallt pam fod hen Gymro bach wedi cael ffasiwn lwc.

Lwc neu beidio, mi roeddwn i'n diolch yn ddistaw bach am y ddawn bêl droed oedd gen i. Ar fy ffordd adref am wythnos o hoe, fedrwn i ddim llai na chofio geiriau Nain:

"Mae ffwtbol yn iawn yn ei le, ond wnaiff o ddim dy helpu di mewn bywyd go iawn."

Mrs Annie Jones, wedyn, yr hen wraig oedd yn cadw'r Efail Bach — un o'r ddwy siop oedd yn 'Sbyty'r adeg honno —

yn siarsio fy Nain:

"Tynnwch y ffwtbol 'ma o'i waed o, Kitty Williams, a gyrrwch o i'r Weinidogaeth. Mae ganddoch chi gefnder yn weinidog parchus."

Rhywbeth yn debyg fu cynghorion nifer o'r athrawon yn Ysgol Ramadeg Llanrwst. Ond erbyn cyrraedd Betws-y-Coed, lle roeddwn i'n dod oddi ar y trên, roeddwn wedi penderfynu eu bod nhw i gyd wedi'i methu hi. Roeddwn i'n rhyw deimlo fod gen i hwyrach ddigon o ddawn yn fy nhraed i roi hwb bach imi i'm helpu ar daith bywyd.

Cyrraedd 'Sbyty.

"Sais ydi hwn," meddai Robin Blan. "Mae o'n saff o fod wedi anghofio'i Gymraeg."

"How ar iew, chap," meddai Vaughan.

Hogia'r Llan yn tynnu 'nghoes i — ond nid heb achos chwaith. Roedd 'na un neu ddau o 'Sbyty wedi mynd i weithio i Lanrwst, Bae Colwyn neu Llandudno ac wedi mynd yn reit chwithig eu Cymraeg. Dim ond saith wythnos oedd yna ers i mi adael y pentref wrth gwrs, ond roeddwn i'n teimlo'r colyn oedd yn y geiriau i'r byw. "Cas gŵr na charo'r wlad a'i maco" fu hi gen i fyth ers hynny.

Aeth yr wythnos gyda'r gwynt, a bûm yn chwarae â'r syniad o beidio â dychwelyd i Padgate:

"Tyrd adref,' meddai llais o'r grug,
'Tyrd adref at yr hon a'th ddug,
Tyrd gyda mi i'r Seithfed Nen
Lle triget unwaith gyda Gwen.. "

Ond doedd gen i fawr o awydd byw ar ffo a thrio dianc o grafangau'r Heddlu Milwrol melltigedig. Felly yn ôl yn y giardrwm yn Padgate y cefais fy hun ymhen yr wythnos.

Yn fanno cefais fy mhenodi'n glarc bach yn yr adran feddygol — joban bach reit felys, oedd yn caniatau digon o amser i mi yn y 'jim' lle cawn ddysgu paffio, chwarae pêl rhwyd a badminton ac ati. O fewn deuddydd roedd y Gwersyll yn chwarae pêl droed yn erbyn R.A.F. Kirkham a finnau oedd y cefnwr chwith.

Dechreuais gwyno nad oeddwn yn 'left half', ond cefais ar ddeall mai Jimmy Chalmers oedd yn chwarae yn y safle hwnnw, a dyna fo. A dweud y gwir, roeddwn yn ffodus bod lle i mi yn y tîm o gwbwl. Chwaraewyr proffesiynol oedd y lleill i gyd, ar wahân i fi a Jimmy, ac roedd Jimmy wedi chwarae bedair gwaith dros amaturiaid yr Alban. Cau 'ngheg wnes i a diolch 'mod i'n cael cyfle i chwarae safon uwch o bêl droed nag yr oeddwn erioed wedi ei weld o'r blaen. Padgate fyddai'n cael y dewis cyntaf o'r holl recriwts newydd, ac felly dyna esbonio pam fod tîm eithriadol o gryf yno.

Llwyddais i gadw fy safle yn y tîm, ac roeddem yn curo'r rhan fwyaf o'r gemau. Buan yr hedodd y misoedd heibio, a sylweddolais bod fy neunaw mis yn dirwyn i ben a bod rhaid meddwl beth fyddai 'nhynged ar ôl hynny. Yna'n hollol ddirybudd, pasiwyd deddf oedd yn ymestyn y cyfnod o wasanaeth milwrol gorfodol o ddeunaw mis i ddwy flynedd.

Erbyn hyn roeddwn wedi cychwyn setlo i'r ffordd o fyw yng ngwersyll Padgate, ac yn ddigon bodlon fy myd. Dyma pryd y gwnaeth Cyngor Warrington un o'r camgymeriadau cynllunio rheiny y mae pob cyngor yn enwog amdanynt. Yr hyn wnaethant oedd sefydlu coleg hyfforddi i ferched yn union gyferbyn â'r brif fynedfa i'n gwersyll ni.

Meddyliwch am y peth mewn difri — rhyw ddeucant o enethod heini, del (doedd 'na neb yn hyll bryd hynny) ar draws y ffordd i bum mil o hogiau heb fawr ddim i'w wneud. Bob nos, heidiai torfeydd o'r gwersyll i dref Warrington i weld os oedd rhywun yn cwna. Yn naturiol, mi fyddwn innau'n ymuno â'r dorf hon — pwy oeddwn i i anwybyddu natur ynte?

Ond ni ddaw'r melys heb y chwerw, wrth gwrs. A'r bwgan y tro hwn oedd 'Yr Iancs' — roedd dwy fil ohonyn nhw'n aros mewn gwersyll o'r enw Burtonwood yr ochr arall i'r dref. Hogia uchel eu cloch oedd y rhain, gyda phedair gwaith mwy o bres yn eu pocedi na ni, drwy eu bod yn cael lwfans tramor ac ati. Oherwydd hyn, y nhw ac nid y ni oedd yn cael yr hwyl orau ar fachu genod y coleg, — a'r genod lleol o ran hynny.

Canlyniad hyn i gyd oedd creu sefyllfa ffrwydrol iawn ym mhob tafarn yn Warrington — ac yn arbennig felly ar nos Sadwrn. Rhywbeth yn debyg oedd cychwyn pob helynt — un o'n hogia ni wedi cael cam y noson cynt, a'i hogan o wedi mynd efo rhyw Ianci, yr hen hwrsen iddi. Y diwrnod canlynol, mi fyddai 'na recriwtio giang o'r hogia i fynd i dalu'r pwyth yn ôl i'r Ianc.

Dysgu bod sêr

l i sêr y nefoedd...!

"Taff, we need your help."

"I've got no money," — roedd hynny'n wir fel arfer, hefyd.

"Never mind money, we'll buy you all the beer you can drink. Can we count on you?"

"Yes!"

'Seven Stars' oedd un o dafarnau enwog y dref a honno oedd pencadlys yr Iancs. Yn y fan honno y cychwynnai'r hela fel rheol. Rydw i wedi colli cyfrif pa sawl gwaith y bûm yno'n gwneud fy rhan i drio cychwyn y Trydydd Rhyfel Byd. Ennill weithiau — os mai ennill yw'r gair cywir; colli dro arall — ac ia, ar yr achlysuron rheiny, colli oedd y gair cywir. Os ydyn nhw wedi newid enw'r dafarn i 'O.K. Corral' erbyn hyn, mi wn i pam.

Penderfynodd yr awdurdodau roi terfyn ar yr ymladdfeydd yma yn y diwedd. "Seven Stars — out of bounds to all R.A.F. personel" oedd y cyhoeddiad swyddogol. Iawn, digon teg, ond doedd eu hail syniad ddim cystal. Wedi ymgynghori â phrif swyddogion y gwersyll Americanaidd, penderfynwyd cynnal gornestau mewn tair camp chwaraeon rhwng y ddau wersyll. Y gobaith wrth gwrs oedd y byddai'r ysbryd chwaraegar, cystadleuol yn trechu gan dynnu'r hogiau'n nes at ei gilydd, a phawb yn ffrindiau yn y diwedd. Yn Eaton y cafodd Capten ein gwersyll ni ei addysg, a dyna sut maen nhw'n setlo popeth yn y fan honno, fel y gŵyr pawb.

Y tair camp oedd 'baseball', rygbi a phaffio. Roedd rhaid dethol pymtheg o hogiau gorau'r ddau wersyll a'r un pymtheg oedd i fod yn y tri thîm.

Mi gawsom grwbins go iawn yn y 'baseball' fel y gellid disgwyl. Doeddan ni ddim yn dallt y rheolau, ond ni chafwyd helynt o fath yn y byd. Y nhw oedd yn anwybodus o reolau'r gem rygbi, — bu tair ffeit waedlyd, a ni oedd y buddugwyr. Felly roedd yr ornest baffio yn mynd i setlo pob peth.

Codi 'Nyrnau

PENNOD 5

"I thought it was war, Sir..."

Yr amser hwnnw, dim ond wyth gwahanol bwysau paffio oedd yna trwy'r byd, ac un corff canolog oedd yn rheoli — y pwysau oedd "Flyweight, Featherweight, Light, Bantam, Welter, Middle, Crusier a Heavyweight." Doedd dim rhyw hen lol fel 'light middleweight' yr adeg honno.

Doedd gan yr Iancs ddim Flyweight na Featherweight, a doedd ganddon ninnau yr un pwysau trwm. Dywedodd pennaeth yr Iancs y caen nhw afael ar Featherweight petaen ninnau'n fodlon rhoi rhywun i ymladd yn y pwysau trwm, a chytunodd ein Cadfridog dewr ni i'r fargen.

"Taffy, you're our heavyweight," oedd y peth nesaf glywais i, a hynny gan y Corporal bach gwallt coch oedd yn gyfrifol am hyfforddi'n tîm paffio ni.

"Iechyd, I'm only 12 stone 2 pounds," protestiais, oherwydd dros 12 stôn a 7 pwys oedd graddfa'r pwysau trwm.

"It doesn't matter, lovie. You're the nearest we've got."

Mi fydda i wastad yn rhyfeddu bod pob Ianc fel tae o'n fwy o gorffolaeth na ni yr ochr yma i'r dŵr mawr 'na. Ond tydyn nhw byth yn edrych yn fwy na phan ydach chi'n gorfod mynd i wynebu un yn y cylch paffio, coeliwch chi fi.

Yn anffodus, roeddan ni wedi colli'r tos, ac yn eu 'jim' nhw roedd yr ymladdfa i ddigwydd. "You're on last," meddai clamp o Gorporal. Diolch yn fawr iawn. Dyna'r tro cyntaf imi glywed y geiriau, ond rwyf wedi tyfu i'w casáu â chas perffaith. Mae'r 'on last' 'ma'n golygu mwy o amser i feddwl, mwy o amser i fod yn nerfus, ac mae 'na rhyw gnoi yn eich perfedd wrth ichi weld un ar ôl y llall o'r gornestwyr eraill yn cael gorffen a chithau'n dal yn y 'stafell newid yn bwyta'ch bodiau.

Roedd deuddeg gornest i gyd, a chychwynnodd ein tîm

ni'n reit dda gan ennill y ddwy ornest gyntaf yn y pwysau ysgafn. Ond erbyn i mi gyrraedd y cylch, roedd y fantais yn saff gan yr Iancs, oedd yn curo 7 - 4.

Roedd fy nerfau i'n racs fel y cerddwn drwy'r dorf, ac mi ddaeth rhyw syniad gwirion i 'mhen. Trois at fy nghynorthwydd — a oedd hefyd yn Ianc, gan mai ar eu tir nhw y digwyddai'r ornest, — a dweud wrtho:

"Perhaps we could change the rules to cricket rules, — seeing you are so far ahead, you can declare, because we can't beat you."

Wnaeth y boi ddim gwenu hyd yn oed — dim ond dal i gerdded yn ddefosiynol at y cylch. Wyddai'r dyn ddim beth oedd rheolau criced wrth gwrs, a doedd o ddim yn bwriadu siarad â'r gelyn ychwaith.

Ta waeth, roedd fy ngelyn i eisoes yn y cylch — anferth o ddyn du'n pwyso o leiaf pedair stôn ar ddeg. "Mae'r diawled wedi mynd cyn belled ag Affrica i chwilio am rywun fedar roi cweir i mi," meddyliais wrthyf fy hun, wrth blygu o dan y rhaffau a cheisio 'ngorau glas i anwybyddu y FO.

Ianc a Phrydeiniwr bob yn ail oedd y reffarîs — ac wrth gwrs, Ianc gefais i. Galwodd ni i'r canol gan barablu fel lli'r afon, ond chlywais i 'run gair. Fedrwn i wneud dim ond edrych ar y corff mawr, trwm, creithiog, DU!

Dyna'r gloch! Rownd un — ac yn fuan sylweddolais nad oedd y Zulu ddim mor chwim ar ei draed ag yr oeddwn i. "Cadw oddi ar ffordd hwn ydi'r calla, Orig," meddwn wrthyf fy hun, ac yn wir, wrth eistedd yn y gornel ar ddiwedd y rownd gyntaf, roeddwn yn llongyfarch fy hun 'mod i'n gwneud yn reit dda.

Tair rownd o dri munud yr un oedd y ffeit — mae'n swnio'n amser byr i unrhyw un sydd heb fod yn y cylch paffio ei hun. Ond cofiwch bod y British Boxing Board of Control wedi newid rheolau amaturiaid i rowndiau o ddau funud yr un erbyn hyn, gan fod tri munud yn rhy hir yn eu tyb hwy.

Y gloch, a dechreuodd yr ail rownd. Glynais wrth yr un patrwm o gadw i ffwrdd a symud yn sydyn, ond mae'n rhaid fy mod wedi arafu hanner ffordd trwy'r rownd.

Dyna uffarn o glec ar ochr fy mhen, ac i lawr â fi.

"One, two..."

I fyny â fi. Clamp o ddwrn arall. Lawr â fi yr eildro.

"One, two, three..."

Roeddwn yn ôl ar fy nhraed. Peltan arall.

"One, two, three, four, five..."

Canodd y gloch. Codais, gan ei simsanu hi yn wantan am y gornel.

"Do you want to quit? Shall I throw the towel in?" gofynnodd yr eilydd yn frwdfrydig.

Dywedais wrtho mewn cyn lleied o sillafau â phosib ble y dymunwn iddo fynd.

"Same to you, limey," meddai yntau, a neidio o'r gornel gan fy ngadael heb gynorthwy-ydd.

Y gloch eto! Ceisiais symud mor gyflym ag y medrwn ar ddechrau'r drydedd rownd. Aeth y munud cyntaf yn o lew, ond roedd y stîd gefais i yn yr ail rownd yn dechrau deud arna i. Iesu, roedd y Du yn mynd yn fwy bob eiliad. Yn sydyn, dyma fo yn taro eto. Y peth nesaf a glywais oedd y reffarî yn cyfri saith... wyth...

Rhyw fodd, rhyw sut, crafangais ar fy nhraed a thaflu 'mreichiau am y Zulu. 'Chefais i ddim gafael iawn ynddo — dim ond cydio yn ei goes wrth iddo gilio o'r ffordd. Fodd bynnag, i lawr â fo.

Doedd o fawr gwaeth, ond roedd 'na glychau bach yn canu yn fy nghlustiau i. Teflais fy mreichiau amdano drachefn, a'r tro hwn roeddwn wedi cael gafael iawn. Gwthiais ef yn ôl yn erbyn y rhaffau, a chan gydio'n dynn yn y rhaffau, llwyddais i'w drapio.

Gwaeddai'r reffarî "Break! Break! Break, you lunatic!" gan ddechrau fy nhynnu i ffwrdd oddi arno, ond roeddwn yn lloerig bost erbyn hyn, y tu hwnt i wrando ar neb na dim. Roedd pob rheswm wedi hen ddiflannu a rheolau'r Goedwig oedd yn teyrnasu.

Roedd y dyn du wedi llacio rhywfaint ar fy ngafael, ac wedi ailgychwyn fy leinio gorau medrai, a'r reff yn fy nhynnu o'r tu ôl fel winsh. Teimlais fy hun yn colli fy ngafael yn araf, ond wrth ollwng, codais fy mhenglin chwith cyn gleted ag y medrwn i a chlywais hi'n suddo i gedors y Du. Rhoddodd uffarn o ochenaid, a dyma fo i lawr fel llongddrylliad fawr.

Gwylltiodd y reffarî yn gacwn:

"You're disqualified, you crazy limey — disqualified!"

Neidiodd Coporal Cochyn i'r cylch gan weiddi:

"For Christ's sake, Taffy, calm down! Have you gone bleedin mental?"

Roedd dau gynorthwy-ydd a'r reff yn cario'r cawr du yn ôl i'w gornel, ond doedd hwnnw byth wedi dod ato'i hun. Y fi oedd arwr yr hogia ar y ffordd yn ôl i Padgate, ond dywedodd Corporal Cochyn wrthyf:

"I'm very sorry, Taffy, but I will have to put you on a charge."

Bore trannoeth, roeddwn o flaen y Station Warrant Officer unwaith eto ar gyhuddiad o ddwyn anfri ar enw'r R.A.F. Bu fy mêts yn fy nghynghori drwy'r nos ar sut i ateb y cyhuddiad, felly pan ofynnodd y casddyn beth oedd gen i i'w ddweud, roedd gennyf ateb parod:

"I thought it was war, Sir, and our men were going down."

Holltodd yr wyneb cas yn wên, a meddai:

"I heard what happened, and off the record, if we were at war, I would like somebody like you on my side. Seven days C.B. – dismiss."

Dim pêl droed; dim mynd o'r gwersyll – dim byd am wythnos. Ond tra roeddwn ar y Jankers – sef slang yr R.A.F. am C.B. – daeth llythyr bach i godi 'nghalon:

"Ce's lythyr o wlad yr Efengyl
Ac arno roedd smotyn o waed,
Nis gwn pa fodd y daeth yno
Ond yno er hynny fe'i caed."

Llythyr gan yr hen hogs yn 'Sbyty oedd o. Roeddan nhw'n cynllunio i fynd am wythnos o wyliau i'r Red Island Holiday Camp yn Iwerddon ymhen dau fis. Oedd gen i ffansi mynd? Oedd, nen' tad! Mi ofynnais am ddeng niwrnod i ffwrdd ar fy union, er mwyn sicrhau lle ar yr antur fawr.

Y Twlc Chwysu ym Manceinion

PENNOD 6

> "Anybody can be a boxer,
> but it takes a man
> to be a wrestler!"

Chwe phererin blinedig ond hapus iawn ddaeth yn ôl o Iwerddon i 'Sbyty. Bu'n wythnos galed o yfed a hel merchaid, ond wythnos ddiguro a minnau ymhlith criw o hogia gora'r ddaear 'ma.

Yn ôl yn Padgate, rhoddais fy holl sylw i athletau unwaith y dath y tymor pêl droed i ben. Ym mis Mai y byddai diwrnod mabolgampau'r Gwersyll, a'r pryd hwnnw y dewisid tîm i gynrychioli'r Gwersyll yn erbyn gwersylloedd eraill.

Enillais y ras ganllath allan o ddeugain o gystadleuwyr eraill yn y Gwersyll, a hefyd enillais y ras glwydi 3,000 medr. Doedd yr arbenigwyr yn y Gwersyll ddim yn dallt sut y bu i mi lwyddo mewn dwy gamp mor wahanol. Efallai eu bod nhw wedi derbyn hyfforddiant arbennig yn eu trefi. ond 'toeddan nhw erioed wedi rhedeg i fyny gelltydd serth a neidio'r nentydd a'r gwrychoedd o amgylch 'Sbyty.

Yn y byd athletau roedd gen i gyfaill mawr o'r enw Bunny Sparks, rhedwr y 220 llath. Brodor o Fanceinion oedd Bunny, a byddai'n mynd adref i fwrw'r Sul — dim ond hanner awr gymerai hynny ar y trên o Warrington. Gofynnodd imi fynd adref gydag ef un tro — cyfle i weld Manchester United yn chwarae, a hefyd caem fynd i 'jim' ei ewythr, oedd yn hyfforddwr ac yn baffiwr proffesiynol ei hun.

Dyna syniad! Doeddwn ond yn rhy falch o dderbyn y gwahoddiad caredig. Yn erbyn Aston Villa y chwaraeai Manchester United y Sadwrn hwnnw. Roedd ganddynt dîm da o dan gapteniaeth Johnnie Carey bryd hynny, a hwy a orfu 2 - 0. Mwynheais y gêm yn fawr, a dyna benderfynu yn y fan a'r lle yr awn i wylio mwy o'r gemau hyn. Roedd y Sadyrnau'n rhydd gennym, gan mai ar bnawniau Mercher y byddem yn chwarae ein gemau yn y gwersyll.

Adref i dŷ Bunny i gael te, ac yna allan i weld beth oedd gan Manceinion i'w gynnig gyda'r nos. Roedd bar enwog yn y dref o'r enw 'Listons Bar' yr adeg honno, ac oddi yno y byddai 'Merched y Nos' yn cael eu cwsmeriaid. Holodd fy mhartner a oedd gen i ffansi mynd i gael cip ar y lle.

"Pam lai," meddwn innau'n ddewr. Efallai na fuaswn byth yn cael cyfle fel hyn eto, gan 'mod i ar y pryd yn bwriadu mynd 'nôl i fyw yn 'Sbyty ar ôl darfod yn yr awyrlu.

Wedi cyrraedd, toedd fy llygaid gwledig ddim wedi'u paratoi ar gyfer yr olygfa a welais yno:

"Merched a ddawnsiai yn Uffern drwy'r nos
A lili'n eu gwallt a pheraidd ros."

Roedd Merched y Nos yn ddyfal a brwdfrydig wrth eu gwaith — ac wrth gwrs, roedd eu busnes hwy wedi hen sefydlu'i hun cyn bod sôn am 'Ferched y Wawr'. Roedd y merched i'w gweld yn mwynhau eu hunain wrth fynd o gwmpas yn hwrjo'u cyrff.

"Iechyd mawr, gobeithio na ddôn nhw ataf i," meddyliais yn swil. Peth cas fuasai gorfod eu gwrthod a brifo'u teimladau a deud nad oedd gen i ddim pres. Sut oedd egluro wrth rhyw bladres fawr, frestiog mai dim ond punt a chweugain oedd rhywun yn ei gael yn yr awyrlu? Ac yn waeth na hynny, sut y buasai rhywun yn esbonio mai hogyn o 'Sbyty oeddwn i, a 'mod i'n Fethodist Calfinaidd.

Doedd dim amdani ond llyncu 'mheint, rhoi nod ar Bunny a'i ffaglu hi am y drws. Ar ôl cyrraedd rhyddid diogel y stryd, trodd Bunny ataf a dweud:

"I never thought I would see the day when you would be frightened, Taffy!"

"Bloody terrified," atebais yn wylaidd.

Ar ôl brecwast drannoeth, aethom lawr i'r jim. Dyma Bunny yn fy nghyflwyno i'w ewythr fel: "Here's Taffy — he will spar with you." Toeddwn i ddim yn barod am hyn, ac eto ddim yn hoffi gwrthod, felly dyma wisgo'r menyg paffio.

'Welterweight' oedd Johnnie Brown, ac felly roeddwn yn medru dal fy nhir yn o lew, er ei fod o'n llawer cyflymach na mi ac yn glanio pedair peltan am un o fy rhai i. Roedd Johnnie'n hael ei ganmoliaeth wedi imi sefyll tair rownd gyda fo, ac yn fy ngwadd i ddod i'w jim yn amlach i dderbyn hyfforddiant. Roeddwn wedi mwynhau fy mhenwythnos yn fawr, a manteisiais ar bob cyfle i fynd i Fanceinion ar ôl hynny.

Rêl twlc chwysu o le oedd yn y jim, mewn hen warws segur. Doedd dim sôn am gawodydd na dim yr adeg honno wrth gwrs — cylch mewn un cornel, lle i godi pwysau, pêl ddyrnu yn hongian o'r to a bag trwm yn hongian o'r distiau, mat sgwâr i reslwyr yn y gornel arall — ac oglau chwys yn drwm drwy'r lle.

Roedd llefydd fel hyn yn gyffredin iawn bryd hynny, cyn bod sôn am y canolfannau chwaraeon crand gyda'u holl adnoddau hwylus. Er hynny, dw i'n amau dim nad oedd gwell dynion yn codi o'r hen dylciau chwyslyd 'na hefyd. Roedd hi'n fraint i rywun gael ei dderbyn yn aelod i'r fath le ers talwm — heddiw mae 'na waith perswadio ieuenctid i ddefnyddio cyfleusterau modern y canolfannau newydd. Lle collwyd y ffordd dybed?

"Anybody can be a boxer, but it takes a man to be a wrestler," meddai un o'r reslars wrthyf rhyw fore Sul. "Come with me on the mat, and we'll see how hard you really are."

Dyna ichi sialens! Ar ben hynny, dim ond rhyw ddeg ston oedd y dyn oedd yn ei thaflu imi. Na, roedd yn amhosib cachgïo y tro hwn...

Roeddwn wedi gweld reslo proffesiynol unwaith cyn hynny. Aeth Syl (un o hoelion wyth 'Sbyty, hefyd adeiladydd ac arweinydd eisteddfodau) â fi pan oeddwn yn hogyn ysgol i Landudno unwaith i wylio reslo ar Gae'r Cyngor, lle mae stondin Asda heddiw. Roedd hi'n arferiad yn 'Sbyty i rai o'r hen hogia oedd yn berchen car fynd a rhai o'r cybia ifanc hefo nhw i rywle, gan ei bod hi'n anodd cael bws i fynd i unlle o 'Sbyty. Oni bai am y drefn yma, fasa'r hogia ieuengaf byth yn cael cyfle i fynd i unlle.

"The Goul" yn ei fasg, yn erbyn Johnnie Mac, a Dave Armstrong o Fanceinion yn erbyn Taffy Jones o Drawsfynydd oedd y rhaglen y diwrnod hwnnw. Synnais weld rhywun o Traws yn gwneud y fath wrhydri, a blynyddoedd yn ddiweddarach, canfûm iddo adael y pentref hwnnw sbelan cyn hynny a'i fod yn

"Y Goul" — codi arswyd oedd gwaith bob dydd y dyn hwn.

gweithio yn nociau Lerpwl gan reslo yn rhan amser. Ar y ffordd adref, cofiaf i Syl a minnau gytuno nad oedd posib eu bod nhw wedi brifo llawer.

Hynny oedd yn mynd drwy fy meddwl wrth imi gamu ar y mat i wynebu'r deg stôn ym Manceinion. Daeth fy ngwrth-wynebwr tuag ataf yn araf gan gynnig ei fraich i mi yn ddigon llipa. Gwnes y camgymeriad o gydio ynddi. Y peth nesaf a wyddwn oedd fod y dyn y tu ôl imi, a minnau ar fy mol ar lawr ac yna'r deg stôn yn neidio ar fy nghefn ac yn gwneud ei orau glas i wthio fy mhen drwy'r mat.

"Tell me when you have had enough," oedd ei gyngor.

"Now, now!" llefais.

Safodd y dyn bach ar ei draed, gan ddweud yn siomedig:
"That took four seconds, — lets try again."

Roedd fy nghlustiau'n canu gan sŵn y geiriau "Toedden nhw ddim i'w gweld yn brifo rhyw lawer." Codais yn araf:

"Rwyf wedi blino'n lân
Fy nerth sydd yn pallhau,
Mae'r afon o fy mlaen
O'm cylch mae'r niwl yn cau."

Beth bynnag, "Lets try again" a "Lets try again" fuodd hi — tua deg o weithiau i gyd. Bob tro rhyw dri neu bedwar eiliad gymerai hi i'r lightweight yma fy nghael ar lawr ac i ildio iddo. Roeddwn wedi rhyfeddu at ei gamp, a gofynnais iddo a fuasai'n fodlon dangos sut oedd ei meistroli i mi. Nid oedd yn gwbwl fodlon:

"Only when you have proved to me how much bottle you've got," meddai. "Be here next Sunday, same time."

Ar fy ffordd yn ôl i Warrington ar y tren, teimlwn fel petaswn wedi bod dan stim-rolar a phob asgwrn yn fy nghorff wedi cael ei dorri. Er hynny bûm yn ôl yn y jim honno aml dro, ac ar y mat bob cyfle gawn i. Sylweddolais bod modd cael mistar ar unrhyw un dim ond drwy feistroli'r grefft hon — doedd pwysau a chryfder ddim yn cyfri cymaint â hynny. Ond mae nifer o gyfrinachau yn perthyn i'r gelfyddyd sy'n llawer anoddach i'w dysgu na bocsio. Roeddwn yn dal i fynd adref ar y trên gyda 'mhen dan fy nghesail, a phob cymal ac asgwrn ohonof ar dân.

Yn ôl yn yr Hen Dref

PENNOD 7

"Pishyn handia'
welaist ti erioed."

Erbyn hyn roedd enw i mi fel peldroediwr gartref yn Nyffryn Conwy hefyd. Cyrhaeddais adref ar hoe o wyth awr a deugain un nos Wener, ac yno roedd neges gan Wil Jones, cadeirydd Llanrwst Town, yn fy nisgwyl yn llaw mam. Y flwyddyn honno chwaraeai Llanrwst Town eu tymor cyntaf yng Nghynghrair Cymru.

Sgwâr tref Llanrwst cyn i'r pwyllgorwyr ddymchwel yr hen Neuadd Farchnad odidog. Mae'r 'King's Head' y drws nesaf i'r Albion ym mhen pellaf y sgwâr.

Cyn cael paned o de hyd yn oed, roeddwn wedi ffonio Wil Jones. "Fuasai'n bosib i mi arwyddo cytundeb i chwarae dros Llanrwst y tymor hwn a chwarae yn erbyn Fflint Town yfory?" oedd y cais. Basa'n tad! Pa safle? — 'Inside left'. Ardderchog! Wela' i chi 'fory.

Roeddwn eisoes wedi cael profiad o chwarae i dimau Betws-y-Coed a Threfriw yng Nghynghrair Dyffryn Conwy — ond roedd chwarae dros Llanrwst yng Nghynghrair Cymru gryn dipyn yn uwch i fyny'r ysgol na hynny!

Llofnodi'r papurau awr cyn mynd ar y cae, a chael chwarae ar y llinell flaen yn ochr fy arwr ers dyddiau'r ysgol, Jerry Pierce. Dyna fraint fu'r gêm honno i mi! Cyfartal oedd y sgôr derfynol, ond mae'n rhaid 'mod i wedi plesio gan i Ernie Hudson yr ysgrifennydd gynnig talu fy nhocyn trên imi chwarae yn erbyn Bangor y Sadwrn canlynol. Gorfod gwrthod fu fy hanes serch hynny, gan nad oedd gen i fwy o amser rhydd.

"Mae gen i ddêt efo dwy hogan o Ddolgarrog," meddai Johnnie Morris, yr 'inside right' wrthyf ar ôl y gêm. "'Sgen ti ffansi dod hefo fi a bachu un ohonyn nhw?"

"Oes, tad," atebais innau. "Ydi hi'n un ddel?"

"Pishyn handia' welaist ti erioed," oedd yr ateb.

Dw i'n siŵr eich bod chi i gyd wedi clywed bod peldroedwyr yn dipyn o botiwrs, ac yn fois am godi helynt yn eu cwrw. Mi glywaf i Nain yn deud rŵan — "Does gen i ddim yn erbyn ffwtbol fel gêm, ond yn tydi'r chwaraewrs yn meddwi bob nos Sadwrn." Wel, yr unig beth y medra i 'i ddeud yn wyneb yr honiadau yma ydi — cyn belled ag y gwn i — mae pob stori yn hollol wir!

Cerdded o'r cae, dros y Bont Fawr a thrwy canol tref Llanrwst ar ôl y gêm; newid a 'molchi a chael te yn y Kings' Head, ac yna ffwrdd â Johnnie a mi i gyfarfod y genod del 'ma o Ddolgarrog. Disgwyl am eu bws nhw wrth yr hen Down Hôl ar y sgwâr — a toc dyma nhw'n cyrraedd. A chyda phob parch, doeddan nhw ddim yn "ddel" o bell ffordd, nac yn betha fasach chi'n eu galw'n "genod" chwaith. Dwy ddynes yn eu hoed a'u hamser — fy un i tua deugain oed, a finnau'n ddim ond pedwar ar bymtheg!

Ta waeth, roedd rhaid cadw at fy ngair, a ffwrdd â ni i'r Pen-y-Bryn. Erbyn yr ail beint, roeddwn i'n cychwyn c'nesu at yr hogan ddymunol yma. Ymhen dau beint arall, roeddwn i'n ei gweld hi'n uffarn o bishyn handi, ac yn teimlo'n falch 'mod i'n cael fy ngweld yn ei chwmni! Be' goblyn oedd ar fy mhen i gynnau, dwedwch?

Mi ddylwn egluro, wrth gwrs, bod tyrfa o rhyw ddwy fil yn gwylio tîm Llanrwst y Sadyrnau hynny, ac ar ben hynny mi fyddai hogia'r wlad yn heidio lawr i'r dref erbyn diwedd pnawn Sadwrn. Dod lawr ar eu beiciau neu ar y bysus, cael te ac wedyn, ar y cwrw. Roedd y lle'n ferw gwyllt, y strydoedd yn llawn llanciau'n carlamu o'r naill dafarn i'r llall fel haid o ebolion gwyllt, a llawer ohonyn nhw'n gweld hogan am y tro cyntaf ers wythnos.

Roedd 'na ffeit ddyrnau rownd pob cornel, debyg iawn, ac mi fyddai 'na seshwn drin merched yn cael ei chynnal ar seddau cefn bws Cri Ellis fyddai wedi'i pharcio y tu ôl i Westy'r Victoria. Lle gwlyb, gwyllt — a da iawn — oedd Llanrwst yr adeg honno!

Wel, ei chopio hi'n iawn wnes i ar ôl y noson honno, — mi fu 'na gryn tynnu ar fy nghoes i ar ôl hynny 'mod i'n trin merch oedd yn ddigon hen i fod yn fam imi.

Meddwl am Gychwyn Byw

"Mi gath o dreial efo
Oldham Athletic..."

Bellach roedd fy amser yn yr awyrlu yn tynnu at ei derfyn, ac yn amlach, amlach yn awr roeddwn yn meddwl be' gythral oeddwn i'n mynd i wneud ohoni pan ddoi'n amser gadael. Doedd gen i yr un grefft, a doeddwn i ddim wedi fy hyfforddi i wneud dim byd — heblaw cicio gwynt, wrth gwrs. Yn fwy na hynny, doedd gen i fawr o awydd dim byd arall 'chwaith.

Ffarmio oedd yr unig waith yn Ysbyty, a 'toeddwn i ddim yn ffarmwr, er i mi helpu fy ewythr ar ei ffarm yn y Fron, ac ym Mhlas Uchaf hefyd. Ond doedd ffarmio ddim yn fy ngwaed, gwaetha'r modd, neu mi fuasai hynny wedi ateb y broblem, — ac erbyn heddiw mi fuaswn i'n ffarmwr cyfoethog efo bol stêc yn hytrach nag efo bol cwrw!

Na, pob parch i'r ffermwyr — mae wedi gloywi dipyn arnyn nhw erbyn hyn, ond bu'r ffarmwr Cymreig — a'r ffarmwr mynydd yn arbennig - drwy gyfnodau go galed cyn hyn. Ac ar hyd yr amser, boed dywydd braf neu'n ddrycin, y ffarmwrs ydi asgwrn cefn y Gymru wledig, a chynheiliaid y Gymraeg. Chwarae teg iddyn nhw i gyd.

Os nad oeddan nhw'n gweithio ar y tir, roedd bechgyn a merched 'Sbyty yn gadael y pentref a'r ardal. Mae'r broblem yma o ddiboblogi cefn gwlad wedi bod yn loes yn sawl ardal. Colled fawr ydi colli eich ieuenctid:

"Am nad oedd gwaith na thai nac arian
Lle llifai nant, rhwng blodau marian."

Tyrrai dipyn o'r hogia ysgol i'r gwaith aliwminiwm mawr yn Nolgarrog, ond doedd gen i ddim i'w ddweud wrth weithio

shifftiau, heb sôn am orfod gweithio dan do drwy'r amser. Roedd
'na Ysgol Goedwigaeth yng Nghapel Curig lle buaswn wedi medru
dysgu mynd yn goedwigwr, ond pa gymwysterau oedd ei angen i
fynd i fanno? Yr unig gymwysterau oedd gen i oedd troed chwith
dda, llond trol o freuddwydion — ac awydd cryf i fyw yn 'Sbyty.

Roeddwn yn casáu'r gyfraith estron 'ma oedd wedi 'ngor-
fodi i adael fy nghynefin a mynd i fyd hollol ddieithr. Roedd y
gyfraith hon wedi fy nghodi a'm diwreiddio, heb wneud dim i
drio fy mhlannu'n ôl yn yr ardal honno wedi hynny. Serch hynny,
doeddwn i'n gweld fawr iawn o ddyfodol i mi fy hun ar wahân i
gofrestru am gyfnod o bum mlynedd arall yn yr awyrlu.

Rhaid cyfaddef i mi ddysgu llawer o bethau yn yr R.A.F.
— roedd wedi fy aeddfedu o fod yn hogyn ysgol i fod yn ŵr
ifanc, ac wrth gwrs roeddwn yn cael digon o gyfle i gadw'n heini a
chynnig ar amryfal chwaraeon. Doedd y cyflog ddim yn dda
iawn wrth reswm — punt a chweugain yr wythnos — ond 'tydi
pres ddim yn bopeth pan mae rhywun yn ifanc. Er hynny, roedd-
wn yn sylweddoli mai yn yr un twll yn union y buaswn i ar
ddiwedd y pum mlynedd ag yr oeddwn ynddo y pryd hwnnw.

Ond pan mae'r nos yn ddu, 'dydi'r wawr ddim ymhell,
meddan nhw.

"How long have you got before you get out, Taffy?" hol-
odd Sarjant Brooking un diwrnod. Atebais bod gen i rhyw chwe
wythnos ar ôl.

"What are you going to do when you get out?" oedd y
cwestiwn nesaf.

"Don't know," meddwn innau, gan deimlo'n dipyn o
lembo. Be' haru'r uffarn busneslyd yma'n holi, meddyliais wrthyf
fy hun.

"Would you not like to be a footballer?" meddai wedyn.

Like? Like! LIKE!! Toeddwn i ddim wedi breuddwydio
am ddim arall ers deng mlynedd. Cofiais bod y dyn yma wedi fy
helpu unwaith o'r blaen.

"I would like that very much, but they don't have any big
teams where I come from," mentrais.

"Leave it to me, and I'll have a word with Danny about
Oldham."

'Right half' a chapten tîm y Gwersyll oedd Danny Marsh,
a bu'n chwaraewr rhan amser gydag Oldham Athletic am un cyf-

nod, ac roedd yn dal i gadw cysylltiad â'r clwb. Galwodd Danny fi ato i'r jim am sgwrs.

"Crickey, Taffy, I thought you were fixed up with some-body," meddai. "Everybody else is."

Roedd hynny'n hollol wir — hogiau ifanc dan ugain oed oedd pob un o dîm y Gwersyll ar wahân i Danny a Sarjant Brook-ing, ac roedd pob un ohonynt yn perthyn i rhyw glwb neu'i gilydd. Pawb, hynny yw, ond y fi.

"I'll have a word with George when I go training tomorrow night. Come and see me Wednesday morning and we'll see what happens."

Mi fûm ar bigau'r drain yn methu â gweld bore Mercher yn cyrraedd yn ddigon buan. Doedd bosib y buaswn i'n cael treial i Oldham! Doedd pethau fel'na ddim yn digwydd i hogyn o'r wlad...

Fore Mercher, cefais neges bod George Hardwick, capten a rheolwr Oldham eisiau i mi fynd draw i'w gyfarfod erbyn un ar ddeg fore Sul. George — cyn-gapten Lloegr — eisiau 'ngweld i! Mi faswn wedi cropian yno petai raid imi.

Y Sul hwnnw gofynnodd y dyn mawr imi os buaswn yn hoffi cael wythnos o dreial gyda'r clwb unwaith y byddwn wedi gorffen gyda'r R.A.F. Rhoddodd fy nghalon lam wrth dderbyn y cynnig. Ar y ffordd yn ôl i'r Gwersyll, dywedais wrthyf fy hun fy mod yn hollol fodlon dim ond ar gael treial. Doeddwn ddim yn disgwyl mynd dim pellach na chael treial, ond medrwn fyw'n dawel ar ôl cyflawni hynny. Medrwn glywed rhywrai'n siarad ar sgwâr Llanrwst:

"Dacw fo Orig, yli."

"Pwy ydi o?"

"Mi gath o dreial efo Oldham Athletic. Boi da."

Y Dydd Mercher canlynol, roeddwn yn cerdded oddi ar y cae pêl droed ar ôl i'r Gwersyll guro R.A.F. West Kirby 1 - 0, pan ddaeth gŵr heb iwnifform ataf a dweud:

"Taffy, can I have a word with you? I understand that you are the only unattatched player in your side. How would you like a trial with Sunderland?"

Nefi blŵ, roedd hi'n bwrw anrhegion! Diolchais i'r gŵr, ond eglurais wrtho fy nhrefniadau gydag Oldham Athletic.

Euthum adref i fwrw'r Sul canlynol — roeddwn eisoes

wedi sgwennu at mam ac wedi dweud y newydd wrthi, ac wrth gwrs, erbyn i mi gyrraedd Llanrwst, roedd y dref i gyd wedi clywed ac yn dymuno'n dda imi. Ar ôl chwarae dros Llanrwst yn erbyn Y Rhyl y Sadwrn hwnnw, dyma Wil Jones, y cadeirydd, ataf gan ddweud bod gen i siawns da o gael fy newis i dreialon terfynol Amaturiaid Cymru. Prin y gallwn goelio 'nghlustiau.

Ac yn wir, gyda'i llythyr yr wythnos ganlynol amgaeodd mam doriad o bapur y 'Weekly News' lle'r adroddai Tom Eyton Jones, y prif ohebydd chwaraeon:

"Orig Williams, former Llanrwst Grammar School football Captain, who hails from the tiny upland village of Ysbyty Ifan is booked for the final Welsh Amateur trial if he does not sign professional forms for Oldham Athletic in the meantime."

Yr oeddwn, yn wir, ar frig y don. Cael cyfle i chwarae dros Gymru! Go brin bod gwladgarwr tanbeidiach na fi:

"Ni ddadfeilia fy ngwladgarwch
Tra fo ynwyf ddafn o waed,
Rhown fy mywyd i'th amddiffyn,
Awn yn aberth dros fy ngwlad."

Llusgo mynd wnaeth yr wythnosau olaf yn y Gwersyll, a minnau ar dân eisiau cael fy wythnos o dreial. O'r diwedd cyrhaeddodd noson y sbri ffarwelio, felly dyma godi llaw ar yr hen ffrindiau y bûm yn eu cwmni dros y ddwy flynedd ddiwethaf.

Chwaraeai Oldham Athletic yn y "Third Division North" yr adeg honno. Roedd pethau'n dipyn callach bryd hynny heb yr un bedwaredd cynghrair, dim ond "Third North" a "Third South", felly doedd dim rhaid gyrru Darlington i chwarae Exeter, na dim byd gwirion fel'na. Tynnai Oldham dorf o ugain mil i'w gemau cartref, a thorf o ddeng mil ar hugain pan fyddai gêm arbennig yn erbyn hen elynion fel Stockport County a Rochdale.

Bûm yn ymarfer fore Llun gyda'r aelodau llawn amser, ac yna ddydd Mercher cefais gêm gyda'r Tim A, oedd yn chwarae Blackpool 'A' adref. Hon oedd gêm bwysicaf fy mywyd hyd y foment honno, ac mi rydw i'n gredwr cryf mewn rhagluniaeth byth ers hynny. Doedd dim gwahaniaeth beth oeddwn i'n ei wneud y prynhawn hwnnw, roedd popeth fel petai wedi'i drefnu, a phopeth yn mynd o 'mhlaid i. Mi gefais glincar o gêm, gan gyrraedd safon uwch o'r hanner nag oeddwn yn arfer ei chwarae.

Roedd Stanley Mathews, asgellwr de gorau'r byd, yn chwarae i Blackpool ar y pryd, a Sandy Brown, ei brentis, oeddwn i'n ei farcio'r pnawn hwnnw. Chwaraewr da, gyda dawn i drin pêl ac yn sydyn fel gwn. Ond roedd Sandy yn fy mhoced o'r cychwyn cyntaf. Roedd pob cic o'm heiddo yn bwrpasol, a phob un yn cyrraedd fy nynion fel petaent dan ddylanwad radar. Roedd y cyfan yn anhygoel!

Ymarfer wedyn weddill yr wythnos a chael gêm gydag Oldham Reserves yn erbyn Rossendale ddydd Sadwrn, a go lew oedd fy mherfformiad yn honno, er i ni ennill 2 - 0. Yna cyfarfod George Hardwick i dderbyn fy nedfryd fore dydd Sul. Roedd hi wedi bod yn antur fawr, a bellach roeddwn yn fodlon gorfod mynd adref i chwilio am waith a chwarae i Llanrwst Town.

"O, its you, Orig, come in," meddai George yn siriol, wedi imi guro ar ei ddrws y bore hwnnw. Roedd y tîm cyntaf wedi curo'r diwrnod cynt, a dyna esbonio'r hwyliau da, meddyliais wrthyf fy hun.

"Good win by the Reserves yesterday," meddai wedyn.

"And you too, Sir," atebais yn ffurfiol.

"This is not the R.A.F.," meddai yntau. "You don't have to 'Sir' me — how can you call me 'Sir', if we are going to be playing together? I would like you to sign as a full timer for us — what do you say?"

Rhwyfodd llwyddais i gael y geiriau allan o 'ngheg 'mod i'n derbyn.

Cynigiai'r clwb £10 yr wythnos yn ystod y tymor chwarae a £7 yr wythnos dros yr haf, ac roeddwn i dderbyn £10 yn fy llaw wrth setlo'r gytundeb a llofnodi'r papurau. Oedd y telerau'n dderbyniol? Brensiach mawr, oeddan siŵr!

Peldroediwr Proffesiynol

PENNOD 9

"Ma Ba! Ma Ba!"

Yr union adeg honno roedd cryn dipyn o stŵr yn y wasg ynglyn ag amodau gwaith a safon byw y peldroedwyr proffesiynol. 'Football Slaves' oedd y term oedd yn cael ei arfer gan y cyfryngau, ac un o'r gwŷr oedd wedi cychwyn siglo'r cwch bryd hynny oedd Jimmy Hill, — ia, dyna chi, yr un un â'r dyn bach pwysig hwnnw sydd ar y teledu y dyddiau hyn.

'Inside right' Fulham oedd o bryd hynny, ac yn uchel ei gloch bob amser, — ond 'toedd o fawr o chwaraewr chwaith. Calon dryw bach oedd ganddo, ond roedd ei geg yn ddigon mawr i wneud iawn am hynny. Roedd yn wên deg i gyd ac yn glên iawn yr amser hwnnw — pawb yn 'lovie' ganddo, hen sebonwr di-ail. Fuodd o fawr o dro cyn fy nghael i i ymuno â'r 'Players Union' ac mi fyddwn i'n mynd i wrando arno'n areithio mewn cyfarfodydd ym Manceinion. Mi wyddai i'r dim sut i drin hogiau'r wasg, oedd bob amser yn boeth eisiau stori.

"British Foótballers are Slaves," oedd sgrech penawdau'r papurau. "Jimmy Hill says this, Jimmy Hill says that," oedd hi bob dydd. Y gwir amdani oedd nad oedd gan fawr neb arall ddim i'w ddweud — 'tydi peldroedwyr erioed wedi bod yn enwog am eu dawn siarad yn nac ydynt?

Yn ôl rheolau'r F.A., £14 yr wythnos y gaeaf a £12 yn yr haf oedd yr uchafswm y medrai clybiau ei dalu i'w chwaraewyr, ac eisiau cael gwared ar y cyfyngiad hwnnw yr oedd Jimmy Hill a'i Undeb. Mae'n siŵr bod y darllenwyr ieuengaf yn gweld symiau fel'na'n bitw iawn, ond rhaid cofio nad oedd cyflogau'r glowyr na gweithwyr ffatri'n uwch na rhyw bump i saith punt yr wythnos yn yr un cyfnod.

Yr adeg honno, roedd y gêm ar frig y don. 80,000 yn

gwylio Everton; 75,000 yn gwylio Manchester City; 110,000 yn gwylio gemau rhyngwladol yn Hamden Park a 50,000 yn gwylio Caerdydd yn wythnosol. O astudio'r ffigurau, efallai nad oedd y cyflogau'n adlewyrchiad teg o faint y tyrfaoedd − er hynny 'doedd 'na fawr o neb ar wahân i Jimmy Hill yn cwyno.

Roedd Stanley Mathews yn serennu ar asgell dde Black-pool; Tom Finney yn dangos ei athrylith ar asgell chwith Preston; Nat Lofthouse yn rhoi y bêl − a'r golgeidwad − yn y rhwyd yn wythnosol dros Bolton Wanderers a Roy Paul (o'r Rhondda) fel arth yn amddiffynfa Manchester City. Roedd mawrion y gêm yn hollol fodlon eu byd − pawb ond Jimmy Hill.

Mi wyddom oll beth fu canlyniad yr ymrafael − enillodd Jimmy Hill, a saethodd y cyflogau i'r entrychion. Dydi dwy fil a hanner yr wythnos yn ddim byd i chwaraewr pêl droed erbyn heddiw. Ond beth ddigwyddodd i'r gêm fu mor boblogaidd? Aeth y timau i chwarae am arian, yn lle i roi adloniant. Chwarae'n saff yw hi bellach, − pawb eisiau cadw'i swydd a chadw'i gyflog yn ddiogel. Does dim mwy o fenter na dim mwy o antur i'w weld ar y maes chwarae, ac aeth y pwyslais ar amddiffyn yn hytrach nag ymosod. Ciliodd y tyrfaoedd, ac aeth y gêm cyn dloted â llygoden eglwys.

Mi ddaeth Jimmy Hill drwyddi yn groeniach, wrth gwrs. Llwyfan politicaidd i roi hwb bach i'w yrfa fu'r cyfan iddo ef − aeth ef a'i fab yn eu blaenau i Saudi Arabia i fod yn filiwnyddion, prynodd dîm cyfan yn America, ac yn awr mae'n ôl ar ein bocs bach ni yn dweud beth sydd o'i le ar y math o bêl droed sy'n cael ei chwarae yma ar hyn o bryd!

Ond dyna ddigon am y bwch yna − troi'n ôl at stori Orig fuasai orau, oedd yn fwy na hapus ar ei ddecpunt yr wythnos yn Oldham. Decpunt yr wythnos am wneud rhywbeth yr oeddwn wedi'i wneud am ddim ar hyd fy oes! Gan aralleirio gwaith W.J. Gruffydd am eiliad:

"Bachgen heini gerddodd ryw ben bore,
  Lawer dydd yn ôl, i gwr y gwaith;
Gobaith fflachiai yn ei lygaid duon
  Olau bywiog i'r dyfodol maith."

Roedd pedwar ar hugain o chwaraewyr llawn amser yn Boundary Park pan gyrhaeddais yno, ac roeddwn innau'n ffitio i'w patrwm drwy fod yn gefnwr chwith i'r Reserves. Ymarfer pob dydd a chwarae pob Sadwrn oedd fy hanes i — roeddwn uwchben fy nigon.

Mae un cymeriad carismataidd i'w gael ym mhob cylch o fywyd, a fûm i ddim yno bythefnos cyn dod i nabod pwy oedd y creadur hwnnw yn Oldham Athletic. George Hardwick oedd y Bos; Jack Warner oedd yr hyfforddwr, — ond Peter McKennan oedd yr arwr.

Sgotyn chwe troedfedd oedd Peter, gwallt du wedi'i blastro gyda brylcrîm, a rhesan wen lawr canol ei ben yn null yr oes. Roedd yn tynnu at derfyn ei yrfa erbyn hyn, ond gwae'r sawl a awgrymai hynny wrtho. 'Centre forward' neu 'inside right' fyddai o'n chwarae bob amser, ac yn ei ddydd bu'n cynrychioli Patrick Thistle, West Brom, West Ham a Middlesborough.

Oherwydd rhyw sgarmes neu'i gilydd yn ystod ei yrfa, roedd ei ffêr dde'n wan iawn, ac felly ni fyddai'n rhedeg rhyw lawer. Ei ddull o chwarae fyddai sefyll rhywle yn y cylch yng nghanol y cae gan weiddi pan oedd arno eisiau'r bêl. Bryd hynny, byddai'r acen Albanaidd gref yn bloeddio 'Ma Ba! Ma Ba!' dros y maes.

'My ball!' oedd ystyr hyn wrth gwrs, ond 'Ma Ba' fyddai o'n ei ddweud bob amser, ac felly 'Ma Ba McKennan' oedd ei enw ymysg pawb oedd ynglŷn â'r gem.

Hogyn swil gyrhaeddodd Boundary Park, ac wrth chwilio am gwpwrdd i gadw fy nillad ar y diwrnod cyntaf, dyma lais yn galw:

"There's an empty one here, son. Use this one. None o' these Sasnachs will change next to a Scot. Change here an' ye'll ffyrchin lerrn somin'."

Eisteddais wrth ei ymyl, ac meddai wedyn:

"Right, — as long as ye're with this outfit, you lap with me, ken?"

Wrth gychwyn ymarfer, y drefn fyddai rhedeg lap ar y cae, yna cerdded y lap nesaf ac felly ymlaen rhyw ddeg o weithiau. Y diwrnod cyntaf hwnnw, allan â fi wrth sodlau 'Ma Ba', ac ar y trac teimlais bod y cyflymdra braidd yn araf a cheisiais roi tân 'dani.

"Haggis-head," cyfarthodd yr Albanwr. "I'll set the pace. What do you want to be — a bloody runner or a footballer?"

Wnes i 'mo'r camgymeriad hwnnw fyth wedi hynny!

Ar ôl ymarfer y bore hwnnw, daeth ataf a dweud:

"Listen to me, and listen well, ken? I have sussed you for a chwchtar, and if you want to get on — you'll listen to me, ken? I am the only one here who's worth a wally, and you'll only learn from me, ken?"

Doedd gen i ddim syniad beth oedd 'chwchtar', ond mi nodiais fy mhen 'run fath â mul bach. Rhyw ugain mlynedd yn ddiweddarach, mi ddois ar draws y gair 'chwchtar' drachefn pan oeddwn yng ngogledd yr Alban. Gair arall am fath o 'crofter' ydyw — tyddynwr yn byw ar lan y môr a rhan o'i fywoliaeth yn dibynnu ar ysbeilio o'r môr. Dyn syml, tlawd — ac wrth edrych yn ôl, doedd Ma Ba ddim ymhell o'i le.

Ar ôl hynny, bu Ma Ba fel duw imi. Creadur hollol anwadal ydoedd — yn fyr ei dymer a llym ei dafod ar brydiau, ond weithiau fo fuasai'r boi ffeindia'n fyw. Cŵn — milgwn, hynny yw, — fyddai'n rheoli ei dymer. Roedd yn aelod ffyddlon o'r seiat yn rasus milgwn White City, Manceinion, a thrannoeth byddai ei hwyliau'n dweud yn glir p'run ai ennill yntau colli fu hi arno'r noson cynt. 'Helo' wrth bawb, neu 'run bw na be wrth neb fyddai hi.

Er gwaethaf ei oed, y fo oedd prif sgoriwr y tîm cyntaf. Cofiaf iddo gael ei anafu unwaith — cic yn ei ffêr wan — a bu allan o'r gem am dair wythnos. Daeth yn ôl gan gael gêm gyda'r Reserves yn gyntaf. Dyna fraint a deimlwn — cael chwarae gyda'r arwr ei hun.

Roeddem i gyd wedi cael ein hyfforddi bryd hynny i basio'r bêl rhyw ddwylath o flaen y chwaraewr iddo gael rhedeg ati heb orfod arafu. Ond siarsiodd McKennan ni ei fod ef eisiau pob pas yn union wrth ei draed — doedd o ddim yn bwriadu rhedeg! Gwnaeth hynny ni i gyd yn nerfus iawn, ac o ganlyniad roedd pawb yn methu'i chael hi'n union iddo. "Ma ba! Ma ba!" oedd hi drwy'r gêm, ac wedyn llond ceg o regfeydd os na ddaeth y bêl ato'n iawn. Y canlyniad oedd inni golli 3 - 0, a chael ffrae iawn ar y bws ar y ffordd adref.

"I want you to come to the dogs with me tonight," meddai wrthyf. "I need somebody to change my luck."

Gwyddwn yn well na cheisio gwrthod. Daeth heibio fy lojins yn ei sports-car bach coch tua chwech o'r gloch, a ffwrdd â ni yn llanciau i gyd am Fanceinion. Dyma'r tro cyntaf imi fod mewn car efo fo, a chyn mynd hanner milltir roeddwn wedi dod i'r casgliad ei fod yn hollol wallgof y tu ôl i'r llyw. Rhegi pob golau coch, refio mawr wrth ddisgwyl iddyn nhw newid, ac unwaith y cai olau gwyrdd — troed i lawr hynny yr âi hi, crenshian drwy'r gêrs a sgrechian ei deiars wrth gornelu. Roedd hi'n niwl y noson honno, a buasai'r siwrnai wedi cymryd hanner awr i yrrwr normal — ond dim ond chwarter awr gymerodd hi i Ma Ba.

Ar gyrrion Manceinion, cafodd ei ddal yn ôl gan fws dybyldecar, ac roedd y niwl yn rhy dew iddo weld os oedd y ffordd yn glir i'w phasio. Buom y tu ôl iddi drwy dair set o oleuadau ffordd, a gwelwn Ma Ba'n brathu'i wefus yn ddyfnach a dyfnach. Ar y bedwaredd set o oleuadau dyma fo'n rhoi naid allan o'r car, a phenderfynais innau ei ddilyn i weld be' gythral roedd o'n mynd i'w wneud.

Agorodd ddrws dreifar y bws, gan fygwth:

"If you don't pull over, I'm going to ram you, you bastard."

Mam bach, meddyliais — pa obaith fyddai gennym ni mewn rhyw fymryn o sborts-car yn erbyn dybyl decar!

"Piss off!" oedd adwaith y dreifar. Ar hynny dyma McKennan yn ymestyn amdano, ei dynnu i lawr o'i sedd ac allan i'r ffordd, yna cydio'n ei war a rhedeg y creadur ar ei ben i un o lampau blaen y bws nes malu honno'n deilchion.

Yna ras yn ôl am y car, a finnau wrth ei gynffon. Roedd y goleuadau wedi newid, a ffwrdd â ni gan ddiflannu i'r niwl. Roedd Ma Ba'n chwerthin fel gwallgofddyn ac mewn hwyliau ardderchog erbyn cyrraedd White City.

Er bod y niwl dal yn drwchus, nid oedd yn ddigon drwg i atal y rasus. Gofynnodd Ma Ba i mi ddewis enillydd iddo i'r ras gyntaf, ond dywedais innau wrtho nad oeddwn erioed wedi gweld milgwn yn rasio o'r blaen. A dweud y gwir, yr unig gŵn y gwyddwn unrhywbeth o gwbwl amdanyn nhw oedd cŵn defaid. Ta waeth, dewisodd Ma Ba 'Black Avenger' ar gyfer y ras gyntaf ac enillodd hwnnw'r ras am bris o 5 : 2 iddo. Cyn diwedd y noson,

Ma Ba McKennan yn rhoi pen y dreifar drwy lamp y bws —
doedd 'na ddim lol o gwbwl ynglŷn â'r dyn yma!

roedd fy mêt wedi ennill ar bedair ras ac mewn hwyliau ardderchog. Aros am beint ar y ffordd adref, ac meddai wrthyf:

"You brought me luck — you will have to come with me all the time."

Gresyn, meddyliais! Ond bûm gydag ef sawl gwaith ar ôl hynny, a deuthum i sylweddoli nad oedd yntau'n dallt rhyw lawer am y cŵn ychwaith. Dewis enwau a hoffai oedd ei steil, gan gredu y buasai 'Lenny the Lion' neu 'The Devil's Son' yn saff o guro rhyw hen gi rhech oedd yn cario enw fel 'Black Beauty' neu 'Baby Barbara'.

Rwyf wedi hen golli cysylltiad ag o erbyn hyn, — y newydd diwethaf a gefais amdano oedd ei fod yn rheolwr Ards F.C. yng Ngogledd Iwerddon. Peter McKennan, — ble bynnag yr wyt ti, mae Orig Williams yn dal i dynnu'i gap i ti. Dydi dy deip di ddim i'w weld ar gaeau pêl droed erbyn heddiw.

Roedd 'na nifer o gymeriadau eraill yn Oldham wrth gwrs, ac yn eu mysg Alan Ball, tad yr Alan Ball enwog fu'n chwarae dros Everton. Yn anffodus, cafodd y tad ei ladd ar y cyfandir ychydig yn ôl, ond rwy'n siŵr y maddeuith o imi am adrodd y stori hon.

Roeddem ar ein ffordd i chwarae Rochdale un Sadwrn, ac yn clywed fel roedd y tîm hwnnw wedi prynu Eric Betts, asgellwr chwith newydd o West Ham am £6,000. Roedd hynny'n arian mawr yr adeg honno, ac roedd Rochdale am roi gêm iddo gyda'r Reserves i ddechrau er mwyn iddo brofi ei fod yn ffit. Penderfynodd y 'Bos' yn Oldham fy rhoi i yn gefnwr de ar gyfer y gêm honno fel y medrwn ennill rhywfaint o brofiad yn erbyn chwaraewr o allu Eric Betts.

Wel, roedd popeth yn chwithig i mi yn y safle hwnnw, ac ar ben hynny roedd Eric yn chwareuwr eithriadol o dda ac yn fy mwrdro bob tro. Am y tro cyntaf yn fy ngyrfa, penderfynais bod rhaid cloffi dipyn ar hwn er mwyn gwneud pethau'n fwy cyfartal, fel petae. Dyma fo'n dawnsio i fyny'r asgell cyn hir gan feddwl fy mhasio'n hawdd. Clec! Mi'i lloriais i o nes nad oedd o ddim yn gwybod pa fis o'r flwyddyn oedd hi. "Penalti" meddai'r dyfarnwr. Sgoriodd Eric o'r smotyn, ac mi gollasom y gêm honno 1 : 0.

Roedd fy mhen yn reit isel ar y ffordd adref. Gwyddwn fod pawb yn fy meio i am golli'r gêm — a cholli'r bonws ar ben hynny.

"You should not have given away a penalty," meddai Herbert Gartside, oedd yn gofalu am y tîm y diwrnod hwnnw.

"No need for it at all, Mr Gartside, totally unnecessary, Sir," meddai Alan Ball.

Teimlwn fel dimai, a gwyliais Alan Ball yn mynd i gefn y bws i nôl ei esgidiau. Euthum ar ei ôl a'i rybuddio i feindio'i fusnes. Safodd yntau o 'mlaen dan wenu. Clec arall! I lawr â fo ar ei hyd, ac roedd ganddo lygad ddu drannoeth — ond roedd ei geg tipyn distawach.

Cefais innau ffrae iawn gan George Hardwick, ac ychydig ddyddiau ar ôl hynny, cefais fy ngalw i'w swyddfa drachefn. Y newydd syfrdanol a gefais yno oedd bod Shrewsbury Town yn chwilio am gefnwr. Gofynnodd imi a fuaswn yn hoffi mynd yno. Doedd gen i 'mo'r awydd lleiaf i adael Oldham, ond gwyddwn bod fy nyddiau yno wedi'u rhifo bellach, a ffwrdd â fi am yr Amwythig.

Gwyddwn, wrth ymuno ag Oldham, na fuaswn yno ar hyd fy ngyrfa broffesiynol. Ond doeddwn i ddim yn barod i'r hyn ddigwyddodd ychwaith. Cyrhaeddais yr Amwythig gyda'r breuddwydion oedd gennyf am chwarae gêm gwpan bwysig, neu chwarae dros Gymru, yn chwilfriw.

Tref nid annhebyg i Lanrwst yw'r Amwythig, ond er hynny roeddwn yn ei chael hi'n anodd iawn i setlo i lawr yno. Mae "The Gay Meadow", cae tîm y dref, yn un o'r caeau bach taclusaf a glannaf yn y gynghrair, ond does dim awyrgylch yno. Rhyw bum mil fyddai'n gwylio'r tîm cyntaf yno ar bnawn Sadwrn, er bod y tîm hwnnw'n chwarae yn yr un gynghrair ag Oldham.

Doedd dim brwdfrydedd ynglŷn â'r gêm yn y dref. Mor wahanol i Oldham — roedd pawb oedd yn chwarae i'r "Latics" yn rhywun o bwys yn y dref. Ar ben hynny, roedd y melinau cotwm yn eu bri yn fan'no — digon o arian gan y gweithwyr, a mynd mawr yn y tafarnau a'r neuaddau dawnsio. Ac wrth gwrs, 'doedd Manceinion a'i hatyniadau ddim ymhell iawn.

Roeddwn yn gweld colli'r hen gymeriadau — yn arbennig Ma Ba. Tlawd iawn oedd hi am unrhyw fath o seren lachar yn yr Amwythig.

Bûm yno rhyw ddau fis ac yna dywedodd y rheolwr wrthyf pe bawn yn chwarae'n dda y Sadwrn hwnnw, yna buaswn yn saff o gael gêm i'r tîm cyntaf y Sadwrn canlynol.

Yn erbyn Burton Albion yr oedd y gêm honno — roedd hi'n mynd i fod yn gêm galed hefyd gan mai y nhw a ninnau oedd ar frig y Midland League ar y pryd. Fel y digwyddodd hi, yn ogystal â bod yn gêm galed, roedd hi'n un o'r gemau gorau y chwaraeais ynddi erioed. Teimlwn fy hun yn cael hwyl reit dda arni hefyd, ac roeddwn wedi dechrau edrych ymlaen at gael chwarae i'r tîm cyntaf y Sadwrn canlynol. Ar hynny, digwyddodd trychineb yn fy hanes.

Cyfartal oedd y sgôr pan ddaeth eu hasgellwr chwith nhw i lawr y cae gan dorri i mewn i gyfeiriad y gôl. Roeddwn innau yn y canol yn marcio'r asgellwr de ac yn trio meddwl beth wnâi o — canoli'r bêl, yntau cicio am y gôl. Yn sydyn, dyma fo'n canoli'r bêl yn galed tua pedair troedfedd oddi wrth y llawr, rhyw ddwylath oddi wrthyf. Teflais fy hun ar fy mhen i'w chlirio, a dyna'r cof diwethaf sydd gennyf am y digwyddiad.

Cymru neu Loegr?

PENNOD 10

"Dewch i'r frwydr Gymry dewrion."

Dridiau yn ddiweddarach yn y Burton-on-Trent Memorial Hospital y deuthum ataf fy hun. Gwelais fy mod yn gorwedd ar wely pren, gyda strapiau lledr yn fy nal i lawr. Deallais yn ddiweddarach mai fy rhwystro rhag symud oedd diben y rheiny, gan fy mod yn dioddef gan grac yn fy mhenglog a gwaedu mewnol difrifol iawn.

Bûm yno dan law'r doctoriaid am dair wythnos. Roedd clotyn o waed y tu mewn i fy mhen, a phe tasai hwnnw wedi symud y mymryn lleiaf, buasai wedi cyffwrdd fy ymennydd ac wedi 'mharlysu.

Yno, ar y planciau pren, ni feddyliwn ond am un peth — a fuaswn yn medru chwarae pêl droed eto? Yn y diwedd mentrais ofyn i un o'r doctoriaid, a dywedodd yntau ei fod dal yn ansicr.

Yna, un dydd, daeth y Metron i mewn gyda'r newydd y cawn fynd adref drannoeth, unwaith y byddwn wedi gweld y meddyg. Cadarnhaodd yntau fod popeth yn iawn imi fynd adref, ond dywedodd yn blwmp ac yn blaen wrthyf nad oeddwn fyth i chwarae pêl droed eto. Eisteddais innau fel petasai rhywun newydd fy saethu. Yna, deuthum o hyd i 'nhafod drachefn, a chychwynnais daeru mai dyna oedd fy ngwaith, ac nad oeddwn yn gwybod am unrhyw ffordd arall o ennill fy mywoliaeth.

Meddalodd yntau rywfaint. Dywedodd wrthyf am ddychwelyd ymhen y mis ac y buasai'n penderfynu'n derfynol bryd hynny. Ond cefais siars bendant nad oeddwn i gyffwrdd pêl yn y cyfamser.

Ar fy ffordd adref, gelwais heibio Shrewsbury Town i weld y rheolwr ac esbonio'r hyn ddywedodd y meddyg wrthyf. Roedd hwnnw'n llawn cydymdeimlad â 'nghyflwr, ond dywedodd ei fod wedi'i orfodi i gael chwaraewr arall yn fy lle erbyn hynny.

Yn ôl a fi am Ysbyty Ifan.

"Adref, adref blant afradlon,
Gedwch gibau gweigion ffôl."

Croeso mawr, naturiol yn fy nisgwyl yn fan'no. Dim lol
na seremoni, oherwydd gwerinwyr cefn gwlad oeddan nhw bob un
— ac eto roedd hi'n braf cerdded lawr y stryd a medru stopio i
siarad efo pawb a welwn. Rwy'n cofio imi gael syndod mawr y
tro cyntaf erioed imi fynd i Lanrwst oherwydd imi weld rhai
pobl yn y fan honno yn pasio'i gilydd ar y stryd heb siarad â'i
gilydd na hyd yn oed nodio ar ei gilydd.

Pan fydda' i'n mynd i Lansannan y dyddiau hyn, mi fydda'
i'n siarad neu nodio ar bawb. Os nad ydyn nhw'n nodio yn ôl, yna
mi fydda' i'n gwybod yn saff mai Saeson ydyn nhw.

Tra roeddwn adref yn llyfu fy nghlwyfau, deuthum dan
ddylanwad rhywun sydd wedi aros gyda fi ar hyd fy oes. Un dydd
dyma Huw Sêl yn gofyn imi os oedd gen i awydd mynd hefo fo'r
diwrnod canlynol i Feddgelert gan fod seremoni yno, ac roedd
Gwynfor yn annerch.

Un Gwynfor sydd yna yng Nghymru wrth gwrs, ac roedd-
wn yn gwybod yn iawn amdano. O ran hynny, dim ond un blaid
oedd yna (ac sydd yna hefyd, diolch byth) yn 'Sbyty. Oherwydd
hyn, roeddwn yn falch iawn o dderbyn gwahoddiad y saer.

Roedd hi'n bwrw glaw mynydd drannoeth, ond pa wahan-
iaeth? Rhaid oedd cael clywed Gwynfor, felly i ffwrdd â ni ar
fotobeic Huw Sêl. Roedd tyrfa o rhyw gant a hanner wedi ymgyn-
null yn Nant Gwynant ar gyfer yr achlysur, ac yna dyma gychwyn
cerdded rhan o'r ffordd i fyny'r mynydd gyda Gwynfor ar y
blaen.

Erbyn inni gyrraedd man y seremoni, roedd hi'n niwl
tew, ond pan ddechreuodd Gwynfor siarad, roedd ei lais yn
treiddio drwy'r niwl ac yn syth i'r galon. 'Chlywais i erioed araith
fwy cyffrous na chynt nac wedyn — roedd pob brawddeg, pob
gair yn tanio rhyw fflam yn fy mynwes, ac mae'r tân dal ynghyn
hyd heddiw. Ni allwn lai na chlywed geiriau yr unawd enwog
honno i'r "Tywysog" wrth wylio Gwynfor ar ochr y mynydd.

"Wele'r t'wysog ar Bumlumon
Yn rhoi bloedd drwy'r utgorn mawr,

*Arweinydd cenedlaethol Cymru
gydag arweinydd cenedlaethol Iwerddon.*

Wele'i fyddin megis afon
Yn ymdywallt ar i lawr.

Dewch i'r frwydr medd y dreigiau
Chwifiant ar glogwyni'n gwlad,
Dewch i'r frwydr medd y creigiau
Cyd-atebant gorn y gad.

Dewch i'r frwydr dros garneddau
Hen d'wysogion Cymru fydd,
Dewch yn awr dros fil o feddau
Hwyliant ryddid Cymru sydd.

Ar dy feddau mae ysbrydion
Sydd yn dweud o ddydd i ddydd:
Dewch i'r frwydr Gymry dewrion,
Rhaid cael Cymru'n Gymru rydd.

Fentra i ddim siarad dros weddill y gynulleidfa, ond petai
Gwynfor wedi cychwyn casglu byddin ynghyd i ymosod ar Gaer
y nos Sadwrn honno, gwn y buasai dau o 'Sbyty y tu ôl iddo
fo. A hyd yn oed pe bai ond y tri ohonom yn y fyddin, mi fuasem
wedi trechu'r ddinas gyfan y noson honno, cymaint oedd y tân

oedd yn ein gwythiennau. Mae gan y Gwyddelod eu Padraig Pearse, a diolch byth bod gennym ninnau ein Gwynfor.

Treuliais yr wythnosau nesaf fwy neu lai yn eistedd ar y bont yn 'Sbyty yn trio gwella, ond yn teimlo'n reit ddigalon ac yn llawn hunan-dosturi. Yna un dydd, pwy ddaeth heibio i'm gweld ond Tommy Jones, a dyma fo'n rhoi cynigiad imi a rodd-odd sbarc newydd yn fy mywyd.

Bu Tommy'n chwarae 'centre half' dros Everton a Chymru am flynyddoedd, a bu'n gapten ar dîm ei wlad hefyd. Dim rhyfedd ei fod yn arwr imi — dw i'n cofio mynd efo criw o'r ysgol i'w wylio'n chwarae dros Gymru ar y Cae Ras pan drechwyd yr Alban o dair gôl i un. Gêm fythgofiadwy oedd honno, a thyrfa o 30,000 yno'n gwylio'r fuddugoliaeth enwog, ac rwy'n cofio i ddawn chwarae Tommy wneud argraff fawr arnaf.

A'r diwrnod hwnnw, roedd Tommy wedi dod i 'Sbyty i chwilio amdanaf i. Y fo oedd yn rheoli tim Pwllheli a'r cylch yng Nghynghrair Cymru ar y pryd a gofynnodd imi sut y buaswn yn hoffi ymuno ag ef a chwarae dros Bwllheli.

Eglurais sut yr oedd pethau arnaf, a dywedais na allwn ddod i benderfyniad nes gweld y meddyg, a hefyd cael gair gyda rheolwr yr Amwythig. Dywedodd Tommy ei fod eisoes wedi cael gair gyda hwnnw a'i fod yn reit fodlon. Addewais innau gysidro'r peth ac y gwnawn ei ffonio unwaith y byddwn wedi cael barn y meddyg ar fy nghyflwr.

Aeth Tommy yn ei flaen i egluro y buasai'n llawer gwell imi chwarae yng Nghynghrair Cymru gan nad oedd hi mor galed â Chynghreiriau Lloegr — c'lwyddau noeth wrth gwrs!

Bryd hynny roedd fy nheulu yn fy mhen bob yn eilddydd yn erbyn imi hyd yn oed gysidro ail-gychwyn chwarae:

"Rho'r gorau i'r hen ffwtbol gwirion 'ma, a chwilia am job iawn fel pawb arall," oedd eu cyngor.

Ymhen y mis euthum i weld y meddyg, a'r cwestiwn mawr wrth gwrs oedd a gawn i chwarae eto? Archwiliodd fi'n fanwl, ac ar ôl studio fy llygaid o dan olau cryf — i weld os oedd yna rywfaint o fy ymennydd ar ôl mae'n siwr! — dyma fo'n deud fod popeth wedi clirio'n iawn, a 'mod i fel newydd.

Ia, iawn — ond a gawn i chwarae pêl droed? Roedd hwnnw'n benderfyniad yr oedd yn rhaid i mi fy hun ei wneud, meddai, a siarsiodd fi i gymryd gofal.

Calon ysgafn, lawen ddaliodd y trên adref. Yna bûm yn pendroni p'run ai dychwelyd i Shrewsbury Town neu ymuno â Phwllheli fuasai'r peth gorau imi ei wneud. Mae'n wir fy mod wedi cael llond bol ar dre'r Amwythig am fod y lle mor fach — ond roedd Pwllheli'n saff o fod yn llai fyth, er nad oeddwn erioed wedi bod ar gyfyl y dref.

Ffoniais Tommy Jones ac egluro fy amheuon, a dyma yntau'n fy ngwadd draw yno i weld y lle, cyn imi wneud fy mhenderfyniad. Dyma gyrraedd Pwllheli felly, a gweld mai tref fach, 'fawr mwy na Llanrwst yw hi — ond y peth cyntaf a'm trawodd wrth ddod oddi ar y trên oedd bod pawb yno'n siarad Cymraeg.

"Dyna gychwyn da," meddwn wrthyf fy hun, gan ofyn i rhywun lle roedd y 'Tower Hotel', os gwelwch yn dda.

"O, y Tŵr 'dach chi'n feddwl?" meddai hwnnw. "Fyny ffordd 'cw i'r Stryd Fawr."

Twm Tŵr

Dr Idris Jones a Mr T.M. Jones oedd arweinwyr clwb pêl droed Pwllheli ar y pryd, ac roeddan nhw wedi cymryd cam mawr yn hanes y clwb wrth wahodd Tommy Jones i ddod i chwarae yno. Dim ond 31 oed oedd Tommy ar y pryd, ac roedd ganddo flynyddoedd lawer o chwarae yng nghynghrair gyntaf Lloegr o'i flaen o hyd petai wedi dymuno hynny. Penderfynodd ddychwelyd i Gymru, a dyna un o'r pethau gorau ddigwyddodd i dref Pwllheli erioed.

Sefydlwyd ef fel perchennog y 'Tower Hotel', ar ganol y Stryd Fawr, sef y gwesty mwyaf ym Mhwllheli. "Y Tŵr" alwai'r bobl leol y lle, ac yn ddigon naturiol aeth T.G. Jones, Tower Hotel yn 'Twm Tŵr'. Yr adeg honno, Twm Tŵr oedd y dyn pwysicaf ym Mhen Llŷn gyfan. Doedd y maer, na'r prifathrawon, na'r gweinidogion — na hyd yn oed y prif gwnstabl — ddim yn y ras. Doedd yna neb fedrai gyffwrdd Twm Tŵr.

Pe bawn i'n mynd i chwarae i Bwllheli, dywedodd Twm wrthyf y buasai'r clwb yn cael hyd i waith i mi yng ngwersyll cyfagos Butlins, a buaswn yn cael lletya gyda Robin a Nansi Parker — y lojins gorau a gaed yn unman. At hynny, buaswn yn cael chwarae ochr yn ochr a Tommy Jones, fy arwr pan oeddwn yn yr ysgol, a thros glwb Pwllheli oedd yn mynd i ennill Cwpan Cynghrair Cymru a'r holl gwpannau eraill y tymor hwnnw, yn ôl a ddywedai'r gwron hwnnw.

Wrth wrando, ni allwn lai na ch'nesu ato. Penderfynais mai dychwelyd i Gymru wnawn i, a chwarae dros Bwllheli. Roeddwn yn teimlo'n gartrefol yno eisoes, a hynny cyn cael golwg iawn o gwmpas y dref hyd yn oed.

Teirw Tomi'r Tŵr

PENNOD 11

> "If he walks off at the end of
> the game, then you are
> a bloody coward!"

Mi wyddwn eisoes beth oedd safon y chwarae yng Nghynghrair Cymru ar ôl fy mhrofiad gyda thîm tref Llanrwst, a mentraf ddweud bod y gynghrair honno y dyddiau hynny cystal â phedwerydd adran Cynghrair Lloegr heddiw. Roedd ambell chwaraewr profiadol wedi dod o Loegr i chwarae yng Nghymru gan ddisgwyl cael gemau hawdd, ond tra byddai ef yn ceisio dangos ei driciau efo'r bêl, mi fyddai wedi cael andros o dacl nes byddai ar ei dîn. Hogia caled, heb ofni'r enwau mawr, oedd yn chwarae yng Nghynghrair Cymru.

Ym Mhwllheli'r adeg honno canfûm bod yno ddigon o gymeriadau lliwgar yn y tîm. Yn wir, buasai rhywun yn meddwl bod Tomi wedi mynd ati'n fwriadol i gasglu llond clwb o gymêrs. Tomi ei hun oedd y 'centre half' ac y fo fyddai'n rheoli'r chwarae; yna Pritchard bach a Makin oedd i fyny ar yr asgell chwith — ac mae sôn am eu partneriaeth yn y dref hyd heddiw; Eddie Mylett — na fyddai byth yn gwenu — a Gordon Gerrard, dau o Lerpwl, oedd yr haneri; ar yr asgell dde gwelid Mat Mathews (roedd pawb ym Mhwllheli yn rhoi'r acen ar yr 'e', ac nid yn ynganu 'Math-iws' yn null y Saeson). Dyn mawr, cryf ac eto gŵr bonheddig oedd Mat, ac er gwaetha'i faint — roedd yn pwyso pedair stôn ar ddeg — roedd yn anghyffredin o chwim gyda'r bêl. Roedd bron â bod yn hollol foel hefyd, eto roedd ei gorff wedi'i orchuddio a blew duon drosto fel rhyw arth fawr. Mac Eynon (Einion ar lafar yn y dre) oedd y 'centre forward' — taran o foi chwe troedfedd, yn ddewr fel llew ac yn beryg fel gwn o flaen y gôl, yn medru taro'r bêl — a'r golgeidwad — i gefn y rhwyd heb drafferth yn y byd.

Bûm ym Mhwllheli rhyw dair wythnos ac yna clywais un o'r cefnogwyr yn dweud fel hyn:

Cinio i ddathlu un o fuddugoliaethau Tîm Twm Tŵr
a Mathiws yn ceisio cuddio fy wyneb rhag ofn imi dorri'r camera.

"Mae 'na ryw foi o Nefyn yn chwarae 'right back' y Sadwrn nesa'. Idris Wyn ydi'i enw o."

Y Sadwrn canlynol, cyfarfûm ag Idris am y tro cyntaf, a dyma ddechrau partneriaeth oedd yn mynd i siglo cylchoedd pêl droed Gogledd Cymru am flynyddoedd. Plastrwr oedd Idris wrth ei alwedigaeth, a dyna oedd ei ddull o chwarae hefyd — mi fyddai'n plastro blaenwyr ein gwrthwynebwyr nes y byddent yn ofni dod i'n hanner ni o'r cae. Tomi oedd ein cadfridog, ac iddo fo mae'r clod (neu'n hytrach, arno fo mae'r bai) bod Idris a minnau'n chwarae fel yr oeddem.

Yn ystod ei gêm gyntaf dros Bwllheli, dyma rhyw wag yn gweiddi "Tarw Nefyn" arno. Glynodd yr enw, a Tarw Nefyn ydi o i bawb ers hynny. Disgrifiad penigamp o'i ddull o chwarae hefyd — roedd yn beryg bywyd, yn rhuthro o amgylch y cae fel rhyw darw gwyllt, a Tomi yn y canol yn ei annog yn ei flaen. Byddwn innau fel cefnwr chwith yn gwneud yn union yr un modd ac roeddem yn gyfarwydd â chael ein galw'n bob enw dan haul — "Welsh Bulls", "Tommy Jones' henchmen", "A pair of raving lunatics", "Woofer and Boofer" a llawer o enwau eraill nad oeddwn cweit yn deall beth oedd eu hystyron! Oedd, roedd gan Bwllheli ei "Raging Bull" ei hun ymhell cyn i Jake La Motta, y paffiwr, fabwysiadu'r enw, ac roedd gan ein gwrthwynebwyr ofn drwy eu tinnau ac allan.

Cofiaf un gêm yn arbennig — roeddem yn chwarae Abertawe ar y Vetch yng nghystadleuaeth Cwpan Cymru. Bryd hynny, roedd Abertawe'n dîm cryf iawn gyda'r brodyr Ifor a Len Allchurch, Terry Medwin, Mel Charles a Cliff Jones yn chwarae. Llwyddasom i'w dal yn reit dda, er bod Cliff Jones ar yr asgell chwith yn peri problemau inni gan ei fod mor gyflym. Ar ôl rhyw ugain munud o chwarae, cafodd Cliff y bêl drachefn, a dyma fo'n cychwyn am ein gôl ni — ac wrth gwrs, dyma Tarw Nefyn yntau'n cychwyn am Cliff Jones. Fel y nesai'r ddau at ei gilydd, roeddem yn disgwyl andros o glec gan fod y ddau yn mynd ar cymaint o sbîd, ond yn sydyn dyma Cliff yn llwyddo i gyflymu rhyw gymaint nes iddo fynd heibio'r Tarw cyn i hwnnw ei gyrraedd, fel petai. Mae'r rhai ohonoch sy'n gyfarwydd â'r Vetch yn gwybod bod pum llath o leiaf rhwng y cae a'r dyrfa, a bod 'na wal goncrid wedi'i chodi rhwng y chwaraewyr a'r dyrfa. Ond cymaint oedd sbîd y Tarw fel nad oedd o'n medru stopio — mi aeth dros y wal goncrid uchel honno ac ar ei ben i ganol y gynulleidfa!

Dyna fo'r Tarw ichi — dyn o ddifri ynglŷn â'i waith, ac mae'r stori honno'n wir bob gair. Colli'r gêm ddaru ni yn y diwedd o bum gol i ddwy, ac mi fu 'na gryn dynnu coes ar yr hen Darw — dweud nad oedd disgwyl i ni ennill y gêm honno a ninnau efo dim ond deg o ddynion ar y cae am y rhan fwyaf o'r amser!

Yr adeg honno roedd Gwersyll Tonfannau ger Tywyn, Meirionnydd yn ei fri gyda'r Territorial Reserve Royal Artillery yno. Roedd tîm arbennig o dda yn Nhonfannau — roeddent yn dilyn yr un patrwm ag a welais yn Padgate, sef hel criw o beldroedwyr dawnus i gyd i'r un gwersyll. Roedd gwasanaeth milwrol dal yn orfodol, ac roedd pob un o chwaraewyr Tonfannau ar lyfrau clybiau mawrion Lloegr. Ar y Traeth ym Mhorthmadog y byddent yn chwarae eu gemau "cartref" a thynnent dorf o ddwy i dair mil bob tro. Buont yng Nghynghrair Cymru am ddwy flynedd, a chwaraeais yn eu herbyn bedair gwaith i gyd — pob gêm yn gyfartal, a rheiny heb os oedd y gemau gorau i mi gymryd rhan ynddynt erioed.

77

Cliff Jones wedi mynd — a'r Tarw'n dal i ddod!

Roeddwn wedi cael profiad o chwarae i ddau glwb yn Lloegr, gyda chyn-chwaraewyr dros Loegr yn reolwyr arnynt — ond a dweud y gwir, doeddwn i ddim wedi dysgu fawr ddim yno. Roeddent yn ddigon bodlon gadael i mi chwarae yn fy null fy hun heb hyfforddi dim arnaf. Ond roedd Tomi Jones yn ddyn gwahanol. Un ffordd oedd 'na iddo fô — a'r ffordd iawn oedd honno. Gan Tomi y dysgais sut i ddefnyddio'r doniau oedd gennyf hyd eithaf fy ngallu — gwelodd fy nghryfderau a'm gwendidau, ac aeth ati i dynnu'r gorau allan o 'nghroen.

Ers yn hogyn, bûm yn gryf a heini a ffit fel ci bwtsiar. Fy null o chwarae, felly, oedd rhuthro o gwmpas y cae fel pry ar wydr gan neidio i mewn i bob tacl heb gysidro dim. Lwc owt fyddai hi i unrhyw wrthwynebydd fyddai yn fy narn i o'r cae — amdano fo, ac i mewn i'r dacl. Os oeddwn yn llwyddo i'w lorio — popeth yn dda; ond os methwn, yna byddwn ar fy nhîn ar y cae ac allan o'r gêm am sbelan.

Dysgodd Tomi imi gymryd pwyll, — a pheidio neidio ar fy mhen i mewn i daclo, ond yn hytrach aros nes buaswn yn saff o ennill y dacl cyn mentro iddi. Y fo ddysgodd Idris a finnau sut a phryd i symud "oddi ar y bêl". Dau gefnwr digon garw gafodd Tomi pan aethom yno i Bwllheli, ond llwyddodd i roi tipyn mwy o sglein ar ein chwarae ymhen ychydig o amser.

Hyd heddiw, rydw i'n dal i waredu na fuasai Tomi wedi cael cyfle i fod yn rheolwr ar dim cenedlaethol Cymru. Roedd yn chwaraewr hynod o dda, ac yn gwybod am holl elfennau'r gem yn drwyadl, ond roedd ganddo hefyd y ddawn brin honno o fod yn arweinydd ar eraill. Medrai godi calonnau'r chwaraewyr hanner amser pan fyddai'r tîm yn colli a llwyddai i'w hysbrydoli i ail-afael yn y gêm. Dyn hollol diflewyn ar dafod oedd o, a doedd ganddo ddim ofn troi'r drol gyda phwysigion wrth ddweud ei farn.

Rwy'n cofio Pwllheli'n colli 2 : 0 ar hanner amser mewn gem gwpan FA yn erbyn Runcorn unwaith. Roedd Tomi wrthi'n traethu yn y 'stafell newid pan fentrodd un o ben pwysigion yr FA yng Nghymru roi ei ben i mewn.

"Can I have a word with you, Tom?" gofynnodd y pwysig.

"Piss off," oedd yr ateb. "Can't you see that I am nailing these bastards of mine to the floor. Now, Orig I want you to obliterate this outside right. If he walks off at the end of the game, then you are a bloody coward."

Ac aeth yn ei flaen fel yna heb hitio botwm am y dyn oedd yn disgwyl wrth y drws. Doedd wiw i neb symud na siarad yn ystod y sesiynnau hyn. Un tro roedd chwaraewr newydd yn y tîm, a doedd o ddim wedi clywed am y rheol aur hon. Cododd i fynd i'r lle chwech tra oedd Tomi'n taranu.

"Where the bloody hell do you think you're going?" bloeddiodd y Tŵr.

"For a piss," meddai'r newydd-ddyfodiad yn nerfus. "You weren't speaking to me, Tommy."

"I haven't bloody well got round to you yet, you pillock. Now, sit down before this lot piss all over us in the second half."

Gan nad oedd Tomi yn parchu awdurdod os byddai'n credu'n wahanol, mi allwch fentro nad oedd o'n boblogaidd iawn gan griw FA Cymru. Penododd yr Alban a Lloegr reolwr proffesiynol yn ystod y cyfnod hwn, ac yn y diwedd penderfynodd Cymdeithas Bêl Droed Cymru eu bod hwythau am gael un. Gwahoddwyd dau berson i'w cyfweld mewn gwesty yn Henffordd — sef Dave Bowen (a fu'n chwarae gydag Arsenal, ac yn rheoli Northampton Town ar y pryd) a'r llall oedd Tomi'r Tŵr, oedd ar y pryd ar frig ei yrfa fel rheolwr Dinas Bangor ac yn cael llwyddiant ysgubol yno.

Doedd gan Tomi ddim llawer o awydd mynd, gan y gwyddai nad oedd ganddo lawer o gyfeillion ar y pwyllgor — ond perswadiwyd ef i fynd yno yn y diwedd. 'Chafodd Tomi 'mo'r swydd — roedd o'n gwybod peth coblyn mwy na'r pwyllgorwyr am y gêm, ac felly doedd o'n dda i ddim i'w diben nhw. Crafwrs tîn a chŵn bach roeddan nhw isho, ac roeddan nhw isho cadw'u hawl i ddewis y tîm cenedlaethol — fel 'tasan nhw'n gwybod yn well na rhai oedd wedi treulio blynyddoedd ym maw'r ffosydd.

Deuai mwy a mwy o Gymry i chwarae dros Bwllheli y dyddiau hynny ac roedd ysbryd ardderchog yn y clwb. Yn ystod y tymor cyntaf hwnnw, mi gawsom blŷg go lew o eira dros fisoedd y gaeaf a bu rhaid gohirio llawer o'r gemau. Ar ben hynny, roeddem wedi gwneud yn dda mewn amryw o gystadlaethau cwpan. Canlyniad hyn oedd bod gennym beth coblyn o gemau eisiau eu chwarae ar ddiwedd y tymor. Bryd hynny, ni châi neb chwarae pêl droed ar y Sul, a bu raid i ni chwarae deunaw gêm mewn un diwrnod ar hugain. Roedd tair o'r gemau hynny yn gemau terfynol gwahanol gwpannau, ac mi enillon ni ddwy ohonyn nhw. Do, mi wnaeth Tomi gamp fawr ym Mhwllheli — a champ un dyn oedd o hefyd. Erbyn meddwl, unigolion — nid pwyllgorau — sy'n cyflawni'r pethau gorau i gyd. Druan ohonon ni'r Cymry a ni yn genedl o pwyllgorwyr!

Wedi pedwar tymor cyffrous, aeth Tomi o Bwllheli i fod yn rheolwr ar dîm Dinas Bangor gan godi'r tîm hwnnw i guro Cwpan Cymru. Drwy hynny cafodd y tîm y fraint o gynrychioli Cymru yng Nghwpan Ewrop, a bu raid ail-chwarae'r gêm yn erbyn F.C. Napoli yn Llundain. Roedd tîm Tomi wedi eu curo nhw ym Mangor, ac wedi colli yn Naples — a'r pryd hwnnw roedd F.C. Napoli ar ben Cynghrair yr Eidal, ac yn dîm o fri — ond rhoddodd Bangor gythral o fraw iddyn nhw.

Wedi i Tomi'r Twr adael awennau Clwb Pwllheli, chwalodd yr hen dîm ac aeth pawb i'w ffordd ei hun. Aeth Tarw Nefyn i chwarae dros Gaernarfon, ac euthum innau i chwarae dros Aberystwyth yng Nghynghrair De Cymru.

Orig v. F.A. Cymru

PENNOD 12

> "Os nad yw'r darlun gennych
> Ofer dangos imi'r ffram."

Pe bawn i'n deud bod y llythrennau FA yn cynrychioli swm gwybodaeth FA Cymru am bêl droed, yna 'fuaswn i ddim ymhell iawn o'm lle. Pwyllgorwyr proffesiynol oedd y rhain, heb unrhyw fath o brofiad yn y maes — ond gwae chi os meiddiech geisio tanseilio'u hawdurdod. Dydi'r dynion sy'n dallt dim ddim eisiau dysgu dim 'chwaith. Yn y blynyddoedd ar ôl chwalu tîm Tomi'r Twr, mi gefais sawl achos i groesi cleddyfau gyda phwysigion FA Cymru.

Yn ddiweddar, cefais wahoddiad i fod yn gocyn hitio ar raglen Vaughan Huws "Rhoi'r Byd yn ei Le", a'r mater dan sylw oedd pam fod pêl droed wedi dirywio cymaint yng Nghymru dros y blynyddoedd diwethaf. Roedd rhai o fawrion Cymdeithas Bêl Droed Cymru yn bresennol ar y rhaglen, wrth gwrs, a chyn mynd dim pellach, carwn dalu teyrnged i wybodaeth pwyllgorwyr y gymdeithas honno o'r gêm dan sylw. Neilltuaf y paragraff nesaf yma yn gyfangwbl i'r diben hwnnw:

Blanc. Ffwl-stop.

Mae'r smonach mae'r gêm ynddi ar hyn o bryd yn deillio o'r camgymeriadau a wnaeth Cymdeithas Bêl Droed Cymru yn ystod y cyfnod yr ydw i'n sôn amdano. Yn ystod y cyfnod blaenorol — cyfnod yr Ail Ryfel Byd — rhyw dîm digon gwantan oedd gan Gymru, ond roedd gan Ted Robbins, ysgrifennydd y Gymdeithas, y ddawn a'r gallu i ysbrydoli dynion, ac fe gafwyd rhai canlyniadau hynod o dda. Pan fu farw Ted Robbins, dyma'r Gymdeithas — yn ei mawr ddoethineb — yn penodi Herbert Powell yn olynydd iddo.

Dyn parchus, siwt streip, eglwyswr cyson oedd Herbert Powell. Dyn da yn ystyr gyhoeddus y gair, ond dyn da i ddim o safbwynt datblygu pêl droed yng Nghymru. Roedd ganddo ddawn siarad eithriadol, ac er mai'r pwyllgor oedd wedi ei benodi, y fo mewn gwirionedd oedd yn dweud wrth y pwyllgor be-oedd-be yn fuan iawn. Herbert oedd dyn y drol — a gweision bach oedd y pwyllgorwyr eraill, er bod y rheiny i gyd yn ystyried eu hunain yn ben-pwysigion hefyd, wrth gwrs.

"Yr oedd eu gwisg yn barchus
A'u gwedd yn barchus, dynn."

Câi Cymdeithas Bêl Droed Cymru wahoddiad i fynd i ddathliadau gan gymdeithasau pêl droed yn Ne America ac yn y blaen — ac wrth gwrs, roedd y pwyllgorwyr yn derbyn y gwahoddiadau hyn. Awyrennau dosbarth cyntaf; Hiltons ac Inter-Continentals ac yn y blaen — yr hufen i gyd, debyg iawn. Yr oedd y rhain yn flynyddoedd o lawnder a doedd dim rhaid poeni am gynilo na pharatoi at y dyfodol. Bellach mae'r sach yn wag, a chafwyd rhaglen deledu i geisio dyfalu pa fodd y digwyddodd hynny.

Mi glywsom lawer barn am y gêm ar raglen Vaughan Huws — a llawer un a gwell barn na f'un i, efallai. Ond mae'n siŵr gen i mai un arall o'r prif resymau dros y dirywiad yw fod yr oes ei heddiw ac mae pawb yn rhynnu wrth fynd allan — mae hi'n oes feddal. Mae 'na adloniant da ar y teledu ar bnawn Sadwrn — toes 'na fawr o apêl mewn mynd i wylio gemau mewn rhew-wynt a glaw mân erbyn hyn. Tydi'r clybiau ddim wedi darparu cyfleusterau mwy cysurus, 'toes 'na ddim darpariaeth ar gyfer teuluoedd — ac maen nhw'n synnu bod y tyrfaoedd yn edwino. Yn fy

Mecsico er gwaetha'r FAW?

Doedd penderfyniad cyngor Cymdeithas Pêl-droed Cymru i chwarae'r gêm yn erbyn yr Alban ym mis Medi ar Barc yr Arfau ddim yn syndod.

Wedi'r cyfan rydym wedi cynefini â digwyddiadau chwithig sy'n gwneud imi feddwl weithiau fod unrhyw lwyddiant ar y maes er gwaetha'r gwŷr doeth sy'n rheoli'r cyfan.

Dyma ichi rai o'r digwyddiadau hynny:

1957

Mynd â dim ond 13 o chwaraewyr ar gyfer gemau Cwpan y Byd yn Tsiecoslofacia a Dwyrain yr Almaen. Anafwyd dau yn y gêm gyntaf a bu'n rhaid anfon am ddau ychwanegol.

1971

Pymtheg chwaraewr a deg swyddog yn teithio i'r Ffindir. Oes gennych chi ddau dim oedd cwestiwn pobl Helsinki.

1975

Llywydd y Gymdeithas ar y pryd o blaid chwarae'r gêm gartref yn erbyn Iwgoslafia ym Mai 1976 yn Wembley ond pan ddaeth yn bleidlais ochrodd gyda Pharc Ninian wedi i'r cyngor rannu'n gyfartal rhwng y Cae Ras a Pharc Ninian.

1977

Cymru v Yr Alban yn Lerpwl — y tro cyntaf er 1890 i Gymru chwarae gêm gartref yn Lloegr. Wedi'r gêm soniodd Ysgrifennydd y Gymdeithas am "appalling lack of support by Welshmen".

1981

Methu ag anfon tîm i Ogledd Iwerddon wedi i rai o'r chwaraewyr ddilyn y Saeson a gwrthod mynd i Belfast — penderfyniad a gostiodd oddeutu £100,000.

1982

Trefnu'r gêm yn erbyn Gogledd Iwerddon ar gyfer y nos Iau a neilltuwyd i ail-chwarae 'Cup Final' Lloegr. Dim ond 2,315 yn Wrecsam.

Yn ôl at Barc yr Arfau. Dyma gartref cyntaf tîm pêl-droed Cymru yng Nghaerdydd. Chwaraewyd chwe gêm yno rhwng 1896 a 1910, cyn agor Parc Ninian, ac fe gollwyd pump ohonynt gyda'r chweched yn gyfartal!

Un sydd wedi chwarae ar Barc yr Arfau yw Mike England ei hun. Roedd o'n aelod o dîm y pêl-droedwyr a gurodd y chwaraewyr rygbi 7-4 ar Awst 11, 1980, mewn gêm i ddathlu canmlwyddiant yr Undeb Rygbi. Sgoriwyd y goliau gan Toshack (3), Ivor Allchurch (2) a David Giles (2).

Rhai o gamau gwag F.A. Cymru ar hyd y blynyddoedd fel y'u gwelwyd yn 'Y Cymro' ym mis Mai 1985.

marn i, un o'r pethau gorau fedrai'r gêm ei wneud er ei mwyn ei hun fuasai symud y tymor o'r gaeaf i fisoedd yr haf. Gwell tywydd, gwell dawn trin pêl gan y chwaraewyr (am fod y cae'n galetach) — a gwell tyrfaoedd.

Peth arall da, yn fy marn i — rhag i mi gael fy nghyhuddo o fod yn hollol negyddol ac unochrog — fuasai i Gymdeithas Bêl Droed Cymru fynd yn fethdalwr. 'Llnau'r slatan, a chychwyn o'r dechrau efo criw o bobl broffesiynol wrth y llyw. Pobl fel Phil Hoosnam — Cymro o Gaersws fu'n chwarae efo ni ym Mhwllheli ac sydd yn brif ddyn y bêl gron yn America erbyn heddiw. Mae wedi blasu llwyddiant mawr, a hynny yn wyneb pob math o gystadlaethau a gimics a chwaraeon eraill. Hwn ydi'r boi fasa'n medru rhoi tipyn o gic yn ôl i'r gêm yng Nghymru'r dyddiau hyn.

Reit, nôl at y stori — dyna ydi'r drwg, mae'r pregethwr ynof i yn drech na'r sgwennwr o dro i dro — efallai y dylswn fod wedi derbyn cyngor hen wraig y siop yn y diwedd! Bûm yn Aberystwyth am dymor — ac, a deud y gwir, roedd hynny'n hen ddigon. Doedd dim o'i le ar y clwb — cefais amser da yng nghwmni Mal a Gordon Rees, Arthur Lynn, Stewart a Gordon Griffiths a Len Williams, ac ati, ond roedd y teithio yn fy lladd i. Chwarae'n erbyn Barri un Sadwrn, yna'n erbyn Penfro'r Sadwrn canlynol — a gorfod teithio am filltiroedd ar hyd ffyrdd culion, troellog.

O'r fan honno, euthum i chwarae ac i reoli yng nghlwb Penmaenmawr. Yno cefais ail-gydio yn fy mhartneriaeth gydag Idris a Mathews a chael gafael ar ambell hogyn ifanc addawol o Ben Llŷn fel Aled Hughes, Llanbedrog a Bruce Barnes, Botwnnog. Bu'n dymor pur lwyddiannus o gofio record y Clwb yn y gorffennol — gorffen yn agos at waelod y gynghrair y byddent fel rheol, ond y flwyddyn honno gorffennodd y clwb yn ddegfed allan o ugain o dimau gan gyrraedd y rownd derfynol yng Nghwpan Cookson yn erbyn Porthmadog.

Yn dilyn hynny, cefais fy ngwahodd i fynd i Bwllheli fel chwaraewr/reolwr, ond pendronais yn hir cyn derbyn yn y diwedd. Roedd hi'n anodd gadael Penmaenmawr a hwythau wedi rhoi'r cyfle cyntaf imi reoli fy nghlwb fy hun, ond penderfynais y buasai yna fwy o sialens imi yng nghlwb Pwllheli. Ym Mhenmaenmawr, 'toedd neb yn disgwyl i chi ennill, ac roedd pawb yn reit fodlon chwarae "er mwyn cael gêm", yn hytrach nag er mwyn bod yn fuddugol. Ond roedd pethau yn wahanol ym Mhwllheli — enillwrs oedd yn fan'no, ac os nad oedd y tîm yn ennill, yna roedd 'na helynt.

Bu raid imi fynychu cyfarfodydd y pwyllgor bob nos Lun tra bûm ym Mhwllheli, ac roedd hynny'n groes i'r graen braidd gan na fûm i erioed yn bwyllgorwr. Roedd pawb yn y dref eisoes yn fy adnabod fel creadur gwyllt ac afresymol, ac roedd y pwyllgor yn ceisio cadw'r ffrwyn yn reit dyn. Er hynny, rhaid dweud imi gael cefnogaeth dda ganddynt ar y cyfan.

Fy nhasg gyntaf oedd chwilio am chwaraewyr — ac yn ôl arferiad y cyfnod, dyma fynd i ochrau Caer a Glannau Dyfrdwy i gael gafael ar rai. Llwyddais i gael llofnod nifer o hogiau dawnus, ond calonnau dryw bach oedd ganddyn nhw. Mor wahanol oedd yr hogia lleol oedd yn falch o gael chwarae dros eu clwb ac yn chwarae a'u calonnau ar dân.

Byddai Pwllheli'n cyhoeddi rhaglen bob tro y byddai'r tîm yn chwarae gartref, ac roedd galw ar y rheolwr i ysgrifennu gair neu ddau yn honno o dro i dro. Doedd 'na fawr o neb yn credu 'mod i'n medru sgwennu fy enw, heb sôn am sgwennu anerchiad, ond buan y manteisiais ar y cyfle hwn i draethu ynglŷn â rhai o'm syniadau am y gêm ar y pryd. Dyma gychwyn gofyn rhai cwestiynau hollol elfennol, megis pam nad oedd neb ar bwyllgor FA Cymru erioed wedi chwarae pêl droed yn eu bywydau. Mi wnes ladd ar safon y dyfarnwyr hefyd — ar wahân i eithriadau disglair megis Gwilym Owen, Sir Fôn a Ron Jones, Deganwy.

Canlyniad hyn i gyd oedd i glwb Pwllheli dderbyn llythyr cryf o brotest gan FA Cymru yn eu rhybuddio i'm rhwystro rhag sgwennu dim mwy mewn unrhyw raglen ar ôl hynny. Pwy oeddwn *i* i feiddio'u beirniadu *nhw?* Ar ben hynny, roeddwn i gael fy ngwahardd rhag chwarae am bythefnos oherwydd — a dyfynnu eu geiriau crand nhw — fy mod yn euog o "bringing the game to disrepute". Y gwir sy'n brifo?

Erbyn hyn rwy'n difaru na wnes i sgwennu pwt yn ôl atyn nhw. Rhywbeth tebyg i hyn fuasai yn y llythyr hwnnw:

Esteemed Sirs!

My grandmother in Ysbyty Ifan is of the opinion that your game is played by rogues, drunkards and layabouts, and is likely to corrupt the innocent mind of a Sunday School boy like myself. How, therefore, can I be bringing the game into disrepute?

Mewn geiriau eraill, rhowch eich gêm yn eich tîn a chwaraewch hi eich hunain —ac mi gawn weld sut siâp fydd ar bethau wedyn:

"Os nad yw'r darlun gennych
Ofer dangos imi'r fram."

Mae gwybodaeth cyfarwyddwyr clybiau pêl droed ym mhob safon o'r gêm yn rhywbeth tebyg i wybodaeth Cymdeithas Bêl Droed Cymru. Dyma ichi stori fach arall sy'n darlunio hynny.

Mae llawer ohonoch yn cofio Bobby Collins — mewnwr anfarwol Everton a'r Alban — dw i'n siŵr. Un dydd Sadwrn roedd Bobby wedi methu penaltî adref, ac fe gollodd ei dîm 1 : 0 oherwydd hynny. Ar ôl y gêm dyma John Moores, y miliwnydd pwysig a sefydlwr pyllau pêl droed Littlewoods oedd hefyd yn gadeirydd ar Everton ar y pryd, yn dod at Bobby Collins a rhoi cythral o lond ceg iddo fo ac yn dweud wrtho y dylsai fod wedi gwneud fel hyn ac fel arall. Gwrandawodd Bobby ar y cerydd yn ddistaw, ac yna gofynnodd i John Moores a fuasai o cystal â dod yn ôl i'r cae efo fo y bore Llun canlynol gan ei fod eisiau gofyn rhywbeth iddo.

Fore Llun roedd Bobby yn disgwyl am ei fawrhydi yn ei shorts a'i sgidiau ac efo pêl dan ei gesail. Gofynnodd i John Moores, pan gyrhaeddodd hwnnw, a fuasai cystal â dod efo fo ar y cae. Arweiniodd Bobby'r dyn pwysig ar draws y cae ac ni stopiodd nes cyrraedd sbotyn gwyn y penaltî. Rhoddodd y bêl i lawr a throi at John Moores a dwedodd mewn acen gref Albanaidd:

"Excuse me sir, can you please show me how to take penalties. I dinna cen."

Does dim angen dweud bod y pwysigyn yn teimlo yn rêl twmffat.

Heb roi'r byd i gyd ar dân, na dim felly, gallaf ddweud yn wylaidd inni gael dau dymor eithaf llwyddiannus ym Mhwllheli. Yr uchafbwynt oedd cyrraedd gêm derfynol Her Gwpan Gogledd Cymru a'i chwarae ym Mangor yn erbyn Blaenau Ffestiniog.

Yr arfer bryd hynny oedd chwarae'r gêm hon y Sadwrn cyntaf ar ôl i'r tymor swyddogol ddod i ben er mwyn tynnu tyrfa go lew gan na fyddai yna gêm yn unlle arall. Gan fod y tymor wedi darfod, dyma finnau'n gweld fy nghyfle i wneud strôc go dda. Rwyf bob amser yn credu bod rheolau wedi eu llunio er mwyn i rywun 'run fath â fi gael hyd i rhyw dwll yn y clawdd yn rhywle, a byddaf wastad yn edrych ar beth a *ganiateir* imi'i wneud yn hytrach na beth a *waherddir* imi rhag ei wneud.

Yn yr achos hwn, roeddwn yn gyfeillgar â Noel Kelly, cyn-chwaraewr rhyngwladol o Iwerddon Rydd oedd ar y pryd yn rheoli clwb Ellesmere Port Town. Roedd 'na ddau chwaraewr arbennig yn y clwb hwnnw ar y pryd, ond gan fod y tymor wedi darfod ac felly eu contract gydag Ellesmere Port wedi dod i ben, dyma finnau'n eu cael i arwyddo papurau Pwllheli cyn y gêm fawr ym Mangor!

Hen dric sâl, meddech chi. Hwyrach wir, ond roedd yn dric oedd yn mynd i'w gwneud hi'n saffach ein bod ni'n mynd i ennill ac felly roeddwn yn gwbwl dawel fy meddwl. Chwarae i ennill fu fy nod erioed — nid yn Millfield, Eaton na Harrow y cefais i fy addysg. Wrth gwrs, mi ddaru *nhw* (pobol FA Cymru — pobol y rheolau) newid y ddeddf ar ôl hynny, ac mae hi'n anghyfreithlon i'r un clwb gael chwaraewyr newydd ar ôl diwedd y tymor fyth ers hynny. Dyna stop ar un arall o driciau Orig Williams, medden nhw.

Cyn y gêm gwpan honno, roedd y dorf ym Mangor yn cael cyfle i dalu gwrogaeth i dîm Dinas Bangor oedd newydd ennill prif gwpan Cymru ac wedi sicrhau lle iddynt eu hunain yng nghystadleuaeth Cwpan Ewrop y flwyddyn ganlynol. Daeth tîm y ddinas allan ar y cae, a chylchu o'i gwmpas i dderbyn banllefau'r dorf — ac roedd yno filoedd ar filoedd, pawb yn eithriadol falch o'r hogia. Bu'r dorf yn cymeradwyo am tuag ugain munud, ac yna trodd y gweiddi yn llafarganu: "Tomi! Tomi!" — felly am funudau, cyn i'r ymerawdwr ei hun ymddangos ger eu bron. Tomi'r Twr oedd y dyn pwysicaf ym Mangor — ac yn wir, yng Ngogledd Cymru, — y diwrnod hwnnw.

O'r diwedd dyma'r gêm gwpan yn mynd rhagddi. Cyfansoddodd Gruffydd Parry, athro yn Ysgol Botwnnog, nifer o benillion am yr achlysur gan gychwyn fel hyn:

"Crysau cochion Tim Ffestiniog,
Crysau gwynion Penrhyn Llŷn
Aeth i'r frwydr fawr ym Mangor,
Pawb yn ffyddiog, pawb, pob un."

Pwllheli a gurodd — o ddwy gôl i ddim — a chyda'r fuddugoliaeth enillwyd prif gwpan Gogledd Cymru. Diwrnod gwerth chweil i'r clwb — ac i minnau.

* * * * *

Tra oeddwn yn rheolwr ar glwb Pwllheli, digwyddodd rhywbeth oedd yn mynd i agor drysau newydd imi. Roedd y tîm wedi gyrru 'mlaen yn dda yng nghystadleuaeth Cwpan Cymru ac yn chwarae Croesoswallt oddi cartref yn y bumed rownd. Dyma ni draw yno a'u curo nhw 6 : 0, a hwythau i fod yn dipyn gwell tîm na ni. Ond nid y gôl sy'n aros yn y cof erbyn hyn, ond mynd i mewn i siop chips ar ôl y gêm, bron iawn â llwgu gan mai ŵy ar dost oedd y rheol cyn chwarae, a stopio'n stond yn fan'no wrth sylwi ar boster yn hysbysebu gornest reslo. Dyma'i studio'n fanylach, a gweld mai Tommy Newton oedd yr hyrwyddwr ac roedd yn cynnig gornest rhwng Doctor Death ("Horrific masked executioner") a Gypsy Joe Savoldi ("All-action Romany grappler") ac ati — a hynny yn y 'Baths' yng Nghroesoswallt y Sadwrn canlynol. Nid oedd angen darllen dim mwy — roeddwn eisoes wedi penderfynu bod rhaid imi weld y gornestau hyn, oherwydd Tommy Newton oedd y dyn oedd wedi fy nhynnu'n grïa ar y mat ym Manceinion rai blynyddoedd ynghynt.

Er bod cryn fri ar y bêl gron o hyd yr adeg hynny, fedrai rhywun ddim peidio sylwi bod y tyrfaoedd yn lleihau'n raddol. Roedd un neu ddau o bethau eisoes yn pwyntio i gyfeiriad y dirywiad mawr a fu ymysg cefnogwyr i'r gêm. Un o'r rhesymau oedd eisoes yn cael ei leisio pan fyddech yn dadlau a chyn-gefnogwr brwd i bêl droed oedd rhywbeth tebyg i hyn:

"Duwcs, mi arhosais i adre bnawn Sadwrn diwethaf. Mae'r T.V. mor dda bnawnia Sadwrn erbyn hyn — mae 'na awr o reslo arno fo bob tro. Rargol mae o'n dda!"

Eisoes roedd pedwar o'r gloch bnawn Sadwrn wedi dod yn awr bwysig i filoedd o wylwyr led-led Cymru — a thrwy Wledydd Prydain i gyd a dweud y gwir. Aeth hyn i gyd drwy fy meddwl wrth imi ddarllen y poster yn y siop chips.

Y Sadwrn canlynol, roeddem yn chwarae ym Mae Colwyn, ac euthum yno yn fy nghar fy hun yn hytrach na gyda bws yr hogia. Yn syth ar ôl y gêm, i ffwrdd â fi am Groesoswallt, ac roeddwn yno mewn da bryd gan nad oedd y reslo yn cychwyn tan hanner awr wedi saith. Chips, peint, ac am y 'Baths' tua'r saith 'ma — ac mi drawodd yr olygfa yn fanno fi yn fy nhalcen. Roedd torf o rhyw chwe chant yn disgwyl yn y glaw i gael mynediad. Disgwyliais innau fy nhro, ac roedd hi'n ugain munud i wyth arnaf i'n llwyddo i fynd i mewn yn y diwedd. Roedd y reslo eisoes wedi cychwyn a thorf o rhyw bum cant wedi talu deg swllt neu saith a chwech am gael eistedd o amgylch y cylch, a rhyw bum cant arall wedi talu pum swllt yr un i sefyll.

'Dyw'r symiau hyn ddim yn swnio'n fawr iawn erbyn heddiw, ond roedd hi'n ddiddorol cymharu hynny a chost gwylio pêl droed yn yr un cyfnod. Y pnawn hwnnw ym Mae Colwyn, dau swllt i sefyll a thri a chwech i eistedd oedd y dorf wedi'i

Doctor Death yn ei ogoniant.

dalu — a dim ond rhyw drichant oedd yn gwylio yn y fan honno.

Tommy Newton ei hun oedd y dyfarnwr, ac roedd y dyrfa eisoes wedi c'nesu iddi. Roedd 'na awyrgylch arbennig yn y 'Baths' — pobman yn dywyll, gyda'r cylch yn unig wedi'i oleuo; mwg sigarets yn codi'n gylchau tew a'r gynulleidfa'n gweiddi pob math o gynghorion a sylwadau ffraeth. Buan iawn yr aeth y noson rhagddi, a toc dyma Doctor Death yn dod am y cylch yn gwisgo'i fasg.

"Bŵ! Bŵ!" gwaeddai'r dorf, ond hynny'n troi'n "Hwrê" yn fuan pan ymddangosodd Gypsy Joe Savoldi. Roedd hi'n ffeit arbennig o dda, ond Doctor Death a orfu yn anffodus — bu raid i'r arwr, Joe Savoldi, roi'r gorau iddi yn y chweched rownd am fod ei lygaid o'n pistyllio gwaedu. Aeth y dorf yn wallgof gan hyrddio pob math o eiriau drwg at y Doctor wrth iddo adael — roedd pobl ymddangosiadol barchus wedi colli'u pennau'n lân. Doeddwn i erioed wedi gweld y fath frwdfrydedd ymysg dilynwyr pêl droed.

Wedi i'r gornestau ddod i ben, curais ar ddrws yr ystafell newid a gofyn am weld Tommy Newton. Daeth Tommy i'r drws yn gwenu fel giât:

"Orig!" meddai. "Good God, what are you doing here? Come in — do you know that I've been thinking about you, but didn't know how to get hold of you. Did you watch the wrestling?"

Dywedais fy mod wedi mwynhau'r noson yn fawr. Yna gofynnodd imi ar ei ben a fuaswn yn hoffi bod yn reslar. Beth? Dest fel'na? Na, — esboniodd y buasai'n fy hyfforddi wrth gwrs, a dywedais innau y buaswn wrth fy modd yn cael fy nysgu.

Eglurodd Tommy bod reslo yn tynnu tyrfaoedd anhygoel ar y pryd — roedd o yn un o'r ychydig hyrwyddwyr oedd wrthi hi, ac roedd pob un ohonynt yn cael trafferth i gael digon o reslwyr. Roeddent yn mynd o amgylch tafarnau a neuaddau dawnsio yn chwilio am hogia caled i'w hyfforddi.

"You half know the ropes already," meddai wrthyf, "and you are big and tough, — made for the job. Where do you live?"

"Pwllheli."

"No good, too far — can you not come to live in Manchester?"

Eglurais fy nghysylltiadau â'r gêm bêl droed. Roedd yntau'n siomedig, ond rhoddodd ei rif ffôn imi gan ddweud wrthyf am ei ffonio petawn yn newid fy meddwl. Addewais gysidro'r mater.

Ond fel y digwyddodd pethau, nid oedd fy ngyrfa gyda'r bêl gron drosodd eto. Roedd un cyfnod lliwgar, terfynol o'm blaen, sef chwarae a rheoli yn Nyffryn Nantlle. Digon addas efallai mai dyma'r cyfnod sy'n pontio'r cyfnod pêl droed a'r cyfnod reslo yn fy hanes!

Dyffryn Nantlle - 'Ni' a 'Nhw'

"Nid chwaraewyr budur oeddan ni,
ond chwaraewyr caled."

Mae chwaraewyr pêl droed yn symud yn rheolaidd o un clwb i'r llall yng Nghynghrair Lloegr — mae pawb yn gyfarwydd â hynny. Ond 'dyw hynny'n ddim o'i gymharu â chwaraewyr pêl droed y tu allan i'r Gynghrair honno. Does dim arian yn newid dwylo rhwng y clybiau rheiny, wrth gwrs, ac ar ddiwedd y tymor mae pob chwaraewr yn rhydd i ddewis y clwb rydd y telerau gorau iddo y tymor canlynol.

A dweud y gwir, roedd y rheolau mor llac nes gwneud y cyfan yn hollol chwerthinllyd — a bai y *nhw,* penbyliaid 'rhen FA Cymru oedd hyn unwaith eto. Deuai dau lond car o Lerpwl, Caer a Wrecsam — neu o cyn belled â Manceinion hyd yn oed — i Ogledd Cymru bob Sadwrn, a chwarae yn enw Pwllheli, Nantlle, Ffestiniog, Caernarfon ac ati. Yna'r tymor canlynol, efallai bod y ddau lond car oedd yn dod o Gaer, dyweder, ac a oedd yn arfer chwarae dros Ffestiniog, dyweder, yn penderfynu gadael y clwb hwnnw a chwarae dros Bwllheli. Yna'n symud i Fethesda y tymor ar ôl hwnnw. Yn aml, mewn ardaloedd hollol Gymreig, yr hyn ddigwyddai oedd bod dau lond car o Lerpwl yn dod i chwarae yn enw "Ffestiniog" yn erbyn dau lond car o Wrecsam oedd yn chwarae yn enw "Caernarfon".

Doedd gan y chwaraewyr hyn ddim diddordeb o gwbwl yn ardaloedd y clybiau, — yn wir, eu hunig ysgogiad i chwarae oedd y paced pae a gaent ar ôl y chwibaniad olaf. A rŵan, peidiwch â meddwl 'mod i'n ddieuog o wneud fy rhan yn yr hen gêm fach yma — mi wnes fy siâr o deithio i chwilio am chwaraewyr fy hun. Ond ar y rheolau yr oedd y bai — doedd rheolwyr y clybiau ddim ond yn gwneud eu job, sef ceisio cael gafael

Tîm Dyffryn Nantlle — a finnau wedi fy ngwahardd rhag chwarae unwaith eto!

ar y tîm gorau posib. Roedd rhywbeth mawr o'i le ar y drefn oedd yn caniatau i hyn ddigwydd ar lefel clybiau lleol — ond doedd cynheiliaid y drefn honno — ia, dyna chi, FA Cymru — ddim yn gweld dim byd o'i le ar bethau fel roeddan nhw.

Canlyniad hyn i gyd oedd nad oedd gan yr hogiau lleol obaith i gael gêm dros eu clybiau eu hunain. Roeddent yn gorfod bodloni ar chwarae yng Nghynghrair Caernarfon a'r Fro, a Chynghrair Dyffryn Conwy ac ati, heb obaith am gêm efo tîm yng Nghynghrair Cymru. Nid lladd ar y clybiau llai yr ydw i, dim ond dweud mai breuddwyd y chwaraewyr yn y clybiau hynny fel arfer yw cael chwarae dros un o glybiau Cynghrair Cymru. Ond yr adeg honno, roedd clybiau Cynghrair Cymru yn llawn o estroniaid.

Daeth hi'n amser imi adael clwb Pwllheli, a dyma ffarwelio â'r hen ffrindiau gan dderbyn gwahoddiad i fod yn chwaraewr/reolwr yng nghlwb Dyffryn Nantlle. Dywedodd y pwyllgor wrthyf am drïo cael cymaint o chwaraewyr lleol ag oedd posib i chwarae dros y clwb — ac o glywed hynny, roeddwn wrth fy modd.

Does dim rhaid i mi enwi'r chwaraewr cyntaf imi fynd i chwilio amdano — ia, 'dach chi o 'mlaen i: Idris, Tarw Nefyn, siŵr iawn. Doedd dim ond rhaid crybwyll mai tîm Cymraeg oedd hwn i fod, ac mi ddaeth ar ei union. Roedd 'na rai Cymry eisoes ar lyfrau'r clwb, wrth gwrs — ac un o'r rhai mwyaf nodedig oedd Robin Ken, o Nebo, rhyw ddwy filltir yn nes i'r nefoedd na Phenygroes, cartref y clwb. Hanerwr chwith oedd Robin Ken, cryf fel Samson, a chalon llew ganddo. Taclwr diguro a fu ar lyfrau Wrecsam am gyfnod, ond roedd wedi methu setlo yno ac mi ddychwelodd adref. Cymro i'r carn.

Penderfynais ddod ag Idris ymlaen i fod yn 'centre half'; euthum innau'n hanerwr de, ac felly ynghyd â Robin Ken, — dyna ichi driawd y buarth go iawn! Hon oedd y llinell ganol gryfaf yn y Gynghrair o bell, bell fforfdd. "Cicio rwbath heblaw pridd" oedd ein harwyddair. Wal Berlin...y 'Pontypŵl Ffrynt Rô''... — peidiwch â sôn, wir. Mi fasa isho sgwadron o U-Boats efo deg o dorpidos bob un i wneud twll yng nghadernid ein hamddiffynfa ni.

Gan bod gen i linell ganol oedd yn ddim byd ond craig noeth, hon oedd y sylfaen i adeiladu gweddill y tîm arni. Y canlyniad oedd i dim Dyffryn Nantlle dyfu i fod y tîm mwyaf rhamantus yn hanes y Gynghrair — hynny yw, os mai coch yw lliw eich gwaed, ac mai Cymraeg yw iaith eich calon.

Hyd heddiw, dim ond tri thîm sy'n werth sôn amdanynt yn holl hanes y Gynghrair: tîm ysgubol Twmi'r Tŵr ym Mhwllheli a enillodd bob peth ar wahân i'r Grand National. A dweud y gwir, mi fuasai wedi curo'r ras honno hefyd, onibai i'r ysgrifennydd bostio'r ffurflen ymgeisio ddiwrnod yn hwyr! Yr ail dîm yw Borough United a enillodd gwpan Cymru, gan fynd ymlaen i chwarae yng Nghwpan Ewrop a chyrraedd yr ail rownd yn y gystadleuaeth honno. A'r trydydd tîm, wrth gwrs, yw tîm Dyffryn Nantlle — y tîm butraf yn hanes y Gynghrair.

I fod yn deg, wrth gwrs, — nid chwaraewyr budur oeddan ni, ond chwaraewyr caled. "Ni" a "Nhw" oedd hi — roeddan ni yn Gymry i gyd yn Nyffryn Nantlle, a Saeson oedd y mwyafrif llethol o weddill timau'r gogledd — ar wahân i Borthmadog, efallai, ond roedd yna rai Saeson yn fan'no hefyd. Ar ben hynny, bancars, ysgolfeistri a gweithwyr crys gwyn a thei oeddan "nhw", — hogia hen werin y graith oeddan "ni", yn chwarelwyr, trydanwyr ac adeiladwyr.

Yn Nantlle, mi gefais afael ar ddynion oedd yn fodlon

Dyn peryg bywyd — 'Tarw Nefyn'!

mynd drwy ddŵr a thân er fy mwyn i a'u clwb. Doedd dim yn ormod i'w ofyn ganddyn nhw, — criw o hogia gwerth chweil a wasanaethodd y tîm yn ffyddlon am gyfnod maith. Doeddan nhw 'fawr elwach yn ariannol, — ond roeddan nhw'n gwneud y cyfan er mwyn y pleser o'i wneud o, ac mi roedd hynny'n chwa o awyr iach i'r gêm y cyfnod hwnnw.

Un o'r gwahaniaethau mawr rhwng rygbi a phêl droed ydi bod y chwaraewyr yn fodlon talu i gynnal y clwb ym myd y bêl hirgron. Toes 'na neb â'i law allan ar ôl y gêm. Ond gyda phêl droed, mae pawb â'i law allan *cyn* y gêm hyd yn oed. "Beth sydd 'na ynddi hi i mi?" ydi'r cwestiwn mawr o hyd, yn hytrach na "Beth fedra i roi i'r gêm". Os ydi un clwb yn mynd i drafferthion, wel — codi pac a symud i'r clwb nesa ydi hanes y rhan fwyaf o'r chwaraewyr. Mae'r hogia rygbi yn llawer mwy triw i'w clybiau, a rhaid eu canmol am hynny.

Ond roedd pethau'n wahanol yn Nyffryn Nantlle, a phawb yno'n deyrngar iawn i'r clwb. Pymtheg punt yr wythnos oeddwn i'n ei gael i gynnal y clwb am wythnos — a phiso dryw bach yn y môr oedd hynny hyd yn oed yr adeg honno. Ond roedd pawb yn reit fodlon, a 'toedd 'na ddiawl o ots am bres — y *gêm* oedd yn bwysig. Waeth pa enwau roedd rhai yn mynnu ein galw ni, ni oedd yr unig glwb bryd hynny oedd yn chwarae er mwyn y gêm ei hun, ac nid er mwyn llenwi'n pocedi. Chwarae dros Nantlle — a chwarae dros Gymru — yr oeddan ni bob Sadwrn.

Mi gefais i rhyw fath o ail-lencyndod gyda'r clwb hwn, a mwynheais fy nghyfnod o chwarae yno yn fawr, a'r hogia hyn yw'r ffrindiau gorau a wnes i ar hyd fy ngyrfa fel peldroediwr.

Peter Smith, Caernarfon ac Eddie Mitas, Pwyliad Cymraeg o Gonwy oedd y golgeidwaid; Peter Cochyn o Benygroes — llanc ifanc deunaw oed — oedd y cefnwr de; Gwyn Jones, Bethesda a Raymond Comando o Gaergybi oedd y cefnwr chwith. Mi rydan ni eisoes wedi cael y fraint o gyfarfod y llinell ganol. Dic Parry o Borthmadog — cythral mewn croen, efo siot fel gwn oedd ar yr asgell dde, a Ronnie Redfern o Bwllheli oedd yr 'inside right' — roedd hwn wedi bod yn ymarfer hefo mi ers pan oedd o yn ddeg oed. Now Parry, Llanfairpwll oedd y canolwr — Churchill Tank oedd hwn: mi redai drwy wal gerrig heb feddwl dim am y peth; Aled Hughes o Lanbedrog oedd yr asgellwr chwith — ac mi roedd yn fuan fel cwningen.

Moi, hogyn o Dal-y-sarn oedd yn y coleg ar y pryd, oedd yr 'inside left' — mae o'n fwy adnabyddus i wylwyr S4C fel Richard Morris Jones, Cwmni'r Tir Glas erbyn hyn, ac mi gath *ambell* bryd o dafod gen i wrth imi drio tynnu'r un ymdrech fawr olaf ohono. Mi sgwennodd Moi ychydig am hanes y clwb yn 'Y Faner' beth amser yn ôl, ac mae'n werth dyfynnu rhannau ohoni, dest ichi gael gweld nad ydw i'n deud celwydd!

Roedd calon pob un o'r hogia 'ma yn y lle iawn — efallai y buasem yn colli 3 : 0 ar yr hanner i rhyw dîm o Saeson, ond mi fuasai'n werth ichi glywed y tân oedd yna yn yr ystafell newid. Pawb yn methu dallt sut ein bod ni'n colli, wedyn penderfynu beth oedd isho'i wneud, a chytuno rhywbeth tebyg i hyn:

"Tacla'r asgellwr de yna dipyn fflipin cynt...Rho glec i'r 'centre forward' 'na...Rho rych i'r 'inside left' — ci rhech ydi o..."

Fel'na byddai hi, a chyn mynd allan i wynebu'r gelyn am yr ail hanner, mi fyddwn i'n trio'u hysbrydoli nhw efo darn o farddoniaeth tebyg i:

"Dowch rŵan, 'rhen fois: 'Mae Cymru yn galw, ymdrechwn dros hon."

neu:

"Er mwyn y tadau hynny, a'u hiaith a'u gwlad a'u Duw,
Mae Cymru am i ninnau a'n meibion drosti fyw."

A phob tro y byddwn yn galw fel hyn, mi fyddwn bob amser yn cael ymateb gan yr hogia. Un ar ddeg o deigrod fyddai'n gwisgo crysau Dyffryn Nantlle ar ôl hynny.

Yn Nyffryn Nantlle, ystyr "pêl 50:50" oedd bod y bêl ddecllath yn nes at y gwrthwynebydd nag oedd hi at un o chwaraewyr tîm Nantlle.

Wrth gwrs, 'toedd dim byd yn anarferol i'r tîm gael ei wanhau o dro i dro oherwydd bod un neu fwy o'r chwaraewyr wedi ei wahardd gan y dyfarnwr. Roeddem yn fodlon derbyn hyn fel rhan o golledion naturiol y rhyfel — achos rhyfel oedd hi, go iawn rŵan — rhyfel rhwng y Cymry a'r Saeson. Does neb yn disgwyl dod o ryfel heb golli rhai o'r soldiwrs.

Doeddan ni ddim yn credu mewn carchorion rhyfel — eu clwyfo nhw a'u gadael nhw ar faes y gad fyddai hi, neu yn nwylo'r 'Red Cross' os oeddan nhw'n ddigon lwcus bod 'na rai o'r rheiny o gwmpas. Pe bai'r reffari yn gyrru un o'n hogia ni i'r stafell newid, wedyn mi wyddai'r gweddill ohonom bod rhaid gwanhau'r gelyn er mwyn gwneud pethau'n fwy cyfartal. Rhoi rhych i rywun fyddai'r nod wedyn, ac os byddai rhywun yn methu'r tro cyntaf, — wel, gwneud yn saff y tro nesaf fyddai'i hanes hi. Saeson oeddan nhw, felly doedd dim ots. I ni, wrth gwrs, roedd pawb nad oedd yn *siarad* Cymraeg yn Sais — dim ots os oedd o wedi'i eni ym Mangor neu Frynsiencyn a bod ei fam a'i dad o'n Gymry Cymræg, — os nad oedd o'n siarad yr iaith, yna Sais oedd o, a dyna ddiwedd arni.

Mae miloedd o Gymry di-Gymraeg wedi cynrychioli ein gwlad mewn gwahanol feysydd, ac mae sawl Cymro o Queensferry a Chasnewydd wedi bod yn taeru hefo mi ei fod yn gystal Cymro â minnau er nad yw'n medru'r iaith. Mae hyn yn destun dadl gyson, debyg iawn, ond rhyw deimlo y bydda i nad ydi'u gwaed nhw cyn goched â'n gwaed ni. Mi rydw i fel petawn i'n credu bod tîm rygbi Cymru'n chwarae tipyn gwell pan oedd 'na fwy o Gymry Cymraeg ynddo fo.

Cymraeg oedd iaith y gweiddi a'r galwadau ar y cae yn Nantlle. Mi rydw i'n reit siŵr bod llawer o'r dyfarnwyr yn dal hyn yn ein herbyn gan eu bod nhw'n Saeson ac yn credu, fel y mae nifer ohonyn nhw'n ei gredu:

"They only speak in Welsh when you are there, so you can't understand that they are talking about you."

Roedd gan y dyfarnwyr 'ma chwilen yn eu pennau ein bod ni'n siarad amdanyn nhw drwy'r amser, ac mi fyddent yn edrych yn fygythiol ar bawb oedd yn gweiddi rhywbeth yn Gymraeg. Mae'n wir dweud ein bod yn cael tipyn mwy o chwarae teg pan fyddai yna Gymry, fel Gwilym Owen neu Gwyn Pierce o Sir Fôn, yn dyfarnu.

Bangor k.o. Nantlle in Challenge cup semi-final

BANGOR CITY 3, NANTLLE VALE 0

BANGOR City qualified to meet Holyhead Town in the Challenge over Nan' Monday

The goal sending of gor's City and Nan Thomas hour be scenes in At the booting scenes the pit near th was h minute Bang g for b for which league the si they t with s Nan Williss mapet anper vact aout

---

Williams fined and suspended for 28 days

Nantlle Vale F.C. player-manager Orig Williams has been suspended for 28 days from last Monday and fined £10 10s by a disciplinary Committee of the Welsh F.A. for striking an opponent during the Cookson Cup semi-final

Nantlle Vale and on

NANTLLE VALE 1

22/10/67

this Na re has is to very ing eme w day for not apla

Double trouble for Nantlle

BANGOR CITY 2, NANTLLE VALE 1

IT was double trouble for still Vale in this game ag

ATGOFION AM 'NANTLLE FÊL'

Dewch yn ôl gyda mi i'r chwedegau a dechrau'r saithdegau i gae'r 'Fêl' pan oedd Orig yn chwaraewr-reolwr ar dîm y Dyffryn. Roedd ei ddyfodiad i'r Clwb yn ddigwyddiad o bwys, a bwrlwm a brwdfrydedd ymysg y boblogaeth. Roeddem ni'r plant yn edrych arno fel arwr o'r eiliadau cyntaf y troediodd y maes – roedd cael mynd i gae'r 'Fêl' i weld Orig yn chwarae yn goron ar bob penwythnos. Nid oherwydd ei fod yn chwaraewr mor ddawnus neu fedrus â llawer un o'i gwmpas, ond roedd 'na frwdfrydedd yno, ac yn fwy na dim roedd hwn yn gymeriad ar ei ben ei hun. Cymeriad yng nghanol criw o gymeriadau – a phob un ohonyn nhw'n Gymry Cymraeg naturiol o'r ardaloedd cyfagos.

Does gen i ddim co' i'r tîm ennill dim dan oruchwyliaeth Orig, na hyd yn oed dod yn agos at ennill dim byd chwaith, ond roedd 'na hwyl a sbort a sbri o'r munud yr âi rhywun trwy'r clwydi.

Byddai Orig ac un neu ddau o'r chwaraewyr eraill wedi cyfarfod ychydig cyn y gêm yng Nghaffi Wil Rhos, ac yno, yn aml iawn, dros baned o goffi, y byddid yn trin a thrafod tactegau am y pnawn. Gwnaem ninnau'r plant yn siŵr ein bod yn eistedd ar y bwrdd agosaf atynt fel y gallem ninnau gael clust i'r cyfrinachau.

"Idris, cer di i fyny am y gic gornel gynta, a hitia Pen Brwsh (athro celf oedd yn y gôl i Borthmadog bryd hynny) i mewn i'r gôl, mi af inna am y nesa."

A wir i chi, fel yna yn union y byddai hi yn ystod y gêm, ac Orig yng ngwir ddull yr ymgodymwr yn taflu'i hun, ei goesau cyntaf, am flaenwr y tîm arall os byddai'n mynnu mynd heibio iddo, eu clymu rownd ei ganol, a'i wasgu nes y byddai hwnnw fel sach o flawd ar y llawr. Pledio wedyn hefo'r dyfarnwr, a gwên fawr ar ei wyneb, nad oedd wedi gwneud dim nad oedd o fewn y rheolau. Byddai gŵr y siwt ddu ac Orig yn cael sgwrs fach yn aml iawn bob gêm, – ac weithiau âi'r chwarae'n chwerw a gwelid corff enfawr Orig yn troedio'n araf bach am gawod gynnar.

Byddai rhai ohonom yn mynd gyda'r tîm i'r gemau oddi cartref, ac yn fynych iawn teithiem gydag Orig yn ei Jaguar gwyn am Y Rhyl, Llandudno neu Flaenau Ffestiniog. Wedi cyrraedd, caem esgus gario'r bagiau i mewn, a thrwy hynny osgoi gorfod talu am fynediad i'r maes.

Wedi'r gêm, sgwrs a thrin a thrafod, ond waeth beth fyddai'r canlyniad – ac roedd 'na ganlyniadau trychinebus ambell i Sadwrn – roedd 'na rhyw ddireidi yn perthyn iddo, a chaem yr argraff mai'r chwarae oedd yn bwysig iddo ac nid yr ennill.

RHODRI GWYNN JONES

Nantlle team warned by referee

BANGOR U.C. 3, NANTLLE VALE 1

THE entire Nantlle Vale team were called to side by referee D. A. Jones, of Penrhyn draeth, early in the second half of this W League game and given a general warning.

UT THE BAR

NANTLLE BOSS SENT OFF

QUEENSFERRY WANDERERS 3, NANTLLE VALE 1

NANTLLE'S player-manager Orig Williams sent off in the 71st minute of Hawarden. for a

His de

Herald 8/11/88

---

on they packed g nt.

URPRISED

by Williams when well placed and t

16/1/70

FIVE PLAYER BOOKED

PRESTATYN 2, NANTLLE VALE 2

Herald 6/7/70

Orig sent off in fourth minut

BANGOR CITY 2, NANTLLE VALE 0

NANTLLE Vale player-manager Orig Will played the shortest match of his long footb g career at Bangor on Saturday, when referee Williams of Caernarvon se ers after only a or Nantlle yn gapelwr f'od y chwaraewr yn selog, yn mynychu'r seiat ac yn athro ysgol Sul. Mae'n rhaid fod golwg o sioc ac anghrediniaeth lwyr ar wyneb y cyhuddiedig. Collodd ei achos.

Wrth gofio'r Orig Williams a fu'n rheolwr tîm pêl-droed Nantlle, rhaid atal y gwamalu am ychydig, a thalu teyrnged iddo am gadw pêl-droed yn fyw yn yr ardal gyda thîm o Gymry Cymraeg mewn cyfnod du yn economfyw un yr aidd un y dyffryn. Tystiolaeth pawb a fu'n chwarae yn y cyfnod hwnnw ydi, fu'n chwarae yn r oll wedi chwarae newyn

---

Richard Morris Jones ac El Bandito

Yr hyn yr ydw i yn ei gofio fwyaf am y gêm gyntaf honno a chwaraeais gydag Orig yn erbyn 'y Vale', ydi bygythiad Orig pan ef i'r 'Vale', ydi bygythiad Orig pan geisiodd rhyw asgellwr fwy anwybodus na'i gilydd fy nghicio. Wedi iddo gydio yn y creadur, ac egluro wrtho sut weithau oedd yn Ysbyty Môn ac Arfon Bangor, cefais lonydd perffaith am weddill y gêm.

Theatr oedd y cae pêl-droed iddo fel y sgwâr reslo erbyn heddiw.

Ciciau cornel oedd maes ymchwil arbennig Orig. Pan fyddai cic i Nantlle byddai Orig yno, yn neidio i fyny ac i lawr yn y cwrt cosbi yn disgwyl am y croesiad, ac yn gweiddi ar y dyfarnwr, "Watch him ref, hey ref, he's pushing, ref" (am ryw reswm Saesneg oedd y rhan fwyaf o'r dyfarnwyr). Byddai ambell i ddyfarnwr gwan wedi drysu'n lân. A mwy nag unwaith gwelais Orig yn syrthio'n druenus o boenus gan waeddi "REF". Y gwir ydi mai anaml iawn y gweithiodd y stŵr, ond roedd Orig, a ninnau, yn mwynhau'r ddrama. Theatr oedd y cae pêl-droed iddo, fel y mae'r sgwâr reslo erbyn heddiw.

eak in the

Cofiaf 'funud o dawelwch' er parch i goffadwriaeth Herbert Powell, Ysgrifennydd Cymdeithas Pêl-droed Cymru a oedd wedi marw'r wythnos gynt: tîm Nantlle a'r Blaenau yn wynebu ei gilydd yn ddwy res dawel ysbeidiol. Hogiau o Lerpwl oedd tîm llwyddiannus y Blaenau yn y cyfnod hwnnw, ac ynghanol y tawelwch, clywyd 'sibrydiad llwyfan' Orig yn torri ar y tawelwch:

"Look at these Scousers, they're shaking in their boots just looking at me."

'Roedd yn amddiffyn ei dîm oddi ar y maes hefyd, yng ngwrandawiadau bwrdd disgyblu'r Gymdeithas Bêl-droed ac yn cyflwyno achos clwb Nantlle yn ymwelwyr cyson â'r Bwrdd hwnnw yn Wrecsam. Ond er ddifyrnwr am reg waeth nag arfer mewn ffrae rhyngddo ef ag Aled Hughes, un arall o ddynion garw y cyfnod, a oedd yn yr un tîm gyda llaw, oedd,

"At Nantlle we speak in the vernacular, what I said was 'Pasia'r bêl yn flippin cynt'."

Coeliodd y bwrdd fersiwn Saesneg y dyfarnwr a chollodd yr achos.

Dro arall bu'n amddiffyn chwaraewr a oedd wedi hanner lladd gwrthwynebydd S lliodd ei amddiffyniad ar y ffaith

Un o'r camgymeriadau mawr a wnaed gan rhyw bwyllgor neu'i gilydd oedd newid y rheol ynglŷn â herio'r golgeidwad. Rydw i'n sicr mai dyma un arall o'r rhesymau dros ddirywiad y gêm a pham nad oes 'na ond rhyw ddwsin o bobl yn gwylio'r gemau lleol bellach.

Ers talwm, mi fyddai'r golgeidwad yn helfa deg i bawb a fedrai fynd o fewn cyrraedd iddo. Roedd Tarw Nefyn yn ei elfen efo'r hen ddull o chwarae wrth gwrs, ac roedd o a finnau'n chwarae i Nantlle pan wnaed y newid hwn yn y rheolau. Hyd at hynny, unrhyw gic gornel neu groesgic, mi fyddai o a finnau'n plannu am y golgeidwad. Ar ôl ei ysgwyd o'n iawn y tro cyntaf, mi fyddai o'n ein gwylio ni yn lle gwylio'r bêl am weddill y gêm, ac roedd hi'n llawer haws i rywun arall sgorio yn ei erbyn yn naturiol. Uffarn o dric da oedd o – ond dyma newid y gyfraith.

Mi gymerodd Tarw a finnau'r newid yma yn y rheolau yn hollol bersonol – fel petai'r pwerau mawr wedi penderfynu rhoi diwedd ar ein castiau ni. Roedd hanner y sbort yn diflannu o'r gêm mewn un strôc – 'chaen ni ddim cyffwrdd yn y golgeidwad o hyn ymlaen. Dyma grafu pennau'n o arw, a cheisio rhyw gynllun i blygu'r rheol hon. Uffarn o ymgynghori a phwyllgora mawr yn y 'Black Boy' yng Nghaernarfon ar ôl un gêm. Neb yn medru meddwl am ateb. Now Parry – rêl rhychwr – Robin Ken, Tarw Nefyn a minnau oedd yn pwyllgora, a phob un ohonon ni bron â thorri'n calonnau. Yr unig beth basiwyd oedd bod rhaid bygwth y golgeidwad yn eiriol yn y dyfodol – ei fygwth o *cyn* y gêm.

Y Sadwrn canlynol, roeddan ni'n chwarae ym Mhrestatyn, a dwy ystafell wisgo fechan oedd yna ym Mhrestatyn, gyda phared tenau rhyngom ni a nhw, efo gwagle ar hyd y top, gan ei gwneud hi'n ddigon hawdd clywed beth oedd yn cael ei ddweud yr ochr arall. Fedrech chi ddim cynllunio dim byd yno gan fod y tîm arall yn clywed pob dim, ond roedd o'n rhagorol ar gyfer ein diben ni. Roedd golgeidwad Prestatyn yn foi go fawr – tua chwe throedfedd pedair modfedd, ond calon pry genwair oedd ganddo. Roeddan ni wedi gwylio hwn o'r blaen ac yn gwybod nad oedd yna fawr o beryg yn y fan honno.

Dyma fi'n deud wrth Tarw (yn yr iaith y medrai'r gŵr o Brestatyn ei ddeall wrth gwrs):

"Tarw, gwylia di'r gôli 'na i ddechrau arni. Waeth befo'r blydi rheol newydd 'ma. Planna ar dy ben i'r diawl."

Keeper walks off in Cup-tie

PRESTATYN 0, NANTLLE VALE 3

PRESTATYN'S goalkeeper Peter Roberts walked out of the first round Cookson cup-tie between his team and Nantlle Vale on Saturday at Prestatyn complaining that he could not play against the Nantlle attack.

Roberts had been involved in some incidents with the opposing forwards before he walked off to the dressing room.

The score was one-nil in Nantlle's favour when Roberts walked off in the 20th minute.

Despite all efforts by his team mates and club officials to persuade him to rejoin the game, he refused. He complained about the rough style of play of the Nantlle forwards. Eventually centre-forward Peter Jones had to don the goalkeeper's jersey.

The referee, Mr. J. R. Roberts, allowed a substitute. It is understood he accepted that Roberts had been injured.

After the match Mr. Peter Beagan, secretary of Prestatyn, said, "I don't blame the lad", but added later, "Our attitude is that the player will probably not be asked to play again.

"It is a sorry state of affairs when a player is frightened to play before a game begins. Peter was scared following incidents in previous matches against Nantlle Vale. I thought Nantlle set out to upset our side—and they succeeded."

Nantlle's player manager Orig Williams, said, "I appealed to the referee not to allow a substitute, but he said the chap could have pains in his stomach. I realise the predicament that the player had put the referee and I sympathise with the referee".

"WE PLAY HARD"

Williams strongly denying that his team player dirtily, said, "My team are a hard team and we play hard. But there was nothing unusual about the way we played on Saturday. It was a regular cup-tie and there was a referee there to cool any tempers.

"The Welsh League is a hard one and players know that. They should not take part if they do not like it. Our forwards went in quite hard in this game and then this lad just walked off in tantrum. It was ridiculous; in our opinion he was not hurt at all".

THIRD MEETING

The teams had met twice previously in this first round tie. On the first clash at Penyroes, the referee abandoned the match 11 minutes from the end because of the weather conditions. They were then sharing four goals.

The replay at Penyroes the previous Saturday ended dramatically with Nantlle scoring two goals in the last four minutes to earn another chance. This time again four goals were shared.

But last Saturday in the third clash Nantlle were convincing 3-0 winners despite the fact that for the last twenty minutes they were reduced to ten men. Right half Robin Thomas received marching orders.

After Thomas left the field inside right Ritchie Jones took over at right half and was a big success in the position.

Schoolboy Dennis Jones playing on the right wing opened Nantlle's score in the 15th minute. Jones got in another in the second half with Ron Redfern, who was also in great form scoring the third goal.

Apart from scoring two goals young Jones saved the Nantlle goal from falling on one occasion when, after being called back to join the defenders following a free kick by Prestatyn, he cleared the ball off the line.

The Nantlle team had to be reshuffled for the game as right half Atwel Pierce cried off with an injury. Wyn Hughes was brought in is centre-forward and he also had a good game.

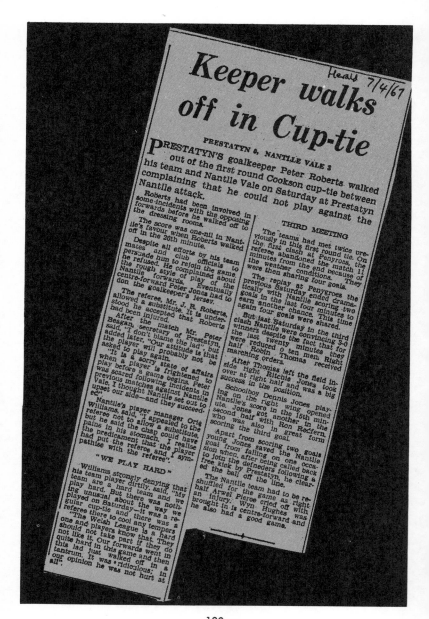

"Iawn, mi wna i. Gwna ditha ar yn ail â fi. Sgŵd iawn iddo fo — os metha i ei roi o yn y fynwent ar y tro cyntaf, mi'i cei di o ar yr ail gynnig, siawns."

Wrth gwrs, roedd y golgeidwad ar bigau'r drain drwy'r gêm, yn ein gwylio ni fel barcud drwy gydol yr hanner cyntaf, a doeddan ni ddim yn medru mynd ar ei gyfyl o. Ar ben hynny, roedd y reffarî yn ein llygadu, ac yn edrych ar ôl y goli bach fel 'tae o'n fabi clwt. Ew, roedd y reffarîs 'ma wrth eu boddau efo'r rheol newydd 'ma, yn rhoi llawer mwy o gyfle iddyn nhw ddangos eu hawdurdod a chwythu'r bîb honno.

Ychydig cyn hanner amser, dyma fi'n deud wrth Tarw:

"Gwranda, rhaid inni roi diwedd ar hyn. Mi awn ni amdano fo ill dau y tro nesa. Cer di y tu ôl iddo fo, ac mi a inna'r tu blaen iddo fo, ac mi ddylai un ohonon ni fedru cael cyfle i'w setlo fo."

Felly fuodd hi. Dyna'r gic gornel yn dod drosodd i'r canol, a dyma ni'n cael y dyn rhyngom ni. Lawr â fo'n sgrechian a griddfan. Ninnau'n cael rhybudd cyhoeddus bob un am ein trafferth, ond roeddan ni'n gwybod ein bod ni wedi chwalu'i nerfau o'n rhacs. Hanner amser, ac mi gerddodd y gôli oddi ar y cae — gwaetha'r modd!

Yn ystod yr egwyl, roedden ni'n parhau gyda'r dacteg newydd 'ma o fygwth. Allan â ni am yr ail hanner — a duwcs, doedd 'na ddim hanes o'u golgeidwad nhw yn unlle.

"Where's your goalie, Roger?" meddwn i wrth gapten Prestatyn.

"Orig, I've got to tell you," meddai o. "He's not coming out this half. He's decided to call it a day..."

Wel, myn diawl i — roedd y tric wedi llwyddo yn 'toedd! Mi fu rhaid i Brestatyn chwarae efo deg dyn, ac mi enillon ni!

Am wythnosau ar ôl hynny, roedd y Tarw a finnau'n trïo bygwth pob golgeidwad — ond yn fuan iawn mi ddaeth y dyfarnwyr i gyd i ddeall ein triciau ni. Dyna oedd y drwg 'dach chi'n gweld — roedd tîm Nantlle'n gwneud pethau mor lliwgar nes tynnu sylw'r wasg byth a hefyd, ac wedyn wrth gwrs, roedd rhaid meddwl am rhyw dric newydd neu gast gwaeth.

Dyma ichi stori arall am golgeidwad. Roeddan ni'n chwarae yn erbyn tîm Prifysgol Bangor yn y Gynghrair — roedd y rhain yn dipyn mwy o bennau na ni ar bapur, ond ar gae ffwtbol, un ar ddeg ohonyn nhw yn erbyn un ar ddeg ohonan ni oedd hi — ond bod gennon ni beth cythral mwy o gythral na nhw. Ta waeth, chwaraeai Nantlle yn dda ryfeddol, ac roeddan ni'n pledu shots am eu gôl nhw yn gyson. Ond roedd gan dîm y coleg goblyn o golgeidwad medrus. Daliai pob dim fel wiwer, a doedd ganddo ddim mymryn o'n hofn ni. Roedd gan y boi bach ddigon o wyneb i ddod allan i chwarae yn ein herbyn ni — y *ni,* hogia Nantlle, cofiwch — yn gwisgo ei sbectol. Ceisiodd pob un ohonon ni yn ei dro ysgwyd ychydig arno fo, ond doedd dim yn tycio. Roedd gan Dic Parry'r asgellwr de shot gystal ag y gwelais i gan neb erioed, ond roedd y golgeidwad hwn yn eu tynnu nhw o'r awyr fel tasan nhw'n bryfed bach.

Doedd 'na ddim sgôr o gwbwl ar hanner amser. Ymgynghori mawr yn yr ystafell newid — sut goblyn roeddan ni'n mynd i wneud mistar ar ddyn y sbectol? Reit, Tarw a finnau i fynd ato a'i fygwth o. Felly y bu, ond chwarae teg i'r boi bach — doedd hynny ddim yn mennu dim arno fo. Rhyw chwarter awr cyn diwedd y gêm, dyma hi'n dechrau bwrw glaw, ac roedd y cae dipyn bach yn fwdlyd bellach. Mi gefais gyfle i fynd i fyny'r cae eto, ac roeddwn wedi penderfynu erbyn hynny mai'r unig ffordd o gael y gorau ar y golgeidwad oedd drwy dynnu'i sbectol o. Daeth y gic gornel drosodd i'r canol, a dyma finnau'n rhoi naid i fyny hefo'r golgeidwad — ddim yn agos i'r bêl wrth gwrs — ac mi rois fy llaw ar ei wyneb o, tynnu'i sbectol o a'i gollwng hi i'r mwd. Dyna lle roedd o rŵan ar ei liniau'n chwilio amdani, ac mi rois naid arall dros ei ben o a glanio ar y gwydrau a'u mathru nhw dan fy nhraed i'r mwd. Welodd y reffarî ddim byd — a welodd y golgeidwad fawr ddim ar ôl hynny 'chwaith, gyda'r canlyniad i ni ennill o dair gôl i ddim!

Roedd y chwedl am Nantlle yn tyfu bob dydd. Ni oedd stori flaen y "Daily Post" bob bore Llun. Roedd Bob Whitting neu Mike McEvoy, y prif newyddiadurwyr, yn saff o fod yn ein gwylio bob dydd Sadwrn.

Yn anffortunus ar y pryd — ond yn ffortunus erbyn heddiw — roedd y chwedlau am Orig yn llawer mwy na'r dyn ei hun. Gan hynny roedd pawb yn disgwyl rhyw wyrth ganddom bob Sadwrn: rhyw giamoc newydd, gwell na'r wythnos cynt, fel petai.

Rwy'n cofio gêm arbennig yn Connah's Quay. Mike McEvoy oedd yn cynrychioli'r 'Post', a dyn o'r enw MR Mac-

Manus o Gaer oedd y dyfarnwr. Gwyddai pawb bellach mai reslwr oeddwn wrth fy ngalwedigaeth, ac felly roeddwn yn disgwyl tipyn o dynnu coes gan bod reslwr enwog iawn ar y bocs bob pnawn Sadwrn o'r enw Mick MacManus yn y cyfnod hwnnw.

Gwaeddai'r hen wags ar y lein: "MacManus will get you, Orig" ac ati, a doedd dim posib i'r dyn beidio â chlywed.

Rhyw ddau funud cyn hanner amser, aeth hi'n sgarmes wyllt yng ngheg eu gôl nhw, a dyma finnau'n rhoi clec i rywun. Chwythodd Mr MacManus ei bîb, – roedd rhyw bymtheg llath oddi wrthyf ar y pryd. Pwyntiodd ataf yn ôl ei arfer gan amneidio â'i fys i mi fynd ato.

Dyn bach oedd o, ac roedd o yn dal ei dir gan fynnu fy mod i yn mynd ato fo, yn hytrach na'i fod o yn dod ataf i. Doedd dim amdani ond mynd ato yn wylaidd ddigon. Ar ôl i mi fynd ato, dechreuodd roi gwers i mi gan bwyntio at yr ystafell newid a dal i glebran a phwyntio a chlebran a phwyntio am dri munud cyfan.

Ceisio fy mychanu mae hwn, meddwn i wrthyf fy hun, ac o'r diwedd dywedodd "Off!" gan bwyntio ataf i ac yna at yr ystafell newid. Symudais i 'run cam. "Off" meddai wedyn, gan roi ei fys o dan fy nhrwyn.

Roedd y demtasiwn yn ormod – brathais fys y dyn, a deliais fy ngafael. Os ydw i'n mynd, mi gei dithau ddod hefo fi, Pero, meddyliais, gan facio at yr ystafell newid a thynnu'r dyfarnwr ar fy ôl yn araf. Roedd hwnnw'n gweiddi mwrdwr: "Aw, aw! Let go! You should be in a lunatic assylum!"

Ni ollyngais nes cyrraedd drws yr ystafell newid. Ar ôl cyrraedd fan'no agorais fy ngheg a rhedodd Mr MacManus yn ôl ar y cae. Mi sgoriodd Aled Huws a Dic Parry ac mi enillon ni 2 : 0.

Ar y ffordd adref tynnai pawb fy nghoes fy mod wedi cryfhau y tîm drwy gael fy hel i ffwrdd. Hwyrach wir – hwyl oedd y gêm i mi erbyn hyn. Yn y 'Post' ddydd Llun, "MacManus Sees Williams Off" oedd pennawd stori Mike McEvoy.

Mi aeth hi'n gwrt marsial wedyn, wrth gwrs, ac yng ngwesty'r Queens, Hen Golwyn yr oeddwn i i gyfarfod gynnau mawr yr F.A., gyda Herbert Powell yn llywyddu. Dywedodd Mr MacManus ei fod wedi cael pigiad 'Anti-Tetunus' ar ôl y digwyddiad, ond ei fod yn dal i gael poen hyd yn oed y noson honno, oedd fis yn ddiweddarach.

Gofynnais innau i'r parchusion os oeddan nhw'n meddwl mai ci lloerig oeddwn i. Chefais i 'run wên nac ymateb o fath yn y byd ganddyn nhw. Doedd dim amdani wedyn ond tynnu fy nannedd gosod allan a'u dangos i'r panel er mwyn profi mai dim ond pegiau plastic oedd wedi brathu'r dyn. Edrychai Herbert Powell yn reit rhyw symol wrth fy ngwahardd am dair wythnos.

Un pnawn Sadwrn braf ar ddechrau'r tymor, roeddem yn chwarae adref yn erbyn Llandudno. Roedd gan y rheiny lawer o chwaraewyr newydd, oedd yn awyddus i blesio'u capten, John Curry — Albanwr oedd yn byw'n y Rhyl. Ar ddechrau'r gêm, roedd Idris a finnau yn mynd drwy'n campau arferol o fygwth pob un o'r gelyn oedd yn digwydd bod mewn clyw:

"You won't see your wife tonight — you'll be in the C. & A. Hospital in Bangor."

"Where were you when they were issuing hearts out?"

"All Englishmen are cowards."

Ac felly ymlaen.

Toeddan ni erioed wedi gweld y dyfarnwr yma o'r blaen. Ar ôl rhyw bum munud, dyma'r dyn yn chwythu'i bîb a galw chwaraewyr y ddau dîm i ganol y cae am sgwrs. Ufuddhaodd pawb wrth gwrs, ac erbyn cyrraedd yno, gwelsom ei fod yn wyn fel y galchen.

"I am warning you to stop threatening the opposition," meddai. "I have never heard anything like it. Any more, and the next man is off."

Bum munud yn ddiweddarach dyma fi'n taclo fy nyn yn berffaith deg yng nghanol y cae. Ar fy ngwir, roedd hi'n dacl galed — ond yn un hollol deg. Dyma'r Sais ar ei hyd ar lawr gan weiddi "Ooooh!" — doedd ⊙ ddim wedi trio sefyll y dacl gan fod ganddo ofn trwy'i dîn. "Off!" meddai'r dyfarnwr wrthyf. Ceisiais egluro nad oeddwn wedi rhoi bys ar y creadur, a'i fod yr actor gorau yr oeddwn wedi ei weld ers talwm, ond fedrai'r dyfarnwr wneud dim byd ond crynu'i wefusau a gweiddi "Off!" erbyn hyn. Doedd dim amdani ond mynd.

Wrth gerdded oddi ar y cae, cefais air bach gydag Idris a dweud wrtho am dawelu'r hogia rŵan, a chwarae'n reit dringar am sbel. Derbyniodd yntau fy nghyngor a ffwrdd â mi i'r ystafell newid. Cyn i mi dynnu fy 'sgidiau, dyma Robin Ken i mewn.

"Be' wnest ti?" holais.

"Rhoi clec i'r John Curry 'na am gega," meddai. "Ond ta waeth, mi gafodd yntau'i hel oddi ar y cae hefyd."

GAME WAS ABANDONED

Three players sent off by referee at Penygroes

NANTLLE VALE 0, LLANDUDNO 4

NANTLLE VALE'S home league game with Llandudno on Saturday was marred by incidents which finally led the referee, Mr. H. P. Davies, of Bangor, abandoning it eleven minutes from the end.

Before abandoning the game Mr. Davies had his note-book out as he was speaking to Nantlle's player-manager, Orig Williams following an incident. Players on both sides were arguing with each other and there was a general mixup. A Llandudno player was receiving attention from a trainer.

A few minutes before the interval Mr. Davies had sent three players off the field.

First to go were Nantlle's centre-forward, Joe Dow, and Llandudno's right-half, John Currie, for alleged fighting. Shortly after they had gone off Nantlle's centre-half, Idris Evans, received marching orders from Mr. Davies.

Earlier in the first-half Mr. Davies also took out his note-book as he spoke to Llandudno's left-half, Vernon Thomas.

Up to the incidents which led to the three players being sent off before the interval, the game had been an entertaining affair with fast exchanges and both goalkeepers frequently in action.

FORMER VALE PLAYERS

In the Llandudno side were three players who helped Nantlle last season. They were centre-half David Stazicker, right back Bill Souter and inside left George Thomas. With David Barnes having another trial with Liverpool, Nantlle included a new signing, G. Johnson. He played at outside left.

For the first ten minutes Llandudno had only ten men due to the late arrival of Stazicker. Nantlle stormed into the attack and in the first minute Robin Thomas put Dow through, but the centre-forward, with only the Llandudno 'keeper to beat, sent wide, and then left winger Johnson missed a good chance.

Llandudno's ten men were finding it hard to contain the Nantlle attacks and once, with the visiting 'keeper beaten, a defender cleared a Robin Thomas shot from almost off the line. With a full complement Llandudno came more into the picture and home 'keeper John Atkinson was applauded when he tipped a terrific close in drive from centre-forward Chris Gallagher.

However, the goalkeeper was to be faulted when Llandudno opened the score in the 25th minute when he palmed out a Vernon Thomas drive to right winger Les Stopford who promptly sent the ball into the net. Soon after Stopford left the field with an ankle injury.

In the 35th minute Gallagher increased Llandudno's lead when the home defenders were slow to clear and the centre-forward cut through.

Llandudno's 'keeper did well to save shots from Robin Thomas and Ronnie Redfern.

David Owen came in as a substitute in the Llandudno team for the second-half. Nantlle had now only nine men against Llandudno's ten and they were mainly on the defensive. However, they fought strongly and Llandudno found that their path to goal was not at all easy, Nantlle were further weakened when they had forward Owen Parry off for some minutes due to injury.

But before Parry left for attention George Thomas had scored Llandudno's third goal and Llandudno's inside right, Eddie Garrett, was unlucky when a shot from him beat Atkinson but crashed against the upright. Gallagher scored Llandudno's fourth following a corner kick and shortly after the game was abandoned.

"Tyrd, mi gymrwn ni gawod sydyn ac mi awn yn ôl i wylio'r gêm," meddwn.

Prin ein bod wedi gorffen sychu cyn i Idris agor y drws.

"Be uffarn wyt *ti* wedi'i wneud?" gofynnais.

"Mae'r co wedi rhoi'r gorau i'r gêm," oedd yr ateb.

Yr hyn oedd wedi digwydd oedd bod sgarmes wedi codi rhwng Idris a rhyw Sais. Dyma'r 'co' yn danfon y ddau oddi ar y cae, a chan ein bod ni bellach i lawr i wyth dyn, a hwythau i naw, roedd y dyfarnwr wedi dychryn am ei fywyd ac wedi penderfynu rhoi pen ar y gêm tra'i fod o'n dal yn fyw.

Byddai pobol y papurau newydd yn canlyn gemau Nantlle bob Sadwrn gan eu bod yn saff o stori yn y fan honno. Mi gawsant fodd i fyw'r Sadwrn hwnnw wrth gwrs, ac roedd penawdau bras yn y papurau wedi hyn: "Twenty Two Players Sent Off in One Game!" a "Violence Flares — Match Abandoned!"

Yn unol â deddf pwyllgorwyr FA Cymru, roedd rhaid cael ymchwiliad i'r ffasiwn ddigwyddiad, ac wrth gwrs cafodd hwnnw eto ei chwyddo y tu hwnt i bob rheswm gan y cyfryngau.

Diwedd Breuddwyd

PENNOD 14

> "Mewn un eiliad, roedd blynyddoedd
> o ymarfer a hyfforddi
> wedi mynd yn ofer..."

Yn Neuadd y Dref, Y Rhyl y cynhaliwyd yr ymchwiliad swyddogol, ac am ddyddiau lawer cyn y digwyddiad ei hun, mi gafodd beth wmbreth o sylw gan y cyfryngau. Mi fuasai rhywun yn meddwl ein bod yn Nurnberg, ac mai drwgweithredwyr Natsïaidd oedd wedi eu galw ger bron i roi cyfri amdanynt eu hunain.

Gofynnodd Idris, Robin Ken a finnau am wrandawiad personol, ac felly roeddem yn saff o gael cyfle i roi ein hochr ni i'r stori, a cheisio argyhoeddi'r panel bod y dyfarnwr, yn ei nerfusrwydd, wedi gwneud camgymeriad. Roedd John Curry, capten Llandudno wedi cael caniatâd i gael gwrandawiad personol hefyd — dyn neis a pharchus oedd John, a doedd dim rhaid i chi fod wedi cael coleg i ddallt mai ar Robin Ken oedd y bai i gyd am ei ran o yn yr helynt.

Herbert Powell ei hun oedd yr ysgrifennydd bryd hynny — y fo oedd yr unig swyddog llawn amser oedd ar y pwyllgor, ac y fo oedd yn cadeirio'r sioe yma yn Y Rhyl. Mae'r Neuadd yn Y Rhyl yn dal pum cant o bobol — a dim ond wyth ohonom oedd yno, sef y pedwar cyhuddiedig, y dyfarnwr a Herbert Powell a dau gi bach o bwyllgor FA Cymru. Roedd yr holl beth yn ffars cyn cychwyn.

Gan fy mod yn weddol gyfarwydd â gwrandawiadau o'r fath erbyn hyn, gwyddwn mai'r drefn arferol oedd i'r dyfarnwr roi ei ochr o o'r stori ar bapur a'i bostio i'r swyddfa yn Wrecsam erbyn y dydd Llun ar ôl y digwyddiad. Y peth cyntaf a wnaeth Herbert Powell yn y gwrandawiad felly oedd darllen llythyr y dyfarnwr.

Darllenodd Herbert yr adroddiad yn ddwys, fel petai'n

darllen ewyllys rhywun. Rhaid cyfaddef — os nad oedd y dyfarnwr hwn yn medru dyfarnu, yr oedd o'n un da dros ben am sgwennu. Mae'n siŵr mai eistedd ar ei dîn mewn rhyw swyddfa yr oedd o ar hyd yr wythnos, ac mae'n amlwg nad oedd erioed wedi dod ar draws Hogia Craig yr Oesoedd o'r blaen. "Roughians" a "Welsh hooligans out of the hills" oeddan ni ganddo fo.

Yna aeth John Curry yn ei flaen i ddweud ei stori'n foesgar a thaclus; Idris wedyn, a Robin Ken ar ôl hwnnw, ac yna finnau. Roeddem yn cael ein trin fel llofruddion — neu waeth na hynny am wn i. Doedd gennym ddim hawl i gael twrnai na neb i siarad ar ein rhan, a gan fod y cyfan yn Saesneg, roedd y fantais ganddyn 'Nhw' am eu bod yn siarad eu hiaith gyntaf.

Fodd bynnag, mi benderfynais ofyn am ganiatâd i holi'r dyfarnwr, ac wedi peth ymgynghori uwch ben y cais anarferol hwn, mi roeson nhw ganiatâd yn y diwedd. Gofynnais i'r dyfarnwr a oedd o wedi clywed am dîm Dyffryn Nantlle cyn iddo ddod yno'r prynhawn hwnnw. Oedd, wrth gwrs. Sut dîm oedd yno, yn ôl a glywsai? Beth oeddwn i'n ei feddwl? — Tîm glân, yntau tîm budur? Tim budur. Oedd ganddo fo ofn dod yno, yntau oedd o'n edrych ymlaen ac ati... Ac heb ganmol fy hun yn ormodol, digon yw dweud imi lwyddo i'w dynnu o'n gria, ac roedd o wedi mynd i grynu erbyn y diwedd.

Dyma finnau'n troi at Herbert Powell a'i annerch:

"Esteemed Sir, — as you can see, your representative is a highly nervous person, unsure of himself, and indeed unsure of the laws of this great game, which is now not merely a game, but a great institution in the heart of the people. I would humbly point out to you, Sir, that on this occasion, he was the wrong gentleman to control this particular match."

Dyma Nhw'n esgusodi eu hunain ac yn ymneilltuo i 'stafell gyfagos i bwyllgora. Ymhen rhyw hanner awr, dyma Nhw'n eu holau gan edrych yn sanctaidd a sych-dduwiol. Edrychent lawr eu trwynau arnom, gan ddisgwyl i ninnau foesymgrymu iddynt — a 'run o'r taclau erioed wedi gwisgo pâr o 'sgidiau pêl droed!

Crafodd Herbert Powell ei gorn gwddw, rhoi cip ar ei bapurau ac yna edrych dros ei sbectol arnaf am rhyw ddeg eiliad cyn dweud:

"Mr Williams, I have been looking at your record as a player, and I have to inform you, that through the long annals of Welsh Football history, you are the man who has been sent off the field more times than anyone else. You have brought the game to disrepute, and you are obviously an anti-establishment type of person. You have the worst record in the history of the Welsh League."

"Thank you," meddwn innau.

"My members and I seriously considered a Sine Die suspension in your case. However, you have spoken with great eloquence and authority here this evening. Indeed, I feel your vocation should have been a solicitor, and not a mere footballer. We have therefore been extremely lenient on you, and only suspended you on this occasion for 28 days. Let me take this opportunity, however, to warn you that if you ever appear before me again, I shall not hesitate but to suspend you Sine Die!"

Cafodd Idris a Robin eu gwahardd am bythefnos yr un, ac aethom o'r gwrandawiad — gyda John Curry efo ni — am beint i'r Mona Hotel ac i chwerthin llond ein boliau am ben y sioe roeddem newydd fod yn rhan ohoni.

Ond er chwerthin y noson honno, roedd geiriau Herbert Powell: "next time" — yn dal i ganu yn fy nghlustiau. Cysidrais bethau fel yr oeddent — a phenderfynais bod yr ysgrifen ar y mur. Efallai'n wir ei bod hi'n bryd i mi fystyn am hoelen chwech a'i dyrnu hi i'r wal uwch ben y lle tân a hongian pâr o 'sgidiau pêl droed maint 10 arni.

Roedd hi'n arferol i ryw wág yn y dorf weiddi ar unrhyw chwaraewr oedd dros ei bump ar hugain: "Hongia dy 'sgidia, taid." A phan fyddai dyn yn cyrraedd ei ddeg ar hugain, mi fyddai pobol yn gofyn iddo mewn syndod — "Dwyt ti 'rioed yn *dal* i chwarae ffwtbol?" Yn yr un modd, maen nhw'n gofyn i mi rŵan: "Dwyt ti 'rioed yn *dal* i reslo?"

Am eich bod yn *dal* i wneud yr un peth ar hyd y blynyddoedd, mae pobol yn tueddu edrych i lawr arnoch. Mi fyddan nhw — y dirmygus rai — erbyn hynny wedi parchuso, ac wedi rhoi'r gorau i unrhyw ymarfer corfforol ac wedi darganfod mai golff neu rywbeth tebyg ydi'r gêm iddyn nhw. Mae ganddynt 'briefcase' bach del ble bynnag yr an nhw, ac maen nhw'n synnu a rhyfeddu at wallgofddyn fel y fi sydd yn "dal ati"!

Ond mae'n anodd rhoi'r gorau i rywbeth mae dyn yn ei fwynhau — ac roedd cicio pêl yn fy ngwaed i ers dros chwarter canrif erbyn hynny. Ar ben hynny, roedd gen i un freuddwyd arall y buaswn wedi hoffi medru'i chyflawni cyn rhoi'r gorau i'r gêm.

Pan oeddwn yn chwarae gyda thîm Penmaenmawr, ac yn ymarfer ar gae chwarae'r dref ym Mhwllheli, byddai Bruce Barnes yn dod â'i frawd bach, David, hefo fo. Wyth oed oedd yr hogyn bryd hynny, ond roedd yn medru dal ei dir hefo ni mewn gemau pump bob ochr er hynny. Roeddwn yn rhagweld dyfodol disglair iddo fel chwaraewr.

Fy ngobaith mawr erbyn hyn oedd cael hyd i hogyn ifanc a'i hyfforddi o'n ddigon da fel ei fod yn medru mynd yn ei flaen i chwarae i un o'r timau gorau yng Nghynghrair Lloegr. Roedd David Barnes yn ffitio i'r patrwm hwn heb os, a phan nad oedd ond pedair ar ddeg oed, mi fentrais ei roi ar yr asgell yn nhîm Nantlle — ac yn wir, mi wnaeth yr hen foi bach yn arbennig o dda.

Dechreuodd y papurau newydd sgwennu amdano, a chyn hir roedd pob math o sgowts yn ein gwylio'n wythnosol. Ond y broblem fwyaf oedd fod David yn gorfod chwarae dros ei ysgol yn y bore. Er pan oedd yn grwt, bu'n ymarfer hefo ni a bûm yn ei ddysgu i weiddi am y bêl ac i redeg i gwrdd y dyn oedd gyda'r bêl yn ei feddiant a gweiddi amdani. Yn yr ysgol roedd yr athro yn ceisio'i ddysgu i redeg i ffwrdd oddi wrth y dyn â'r bêl, ac i beidio â meiddio agor ei geg i alw amdani.

Bob noson ymarfer, byddai'n achwyn wrthyf fel y bu bron iddo gael ei yrru oddi ar y cae'r bore Sadwrn blaenorol am weiddi am y bêl. Dywedais wrtho am ddweud wrth yr athro am iddo ef ddysgu daearyddiaeth a symiau iddo, ond a fyddai cystal â gadael i mi ei ddysgu sut i chwarae pêl droed.

Aeth David â'r genadwri gartref, a phwy ddaeth i'm gweld toc, ond yr athro — wedi ypsetio'n lân. Eglurodd wrthyf fod ganddo dystysgrif gan yr FA fel hyfforddwr. Holodd beth oedd fy nghymwysterau i. Ugain mlynedd o brofiad yn y 'trenches', oedd yr ateb, a dywedais wrtho mai syniadau ar bapur neu ar fwrdd du oedd gan hyfforddwyr, ac yn amlach na pheidio doedd y rheiny ddim yn gweithio ar y mwd ar gae pêl droed. Aeth oddi yno â'i gynffon rhwng ei goesau, ond ar ôl hynny cafodd David lonydd ganddo.

Erbyn hyn cawsai David gynigion i ymuno â Wrecsam,

Caer a Bolton Wanderers unwaith y byddai mewn oed i adael yr ysgol. "Na," meddwn innau, — "os yn bosib, mi gaiff hwn y gorau un."

Y gorau bryd hynny heb os nac oni bai oedd yr anfarwol Bill Shankley yn Lerpwl. Penderfynais ffonio Stewart McCallum, Sgowt Lerpwl yng Ngogledd Cymru a hen elyn i mi ar y cae chwarae. Daeth hwnnw i Nantlle'r Sadwrn canlynol i'w weld yn chwarae yn erbyn Caergybi, ac er mai gêm dawel gafodd David, mi wnaeth ddigon i blesio Stewart.

Bythefnos yn ddiweddarach, dyma ni'n mynd â David i Lerpwl i gyfarfod Bill Shankley ac i chwarae mewn gêm dreial. Cafodd gêm dda gyda'r canlyniad i Bill gynnig iddo ddarfod ei addysg mewn ysgol arbennig yn y dref, a chwarae i Lerpwl rhan amser. Aeth yno, gan gychwyn chwarae yn y tîm 'B', yna yn ei flaen i'r tîm 'A', codi wedyn i'r 'Reserves' — a hyn i gyd o fewn blwyddyn, ac yntau'n ddim ond llencyn ysgol.

Yna bu trychineb. Cafodd ddamwain ddifrifol i'w ben — un debyg iawn i'r un roeddwn i wedi'i ddioddef, ond iddo ef dorri'r llinynnau sy'n dal eich llygaid yn eich pen yn ogystal. Er i'r doctoriaid ail-asio'r llinynnau, doedd wiw iddo chwarae eto. Mewn un eiliad roedd blynyddoedd o ymarfer a hyfforddi wedi mynd yn ofer, a dyna ddiwedd ar yrfa oedd yn edrych yn un addawol dros ben. Dyna ddiwedd hefyd ar freuddwyd hen reolwr — nid oedd amser yn caniatau imi gychwyn o'r dechrau gyda llanc ifanc arall erbyn hyn.

Roedd tîm Nantlle'n enwog am ei ddrygioni bellach — "Storm troopers" a "Hatchet men" oeddan ni i'r wasg a'r cyf-ryngau, ac roedd rhywun yn blino rhoi yr un ateb i'r un un cwest-iwn o hyd:

"Pam rydach chi'n chwaraewyr mor fudur?"

"Nid budur ydan ni, ond caled."

Doedd y dyfodol ddim yn edrych yn ddisglair iawn. Ffon-iais Tommy Newton, a dyma yntau'n trefnu imi fynd lawr i Fanceinion am wythnos i ail-ymarfer y grefft o daflu dynion a'u trechu. Mwynheais honno'n fawr, er bod fy nghorff erbyn nos Wener yn teimlo fel petai wedi bod mewn concrit-micsar am wythnos. Dywedodd Tommy wrthyf ei fod yn mynd i Iwerddon am ddeng niwrnod ymhen tair wythnos, a phwysodd arnaf i fynd gydag o i ddysgu rhagor.

"Forget that football," meddai. "You are made for this job, — you can go on doing it for a long time and there are new opportunities arising all over the world in it. The world is your oyster."

Ychydig feddyliwn yr amser hwnnw bod cymaint o wirionedd yn ei eiriau. Roeddwn yn dal i deithio yn ôl i fwrw'r Sul hefo hogia Nantlle bryd hynny — teithio dros nos o ganol Lloegr, a hedfan adref o'r Alban unwaith. Toedd 'na ddim arian yn y gêm i mi erbyn hynny wrth gwrs — dim ond pleser, ac y mae hwnnw'n rhywbeth amhosib i'w brisio.

Ond fel y chwalwyd un freuddwyd, dyma un arall yn dod i gymryd ei lle yn raddol bach — sef breuddwydio am fod yn reslwr proffesiynol.

Reslo a Reslars

PENNOD 15

"Roedd Ski yn yfed
tair potel o wisgi bob dydd."

Mae llawer yn gofyn i mi: "Beth wnaeth iti gychwyn reslo?", ac fel rheol, cyn i mi gael cyfle i ateb, y peth nesaf y byddan nhw'n ei ddeud ydi rhywbeth fel hyn:

"Mae gen i Nain sydd yn gwirioni'n lân bob tro mae 'na reslo ar y teli."

Ychydig sy'n fodlon cyfaddef eu bod nhw eu hunain yn mwynhau'r gornestau — mae ganddyn nhw ormod o gywilydd i gydnabod hynny. Bob amser, y "Nain" sydd wedi mopio ac wedi colli'i phen yn lân — yn tydi pobol yn rhyfedd, deudwch!

Pam y dechreuais i ymhel â'r gêm ryfedd hon 'ta? Wel, yn un peth, am bod gan bawb "Nain" sydd yn ei mwynhau hi mae'n siŵr. Perswadiodd Tommy Newton fi fod yna ddyfodol ynddi, a bod 'na ddilyniant mawr iddi. Hefyd, doedd gen i ddim byd arall y medrwn i droi ato fo, rŵan bod fy nyddiau ar y cae pêl droed yn tynnu at eu terfyn.

Un nain wedi mopio!

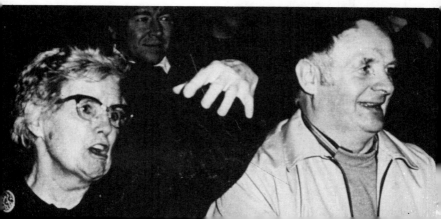

Sawl Cymro sydd wedi sefyll o flaen torf o 130,000 tybed? Mi fedraf feddwl am un ar ei ben — mae'n siŵr bod Lloyd George wedi wynebu torf o'r maint hwnnw. Oes 'na un arall wedi denu cymaint o bobol? Mae'n siŵr bod ambell Gymro wedi chwarae o flaen torfeydd o 100,000 yn Wembley — ond dod yno i weld dau dîm wnaethon nhw, nid unigolion. Mae'r un peth yn wir am Tony Lewis pan oedd yn chwarae criced dros Loegr yn India.

Harry Secombe, Max Boyce, Stanley Baker, Shirley Bassey? Digon prin. Ddim hyd yn oed Richard Burton na Tom Jones. Nid Cliff Morgan, Gareth Davies na Barry John — na'm hen gyfaill, Ray Gravell chwaith, y Cymro mwyaf triw i chwarae dros ei wlad erioed. Nid fy hen ffefryn Tommy Farr 'chwaith, na Cholin Jones o Orseinon.

Na, gyfeillion — yr hen Orig Williams o 'Sbyty Ifan. Mi safodd hwnnw o flaen tyrfaoedd o dros 100,000 o bobol hanner dwsin o weithiau ym Mhakistan. Dyna ichi ryw fath o syniad o'r dilyniant sydd yna i reslo ar draws y byd.

Mae 'na rhyw gred ddi-sail ym Mhrydain mai creadur syml, ddim llawn llathan ydi reslwr — rhyw hen foi i chwerthin am ei ben o (yn ei gefn o, wrth gwrs). Ond mi rydw i wedi trafaelio tipyn ar yr hen fyd 'ma ac wedi cyfarfod croesdoriad go deg o'r ddynol ryw. Mi fentraf ddweud, petai'r ffasiwn beth yn digwydd a bod dim ond deg dyn ar ôl ar y ddaear yma, yna mi fuasai tri ohonyn nhw'n reslwyr. Does 'mo'u tebyg nhw am ddal ati, ac am orchfygu pob anhawster:

"You may have great men
But you'll never have better."

chwedl yr hen gan rebel o Iwerddon. Mae'r gêm ei hun wedi gorchfygu llu o anawsterau ac wedi goroesi'r canrifoedd i ddechrau arni.

Reslo yw'r chwarae cyntaf a welodd dynol ryw. Hunan amddiffyn oedd ei nod ar y dechrau wrth gwrs, ond dywed haneswyr wrthym bod dynion yn gwthio a thynnu ac yn ceisio taflu'i gilydd yn yr ogofeydd yn ystod Oes y Cerrig. Digwyddai hyn cyn bod sôn am ornestau rhedeg, nofio ac ymladd gyda dyrnau. (Digon gwir bod .dyn yn hela a physgota cyn hynny, ond gorfodaeth i gael tamaid o fwyd oedd y rheswm dros hynny, ac nid sbort.)

Bu'r Eifftwyr, y Groegwyr, y Tartars a phobl Japan yn yr

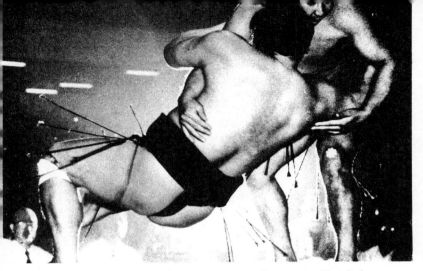

Reslwyr 'Sumo' o Japan — reslwyr bolia mawr ydi'r rhain,
ond nid drwy or-fwyta y gwnaethon nhw fagu'r boliau yma
ond drwy wneud ymarferiadau arbennig.
Yn y dull hwn o reslo y cyntaf i gael y gwrthwynebydd i gyffwrdd
unrhyw ran o'i gorff — ar wahân i'w draed — â'r ddaear yw'r
enillydd, felly mae'r boliau mawr yn gymorth i gadw
cydbwysedd.

Oesoedd Canol i gyd yn reslo. Yn Lloegr, ceir sôn am hen ffurf o reslo: "Catch as catch can" nôl ym 1393. Roedd dull arbennig o reslo yng Nghymru hefyd — sef "ymaflyd codwm", oedd yn un o bedair camp ar hugain Oes y Tywysogion. Yn Iwerddon roedd y ddau reslwr yn cydio yng ngholer a phenelin y naill a'r llall, ac yn ceisio ymaflyd gyda'r gafaeliad hwnnw.

Fel ym mhopeth arall, dydi'r 'Mericans ddim am gael eu gadael o'r ras 'chwaith. Bu Zachary Taylor, George Washington, William Howard Taft, Calvin Taylor ac Abraham Lincoln i gyd yn Arlywyddion y wlad honno. Mae pawb yn gwybod hynny, ond faint sy'n gwybod iddyn nhw fod yn reslwyr ar un adeg yn ystod eu gyrfaoedd yn ogystal?

Yn yr hen ddyddiau, byddai'r "Boxing and Wrestling Booths" yn teithio o amgylch y ffeiriau led-led y wlad. Mae mwy wedi clywed am y "Boxing Booths" erbyn heddiw, ond datblygiad o'r "Wrestling Booths" oedd hwnnw. Pedwar postyn wedi'u dyrnu i'r ddaear mewn cae agored oedd y "Wrestling Booth", ac yna dwy raff yn eu hamgylchynnu i ffurfio'r cylch. Yn y bwth byddai un dyn cryf yn herio unrhyw un o'r gynulleidfa i ymaflyd ag ef. Byddai digon yn barod i drio eu lwc wrth gwrs, ond anaml y byddai neb o'r gynulleidfa yn trechu'r hen law.

Ers dyddiau'r bwth teithiol roedd rhyw elfen o 'show-biz' yn perthyn i'r gêm. Safai'r ymaflwr yng nghanol y cylch yn tynnu stumiau ac yn dangos ei gyhyrau, yna dywedai dyn dros y meg-affon bod yna wahoddiad i unrhyw un a ddymunai deimlo'i fysyls ddod i'r cylch i wneud hynny. Rhan o'r hwyl wrth gwrs, fyddai iddo wahodd y pishyn mwyaf handi yn y gynulleidfa i ddod i fyny i wneud hynny gyntaf. A hyd heddiw, mae pobl yn mwyn-hau'r balihŵ a'r gimics yn ogystal â'r reslo. Fuasai reslo byth yr un fath heb y cymeriadau 'da a drwg' sy'n rhan hanfodol o'r adloniant.

Roedd rhai o'r gornestau cynnar yn para'n hir iawn weithiau – mae sôn am Evan Strangler Lewis, oedd a'i rieni'n hannu o Gymru, yn ymladd â William Muldoon, oedd a'i rieni'n Wyddelod, am dair awr a chwarter ym Minneapolis ym 1845. Lewis, y Cymro a orfu'n y diwedd – wrth gwrs!

Daeth rhai'n gyfoethog iawn hefyd – enillodd George Hacken-Schmidt bencampwriaeth y byd ym 1898 am ymaflyd codwm yn y dull Groegaidd-Rufeinig. Ef oedd y dyn cyntaf i ddod draw o Ewrop i ymaflyd ym Mhrydain. Heriodd bawb – a'u trechu hefyd. Roedd yn ddyn eithriadol o gryf a deuai torfeydd i'w wylio bob tro – gwnaeth yn llythrennol llond sach o aur yma cyn hwylio i'r America, lle gwnaeth gymaint teirgwaith mwy o bres na hynny wedyn.

Ym Mhrydain y cychwynnodd y reslo yr ydan ni yn ei nabod heddiw – a'r un dull a'r un rheolau sydd yna led-led y byd bellach. Tommy Newton oedd yr un a ddysgodd gyfrinachau'r grefft i mi – bu Tommy y dyn cryfaf yn y pwysau canol drwy Brydain gyfan yn ei ddydd, ac yn yr hen ddyddiau, cryfder oedd popeth wrth reslo. Cofiaf imi weld Tommy'n gwneud hanner cant o 'one-arm press-ups' a'm llygaid fy hun – a hynny pan oedd yn drigain oed!

Cychwynnodd Tommy fusnes hyrwyddo reslo yn ystod y blynyddoedd ar ôl yr Ail Ryfel Byd, a sefydlodd bartneriaeth gyda gŵr busnes o Fanceinion, – Arthur Wright. Buont yn gweithio'n ddygn am bum mlynedd, ond gwaith caled iawn oedd denu'r cynulleidfaoedd. Wedi ymaflyd o flaen torf o 50 mewn neuadd oedd yn dal dros ddwy fil, penderfynodd adael am Awstralia i drio'i lwc yno. Dychwelodd ymhen dwy flynedd, heb brofi fawr o lwyddiant yno 'chwaith, – ond pan ddaeth adref, prin y medrai gredu bod pethau wedi newid i'r fath raddau.

Erbyn hynny, roedd Arthur Wright wedi dyfalbarhau gyda'i ymdrechion ac wedi llwyddo i werthu'r syniad i ITV. Un sioe'n unig fu ar y teledu i gychwyn, ond bu cymaint o alw am fwy nes y bu rhaid dal ati. Ddeng mlynedd ar hugain yn ddiweddarach, mae reslo yr un mor boblogaidd ag y bu erioed, ac Arthur Wright yn filiwynydd bellach.

Llwyfannodd Tommy un neu ddwy o sioeau bach i weld sut roedd y gwynt yn chwythu, a chafodd ei syfrdanu. Pobman yn orlawn! Roedd y dyn cyffredin yn y stryd wedi dod i ddeall ac wedi dysgu'r rheolau yn sgil clywed y sylwebaeth ar y rhaglenni teledu, ac roedd pawb yn chwannog am fwy o'r adloniant.

Gynt roedd hi'n anodd cael cynulleidfa, – bellach cael gafael ar ddigon o reslwyr i fodloni awydd y torfeydd am wylio gornestau reslo oedd y gamp. Bu'n rhaid hyfforddi rhai ar frys – felly dyma agor "ffatrioedd-gneud-reslars", sef y tylciau chwysu rheiny ym Manceinion, Bolton, Bradford a Wigan. Yn null Yul Brunner yn y 'Magnificent Seven', byddai Tommy Newton yn mynd o dref i dref i chwilio am hogiau oedd yn fodlon ei ddilyn. Âi i'r tafarnau lle byddai 'na helynt, ac i'r neuaddau dawnsio lle byddai 'na gwffio bob nos Sadwrn, ac yn y mannau hynny, gwyliai'r pencampwyr lleol wrthi hi.

Doedd nos Sadwrn ddim yn nos Sadwrn heb ffeit yr adeg honno:

"Rhaid oedd codi'r gaib a chodi'r rhaw
Ar hyd yr wythnos yn y baw
Ond dyna sbort oedd codi'r dyrnau
Ar ôl cael cwrw nos Sadyrnau."

Byddai sawl ffeit yn nhafarnau Llanrwst, a Morgan y plismon yn cyrraedd efo'i bastwn ac yn leinio pawb. Neb fawr gwaeth, a neb yn gorfod mynd ar ofyn rhyw dwrnai ariangar. Heddiw mi gewch chi G.B.H. ddim ond am edrych yn gam ar rywun.

O reidrwydd felly, hogia wedi cael ysgol galed oedd yr

hogia a ddewisid i'w hyfforddi yn y grefft o reslo. Hogia'r bara llaeth oedd yn gwybod beth oedd rhoi a chymryd clec; hogia heb ddim byd i'w golli, a'r byd i gyd o'u blaenau. Dyma ichi hanesyn am ddau reslar y deuthum i i'w nabod, sy'n dangos 'chydig am eu magwraeth.

* * * * *

Un o'r reslwyr gorau erioed i fynd i mewn i gylch reslo ym Mhrydain — os nad yn y byd i gyd o ran hynny — oedd Tony Charles. Mae o'n byw yn America heddiw, ac yn tynnu at ddiwedd gyrfa a aeth ag o ar hyd ac ar led y byd. Pan oedd o yn anterth ei nerth, doedd 'na neb fedrai'i guro fo. O Dreorci, yn y Rhondda, y deuai'n wreiddiol — a chymer ar y naw oedd o hefyd.

Flynyddoedd yn ôl, roeddwn wedi trefnu gornest ym Mryste gyda'r reslwr enwog o Texas — Ski Hi Lee — ar y rhaglen. Hanner awr cyn cychwyn y sioe, pwy roddodd ei ben i mewn yn yr ystafell newid ond Tony Charles. Roedd wedi cychwyn teithio o gwmpas y byd bryd hynny a newydd ddychwelyd o Japan yr oedd o y bore hwnnw. Un o'r pethau cyntaf a glywodd ar ôl cyrraedd adref bod Ski Hi Lee wrthi hi y noson honno. Gan mai ym Mryste roedd Tony yn byw ar y pryd, doedd dim modd i'w wraig ei gadw gartref y noson honno — a hynny er ei fod wedi bod i ffwrdd ar ochr arall y byd am chwe wythnos! Roedd Ski ac yntau'n hen gyfeillion, a daeth i chwilio amdanom ar ei union.

Chwedl o ddyn oedd Ski yntau. Creadur chwe troedfedd wyth modfedd o Amarilo, Texas efo corff fel byffalo. Y tro hwnnw roedd ar ei ffordd yn ôl adref o Dde Affrica i'r Unol Daleithiau. Wedi bod yn gweithio ar ganran o'r giât yr oedd o yn Ne Affrica, ac roedd wedi cyrraedd Heathrow gan obeithio newid ei enillion o bunnoedd i ddoleri'r U.D.A.

Dyma 'na bry cachu o swyddog tollau yn ei stopio fo'n Heathrow gan feddwl y cai ddangos ei tipyn awdurdod wrth y cawr o ddyn:

"Excuse me, Sir," meddai, "but have you anything to declare?"

"Nope," oedd yr ateb. "Norr a go'damn thing."

"Then you don't mind if I have a look in your cases?".

"No, you can't."

"Why not, Sir?"

"'Cause my money is in there."

Diwedd y stori oedd i'r swyddog bach yrru am swyddogion mwy, ac mi arestiwyd y cawr. Gorchmynnwyd iddo agor ei fagiau mewn rhyw swyddfa yn y cefn. Ufuddhaodd yntau'n ddi-lol — ac mewn un ces yn unig roedd £16,000 mewn papurau pumpunt. Doedd dynion y tollau ddim yn coelio'u llygaid.

"Lle cest ti'r rhain?" oedd hi wedyn.

Dywedodd Ski ei stori, ond doeddan nhw ddim yn ei goelio.

"Os mai yn Ne Affrica y buest ti'n gweithio, sut mai papurau punnoedd sydd gen ti, ac nid arian y wlad honno?"

Rhoddodd Ski enw ei hyrwyddwr yn Ne Affrica iddyn nhw — Bull Heffer o Johannesburg — fel y medrent ei ffonio er mwyn iddo gadarnhau'i stori. Doedd y ffôn ddim yn gweithio mor hwylus bryd hynny — mi gymerodd ddeuddydd iddyn nhw gael gafael ar Bull Heffer, ac yn y cyfamser cadwyd Ski yn y ddalfa yn Heathrow. O'r diwedd cafwyd cadarnhad gan y Tarw a rhyddhawyd Ski.

Rŵan, roedd corn gwddw arbennig iawn gan Ski — roedd o'n un oedd yn sychu'n hawdd dros ben. Wedi deuddydd o fara a dŵr, roedd Ski wedi meithrin y syched mwyaf arswydus a'i wddw bron iawn â chracio, felly penderfynodd dreulio'r wythnos ganlynol yn Llundain er mwyn disychedu. Petai 'na dîm yfed rhyngwladol yn America, yna mi rydw i'n bendant mai Ski fyddai'r Capten!

Dim ond meddwl aros am wythnos, newid ei bres ac yna codi'i bac a mynd yn ôl i'r U.D.A. oedd bwriad Ski. Ond aeth yr wythnos yn ddwy flynedd, a doedd cwmni yfwyr ymroddedig fel Tony Charles fawr o gymorth i'r hen Ski hel ei draed yn ôl adref. Mi fûm yng nghwmni Tony Charles lawer noson, ac yn saff ichi — y fo fasa capten tîm yfed Cymru.

Mi fedrwch ddychmygu'r hyn aeth drwy fy meddwl wrth weld Tony'n galw heibio y noson honno. Ia, rhywbeth fel: "Dyna'i diwedd hi, rŵan, Orig bach — nid un ond *dau* gapten sydd gen ti ar dy blât heno. Waeth iti ffarwelio efo'r gwely 'na am heno."

Ar ôl y gornestau reslo ym Mryste, dyma eistedd ym mar y

"Cwsg y Bandit yma'th hunan,
Cwsg mewn meddw hedd..."

gwesty am yr ornest fawr. Mi wyddwn o'r cychwyn nad oeddwn i
yn yr un cae a'r rhain — pwysau plu yn erbyn dau bwysau trwm
oedd hi. Toeddwn i ddim yn ffit i olchi gwydrau iddyn nhw. Dan
y bwrdd oedd fy lle i, ac ymhen rhyw deirawr yn y fan honno'n
llythrennol yr oeddwn i — ar fy hyd ar lawr yn cysgu fatha twrch!

Pan ddeffrais, roedd 'na ddyn bach efo gordd y tu mewn
i 'mhen i, ac roedd hi'n olau dydd. Eisteddai Tony a Ski yn yr
union seddau y gwelais i nhw ynddyn nhw cyn i Huwcyn Cwsg
wneud mistar arna i. Roedd y wawr yn torri, a'r ddau'n dal i
yfed yn reit hapus — potel o Johnnie Walker Black Label bob un
ganddyn nhw.

Wedi brecwast, aeth Tony adref ac aeth Ski a minnau yn
ein blaenau am Penzance yng Nghernyw, lle roeddan ni i ym-

120

Ski Hi Lee —
dyn tair potel o wisgi y dydd.

Tony Charles — pencampwr
y 'Judges Hall, Trealaw

ddangos y noson honno. Ar y ffordd yno, dyma Ski yn fy atgoffa bum munud i un ar ddeg bod y tafarnau'n agor ymhen pum munud. Roedd hi'n *rhaid* stopio meddai, oherwydd doedd ganddo ddim mwy o Johnnie Walker ar ôl.

Funud wedi un ar ddeg, a dyna lle roeddan ni yn mwynhau peint bob un mewn tŷ tafarn — mynnodd Ski ei bod hi'n ddyletswydd arnom i godi peint gan ein bod wedi croesi'r trothwy. Gwagio'r peint, yna prynu tair potel o Johnnie Walker i Ski, ac i ffwrdd â ni. Roedd Ski yn yfed tair potel o'r wisgi yma bob dydd.

Dyna ichi sut hogia sy'n reslo. Hogia sy'n lledr caled y tu mewn yn ogystal â'r tu allan. Pencampwr y neuadd ddawnsio, Judges Hall, yn Nhonypandy oedd Tony Charles cyn mynd ati i reslo. Roedd y Judges Hall yn lle enwog iawn wrth reswm — roedd **gornestau** paffio a reslo yn cael eu cynnal yno, yn ogystal â dawnsfeydd bob nos Sadwrn pan fyddai yna baffio mwy anffurfiol ymysg hogia'r Rhondda ar gorn rhyw hogan neu'i gilydd. Y caletaf o'r rhai caled — dyna oedd magwraeth Tony, ac roedd hi'n ddigon naturiol mai reslo oedd ei alwedigaeth yn y diwedd.

Gorffen Prentisiaeth

"Cario'r boi drwy'r rownd gyntaf,
a'i orffen yn yr ail..."

Derbyniais y gwahoddiad i fynd i Iwerddon gyda Tommy Newton. Teithio o gwmpas roeddan ni, yn rhoi sioe mewn man gwahanol bob dydd. Bob prynhawn, unwaith y byddai'r cylch reslo wedi'i godi, — i mewn â ni ac yno y byddwn am oriau gyda Tommy yn dysgu gwahanol symudiadau a gwahanol afaeliadau imi. Dysgais — yn ara' deg — sut mae disgyn heb frifo, a daeth yr "Indian Deathlock", y "Japanese Stranglehold", y "Bear Hug", yr "Irish Whip" a'r "Full Nelson" ac ati yn ffordd o fyw imi.

Ar ôl dychwelyd o'r Ynys Werdd, trefnodd Tommy imi fynd i lawr i Plymouth i ymarfer gyda Mickey Kiley oedd yn paratoi i fynd ar y ffordd gyda'i "Boxing and Wrestling Booth". Yma, yn y bwth reslo, yr oeddwn i gwblhau fy mhrentisiaeth.

Mickey Kiley oedd y siaradwr gorau y cefais y fraint o wrando arno yn Saesneg erioed. (Fel y dywedais eisoes, chlywais i neb i gyffwrdd â Gwynfor yn y Gymraeg.)

Anghofiwch am bwysigion Tŷ'r Cyffredin sy'n adrodd areithiau mae rhywun arall wedi'i sgwennu; naw wfft i hogia slic y cyfryngau hefyd, sydd bob amser yn sownd wrth bapur neu wrth sgwennu ar sgrîn o'u blaenau. Syth o'r frest oedd hi gan Mickey, — lli'r afon o eiriau ac ymadroddion lliwgar, ac yn gweu'r stori o'i ben a'i bastwn a'i ddychymyg ei hun wrth fynd yn ei flaen.

Roedd ei fwth reslo'n werth ei weld yn ogystal. Lluniau o Randolph Turpin a Freddie Mills o boptu'r drws y tu allan — dau gyn-bengampwr byd oedd wedi cychwyn ar eu taith gyda Mickey yn y bwth. Yno, ar lwyfan yn y canol, y traethai'r gŵr huawdl ei hun. Mi fedra i ei weld o'r munud 'ma yn ei 'tuxedo' nefi blŵ, ei grys gwyn a'i dei bo, sbectol haul a gwallt claerwyn. Parablai dros yr uchel seinydd am ugain munud heb baid, gan

Bŵth crwydrol tebyg i un Mickey:
prifysgol y cylch sgwâr.

dynnu tyrfa fawr cyn i'r un o'r paffwyr na'r reslwyr ymddangos hyd yn oed.

Cystal oedd ei ddawn i dynnu a dal torf fel y gallech fetio'n saff bod o leiaf cant o bobl y tu allan i'r bwth cyn i chi ymddang-os. Pob un wedi'i wefreiddio gan huotledd Mickey, ac yn credu'n siŵr eu bod ar fin gweld y sioe orau a welodd neb erioed.

"Big Welsh Miner from Tonypandy" oeddwn i'r gynull-eidfa. Yn ôl Mickey, roedd y pwll glo lle roeddwn i'n gweithio ynddo wedi cau oherwydd streic, ac roeddwn i wedi dod i lawr o'r Rhondda ac wedi gofyn i Mickey am waith er mwyn ennill 'chydig o bres i'w yrru adref at fy nheulu i'r plant bach oedd gen i gael tamaid i'w fwyta. Clwyddau noeth! — ond roedd hi'n stori oedd yn swnio'n dda.

Âi Mickey yn ei flaen. Oedd 'na rywun yn y dorf oedd yn fodlon reslo efo mi dros dair rownd? Os oedd 'na, roedd 'na bumpunt ganddo i'r boi hwnnw.

Neb yn cynnig. Reit, mi roddai Mickey ddecpunt i ryw-un wnâi reslo am bedair rownd.

Neb yn fodlon s'lensio.

A byddai Mickey'n trio wedyn. Ei grefft oedd codi'r arian yn araf nes y byddai rhywun yn ddigon barus i neidio at y bach. Byddai'n codi'r arian yn raddol nes cyrraedd deg punt ar hugain.

123

Os na chai ymateb erbyn hynny, newidiai'r drefn a galwai un o'r paffwyr ymlaen gan ail-adrodd yr un drefn gyda hwnnw.

Deg stôn oedd Johnny Peters, ac roedd yn fud a byddar. Roedd Mickey wedi cael hyd iddo mewn rhyw ysgol i blant oedd wedi bod yn ddigon anlwcus i gael eu geni felly. O dan hyfforddiant, datblygodd Johnnie i fod yn baffiwr arbennig o dda ac roedd wedi ymuno â Mickey. Er bod ei fywyd yn un caled, roedd Johnnie wrth ei fodd, ac roedd Mickey fel duw iddo.

Yn aml iawn, byddai Mickey wedi cael s'lensiwr i Johnnie cyn y câi o un i mi. Roedd Johnnie'n fach ac yn edrych yn eiddil. Fel arfer byddai'r slensiwr yn rhyw arth chwe troedfedd, yn pwyso pedair stôn ar ddeg, wedi cael llond bol o gwrw ac yn awyddus i ddangos i'w fêts cystal boi oedd o.

Unwaith y byddai boi felly yn cychwyn gweiddi'n ôl ar Mickey, roedd hi wedi canu arno. Medrai Mickey godi cymaint o gywilydd ar rywun felly fel y byddai'n rhaid iddo gymryd rhan ar ôl hynny, neu deimlo fel pishyn tair. Ar ôl cael un s'lensiwr i fyny, roedd hi'n llawer haws cael yr ail — yn aml ffrindiau'r cyntaf fyddai'r rhai nesaf i ddringo i'r cylch.

'Cario'r boi drwy'r rownd gyntaf, a'i orffen yn yr ail' oedd fy ordors i — ond yn aml iawn toedd hi ddim mor hawdd â hynny. Ychydig wyddai'r s'lenswyr am reslo fel rheol, ond roedd y rhan fwyaf ohonynt yn hogiau cryfion, ac ar ôl iddynt drïo'u gorau yn y ddwy rownd gyntaf, byddai'n aml yn mynd yn drydedd rownd cyn y medrwn gael gafael iawn arnyn nhw a'u gorfodi i ildio.

Canlyn y bwth gyda Mickey y bûm i drwy'r haf hwnnw. Cychwyn yng Nghernyw a darfod yn Newcastle-upon-Tyne. Symud o le i le, lle bynnag roedd 'na ffair, a threulio dau ddiwrnod fan yma, wythnos mewn man arall ac yna pythefnos i ddarfod ar y "Town Moor" yn Newcastle. Roeddwn yn cael tair neu bedair gornest bob dydd, a thrwy hynny roeddwn yn dysgu'n gyflym.

Roedd 'na awyrgylch arbennig yn y ffeiriau — digon o sŵn a miwsig, a phobol ar yr uchel seinyddion yn cynnig y nefoedd ichi am 'chydig geiniogau. Wedi gorffen ei sioe, byddai Mickey'n canu ei gerddoriaeth cyn uched â phosib fel bod gweddill pobol y ffair yn gweld cymaint oedd yn dod allan o'i fwth o, ac felly'n lledaenu'r syniad fod ei sioe o'n un gwerth ei gweld. Fyddai o fawr o dro cyn ail-lenwi'r bwth gyda thyrfa newydd ac wedi cael s'lensiwrs newydd i drio'u lwc yn ein herbyn.

Wrth ffarwelio â'r Town Moor yn Newcastle, ac ysgwyd llaw gyda Mickey, roeddwn yn teimlo fy mod wedi cael addysg ddiguro — addysg na fedr neb ei phrynu hefo holl arian y byd. Y tristwch ydi nad oes 'na addysg felly i'w chael heddiw. Er bod rhai o'r ffeiriau'n dal i rygnu mynd, does yna ddim bwth bocsio na reslo ynddynt mwyach. Y rheswm pennaf am hynny yw na chaech chi ddim s'lensiwrs heddiw. Erbyn hyn, does dim rhaid i'r tlawd a balch godi'i ddyrnau i geisio ennill ceiniog neu ddwy ychwanegol — bellach dim ond codi beiro a llenwi ffurflen yn y soshal seciwriti sydd raid iddo.

O ganlyniad, diflannodd hen ffordd o fyw oedd yn llawn rhamant a chymeriadau lliwgar. "Hacrwch Cynnydd", fel y dwedodd y bardd.

Ar ôl darfod fy mhrentisiaeth gyda Mickey Kiley, ffoniais Tommy Newton gan ddweud fy mod yn meddwl fy mod yn barod am ornestau go iawn. Yn driw i'w air, trefnodd Tommy ornestau imi ar hyd ac ar led Prydain, a dyna finnau'n cyfarfod reslwyr proffesiynol am y tro cyntaf.

'Ma Ba' McKennan oedd pob un oedd yn yr ystafelloedd newid yng nghefn y cylch reslo. Pawb yn llond eu crwyn, yn llawn ohonyn nhw'u hunain; pawb efo gormod i'w ddweud — toedd fan'ma ddim yn lle i hogyn swil. Ella nad oedd pob un ohonyn nhw wedi bod ddigon hir ym mhen draw'r popty mawr, ond wir, roeddan nhw'n gymeriadau lliwgar.

Yn erbyn Jim Foy y bu fy ngornest gyntaf yn fy ngyrfa ar y gylchdaith broffesiynol. 'Elmo the Mighty' oedd ei enw fo yn y cylch, — dyn mawr deunaw stôn o Bolton oedd wedi cynrychioli Prydain yn y Chwaraeon Olympaidd.

Yng Nghroesoswallt y bu'r ornest honno, a gan mai creadur go las oeddwn i o hyd, mi wnaeth Tommy hi'n ornest un cwymp neu un ildiad. Roeddwn bedair stôn yn ysgafnach na Jim, ond teimlwn fy mod wedi gwneud yn reit dda yn ei erbyn serch hynny gan imi lwyddo i ymatal rhag ildio hyd y bedwaredd rownd.

Mae Jim yn fyw o hyd, ac yn edrych yn dda o'i oed, hefyd — mae o'n ddyn cryf, heini er ei fod o'n drigain a phump bellach. Mae'n dal i fynd lawr i'r jim yn Bolton yn gyson, ac yn herio rhai o'r reslwyr ifainc ar y mat o hyd — ia, hyd yn oed rhai a gynrychiolodd Brydain yn y Chwaraeon Olympaidd diwethaf yn Los Angeles!

Gypsy Joe Savoldi...Romeo Joe Critchley...El Medico... Bill Tunney...Lord Bertie Topham...Joe Zabo...Chief Thunderbird... — dyna rai o'r reslars y bum i'n ymrafael â nhw ar ddechrau fy ngyrfa. Erbyn hyn mae chwimder a thechneg yn llawer pwysicach yn y chwarae nag yr oeddan nhw bryd hynny — dibynnai llawer ar gryfder corfforol pan oeddwn i'n cychwyn arni.

Ar ôl i mi fod yn y busnes am gyfnod o rhyw flwyddyn, gofynnodd Chief Thunderbird imi a fuaswn yn hoffi mynd hefo fo i Bakistan am fis — roedd angen dau reslwr pwysau trwm ar ei hyrwyddwr o ar gyfer taith oedd wedi'i threfnu yn y wlad honno. Dywedodd mai canpunt yr wythnos oedd y cyflog, ac roedd y bwyd a'r gwesty am ddim. Yr adeg honno, rhyw ddecpunt yr wythnos oedd y cyflog arferol. Heb gysidro dim ychwaneg, dywedais yr awn gyda hwy. "Cer i Lerpwl 'fory i gael 'passport', ac mi rydan ni'n hedfan o Heathrow ddydd Mercher," oedd y gorchymyn gefais i.

Yr Orig ifanc a ffôl — cyn derbyn yr un crwbins.

Tua'r Dwyrain

"Roedd Akram unwaith wedi bwyta dafad gyfan ar ei ben ei hun..."

A dweud y gwir, doedd gen i fawr o syniad lle roedd Pakistan pan gytunais i fynd yno. Dyma'r adeg pan oedd lluoedd o Bakistaniaid yn gadael eu gwlad ac yn tyrru i Bradford, Manceinion, Birmingham a Llundain. Roedd pawb yn tynnu fy nghoes na fuasai yna neb ar ôl yn y wlad erbyn i mi a'r reslwyr eraill gyrraedd yno o Brydain.

Cefais y 'passport' heb drafferth, yna trên i Lundain, ac wedyn blasu fy mhrofiad cyntaf o hedfan mewn awyren. Pakistan International Airways oedd y cwmni oedd yn gyfrifol am ein cludo, ac anghofia' i byth mo'r achlysur. Mi rydw i wedi hedfan gyda nhw ugeiniau o weithiau ers hynny, ond tydw i byth wedi llwyr ddod dros y sioc a gefais i y tro cyntaf hwnnw. O'r trydydd terminal yn Heathrow roeddan ni'n gadael — un funud yn y lolfa brysur, a'r funud nesa mi roeddwn i'n llyncu fy mhoeri uwch ben Llundain!

Roeddan ni i lanio yn Stuttgart a Dubai ar y ffordd, ac yna cyrraedd pen y daith o bedair awr ar ddeg ar faes glanio Karachi. Gydol yr amser roeddwn yn teimlo'n nerfus iawn ym mherfedd fy mol, ac fel y bydd rhywun ar adegau felly, roeddwn yn siarad ffwl-pelt efo pawb. Mi gychwynnais gyda'r wraig oedd yn gwisgo sari a masg a eisteddai ar fy llaw dde. Ond er trio deirgwaith, 'chefais i 'run gair yn ôl. Penderfynais nad oedd hi'n deall Saesneg, felly dyma drïo gweld sut hwyl oedd ar y boi efo uffarn o locsyn a eisteddai ar fy llaw chwith.

Diawcs, mi atebodd hwn fi ar ei union ac mi gefais sgwrs reit ddifyr efo fo. Yn y diwedd mentrais ofyn iddo ynglŷn â'r wraig wrth fy ochr, — beth oedd yn bod arni nad oedd hi'n siarad â mi. Eglurodd y dyn wrthyf nad oedd hi'n arferol i ferched siarad â dynion dieithr ym Mhakistan. "Hmm," meddyliais, wrth glywed hyn, "fawr o obaith i osod y dyrnwr yn fan'no felly!"

Aros am awr yn Stuttgart, a dwyawr yn Dubai. Pan roddais fy mhen allan o'r awyren yn Dubai, mi gredais ar fy union fy mod wedi cyrraedd uffern. Roedd hi fel petai fflamau o dân yn llyfu eich holl gorff. Daeth geiriau Cynan i'r cof:

"A chei'r fwyalchen bêr ei chân
I ddiffodd fflamau Uffern dân."

Doedd 'na ddim golwg o'r un fwyalchen — na'r un goeden — yn y fan yma. Roedd hi'n grasboeth — a hithau eisoes yn wyth o'r gloch y nos. Sut goblyn oedd hi ganol dydd 'ta!

Dyma dynnu'r hen 'bullover', ond 'wnaeth hynny ddim gwahaniaeth — roedd y chwys yn dal i fyrlymu. O edrych o 'nghwmpas, sylwais mai dim ond y fi a Thunderbird oedd yn chwysu. Mae'n rhaid bod 'na rywbeth yn bod arnom ni — wedi dal rhyw afiechyd oddi wrth y bobl ryfedd 'ma ar yr awyren efallai. Rhyw feddwl mynd i chwilio am ddoctor — doedd posib ei bod hi cyn boethed â hyn go iawn!

Yr ateb amlwg, wrth gwrs, oedd peint. Mi fuasai hen beintyn yn dod â ni at ein coed. Gofyn i hwn a'r llall lle roedd y bar. Pawb yn edrych yn hurt hollol arnaf. Yn y diwedd, eglurodd rhywun wrthyf mai gwlad sych oedd Dubai ym mhob ystyr y gair yn y cyfnod hwnnw. Doedd 'na ddim ffasiwn beth â diod feddwol ar werth yno. 'Rargol, dyma gythral o le od, meddwn innau, ac ymddangosai'r ddwyawr yno fel dwy ganrif. Ond o'r diwedd roeddan ni'n barod ar gyfer cam olaf y daith i Karachi.

Rhyw awr cyn i ni lanio ym Mhakistan, daeth y weinyddes o amgylch gan rannu rhyw gardiau yr oeddan ni i'w llenwi gyda manylion oddi ar ein 'passports' ac ati. Enw? Man geni? — Ysbyty Ifan. Crefydd? — Methodist Calfinaidd Cymreig. Hyd arhosiad?.....ac ati, ac ati. Mi gawsom lanio am bedwar yn y bore wedi llwyr ymladd. Doedd gen i ddim eisiau gweld dim byd, dim ond fy ngwely.

Nid sustem otomatig oedd yn dadlwytho'r cesus yn Karachi bryd hynny, ond yn hytrach dynion yn eu lluchio i lawr o du ôl lorri, a phawb yn sgrialu am ei gês am y gora. Pawb drosto'i hun oedd hi, a welsoch chi erioed ffasiwn strach yn eich byw.

Llwyddo i fachu fy magiau o'r diwedd, ac yna eu llusgo

yn reit ddiamynedd drwy'r tollau. Dyma'r dyn yn y 'Passport Control' yn cymryd fy ngherdyn a gofyn imi beth oeddwn wedi'i ysgrifennu, gan bwyntio at yr ateb i'r cwestiwn ar grefydd. Credais mai fy llawysgrifen oedd yn annealladwy iddo felly dywedais mai 'Welsh Methodist' oedd wedi'i sgwennu yno.

"What is that?" holodd.

"Well, Welsh Methodist," meddwn innau drachefn gan edrych yn syn arno.

"I've never heard of that religion," meddai.

"Be goblyn sy' ar ben hwn?" meddwn innau wrthyf fy hun — yn reit flin erbyn hyn. Iechyd mawr, sut siâp oedd ar y wlad 'ma os nad oeddan nhw erioed wedi clywed am Fethodistiaeth Galfinaidd?

"Are you a Christian or a Muslim?" oedd cwestiwn nesaf y swyddog.

Wel, doedd y cwestiwn hwnnw ddim yn fy 'Rhodd Mam' i beth bynnag.

"Y...ym. I don't know. I am a Welsh Methodist," meddwn innau. Mae'n saff iti mai canibaliaid oedd y rhain, meddwn wrthyf fy hun, gan ddifaru na fuaswn wedi casglu mwy at y Genhadaeth Dramor pan oeddwn i'n hogyn yn yr Ysgol Sul yn 'Sbyty.

"Do you believe in God or in Allah?" holodd ymhellach — a medrwn weld fod y dyn yn cychwyn colli'i dempar erbyn hyn.

Wel, dyna ichi gwestiwn od. Toeddwn i erioed wedi clywed am yr hen foi arall hwnnw.

"God, Sir, of course," meddwn.

"Then, you are a Christian," meddai'r dyn gan newid fy ngherdyn ac amneidio arnaf â'i fys imi fynd o'i olwg.

Euthum innau yn fy mlaen yn syfrdan. Am be goblyn roedd y dyn yma'n sôn? Onid oeddwn wedi cael fy nysgu mai 'Un Duw sydd'? Mi fedrwn glywed Mrs Davies, Bod Ifan yn yr Ysgol Sul y funud honno. Ond toedd y creadur bach yna erioed wedi dysgu y pethau hynny. Doedd o erioed wedi canu 'Calon Lân' mae'n siŵr, ac yn saff ichi, fyddai 'na neb yn canu 'O fryniau Caersalem' uwch ei ben pan fyddai'n cael ei gladdu. Dechreuais bitio drosto...

Dyma ni'n mynd drwy'r tollau'n ddigon di-lol ar ôl hynny, ac i ganol tyrfa anferth yn lolfa'r maes awyr — a hynny am bedwar yn y bore! Gwelais rhyw haid o ddeugain o ddynnwyr lluniau a newyddiadurwyr yn dod i'n cyfeiriad gyda'u camerâu a'u padiau ysgrifennu'n barod.

Trois at Thunderbird a deud bod hi'n rhaid bod rhyw bwys-igion ar yr awyren efo ni. Ar hynny dyma'r camerau yn cychwyn fflachio a chlicio, ac edrychais yn ôl i weld pwy oedd yn cael yr holl ffys.

Nefoedd yr adar! Tynnu ein lluniau ni yr oeddan nhw! Wel-soch chi erioed y fath seremoni erioed — mi fasa rhywun yn meddwl bod Brenhines Lloegr wedi glanio. Dyma'r cwestiynnau'n dechrau saethu i'n cyfeiriad:

Beth oedd ein henwau?

Ein hoedran?

Beth oeddan ni'n ei feddwl o Bakistan?

Beth oeddan ni am wneud ohoni yn erbyn brodyr Bholu?

Oedd ganddom ni eu hofn?

Miloedd mwy o luniau, nes i rywun gydio yn fy mraich a'm tywys i lolfa y V.I.P.'s. Llifodd hogia'r wasg i mewn ar ein holau gan ein stido gyda chwestiynnau.

Wedi rhyw hanner awr o'r bwrlwm yma, soniais wrth rywun fy mod wedi blino ac a oedd 'na unrhyw fodd imi fynd i'm gwesty i gysgu. Amhosib! Oeddan ni ddim yn gwybod mai yn Lahore yr oedd y reslo i ddigwydd. ac nid yn Karachi? Byddai'r awyren yn gadael ymhen yr awr!

Siwrnai o awr a hanner oedd yna o Karachi i Lahore, ond awyren fechan oedd yn mynd a ni y tro hwn, ac roedd honno'n edrych fel petai wedi bod drwy'r Rhyfel Byd Cyntaf yn ogystal â'r ail un. Roedd blinder wedi fy nhrechu'n llwyr erbyn hyn, ac nid oeddwn yn hitio'r un botwm corn. Os byddai'r awyren yn disgyn yn ddarnau...wel, dyna fo — disgyn amdani!

Pan gyrhaeddasom Lahore, roedd tyrfa o rai miloedd yn disgwyl amdanom — ac yno unwaith eto yr oedd hogia'r wasg. Rhoddodd y bobl gadwyni o flodau am ein gyddfau — rhyw ddwsin bob un inni, i ddynodi bod croeso cynnes inni.

Yna daeth anferth o ddyn yn ei flaen a chyflwyno'i hun fel Salim Sadig, yr hyrwyddwr. Roedd o'n pwyso pum stôn ar hugain o leiaf, a dechreuodd fy mhennaugliniau grynu. Os mai dim ond yr hyrwyddwr oedd hwn — pa mor fawr oedd y reslars eu hunain tybed?

Eglurodd Salim wrthym nad oedd neb o Brydain wedi ymweld â Pakistan i reslo o'r blaen, ac roedd pobl Lahore i gyd eisiau ein gweld a'n croesawu. Y ffordd orau i wneud hyn, meddai, oedd inni fynd ar gefn y ddau gamel acw a mynd am dro o amgylch y dref.

Mae'n siŵr bod llawer ohonoch wedi bod ar gefn camel erbyn hyn, ond toeddwn i erioed wedi gweld un cyn y foment honno. Roedd y camelod ar eu gliniau gyda chyfrwyon ar eu cefnau, ac yn edrych yn ddigon dof. Eisteddais yn y cyfrwy, rhoddodd rhyw hogyn naid ar wddw'r camel, a dyma fo'n codi... Ac yn codi...Ac yn *dal* i godi. Pan stopiodd o godi, roeddwn i'n meddwl yn siwr 'mod i o leiaf bum troedfedd ar hugain uwch ben y ddaear. Toeddwn i erioed wedi bod ar ddim byd uwch na beic cyn hynny.

Bellach roedd hi'n wyth o'r gloch y bore, a'r haul eisoes yn dyrnu ei belydrau arnom. Aeth y camelod a ni o gwmpas y dref am deirawr. Cynyddodd y gwres yn enbyd, a'r drafnidiaeth yn yr un modd — roedd 'na geir a rickshaws, ychain a ieir, beiciau a mulod yn gweu drwy'i gilydd blith-drafflith. Ond arhosai'r drafnidiaeth inni ym mhobman — y ni oedd piau'r ffordd y bore hwnnw, ac roeddwn yn teimlo fel brenin.

O'r diwedd dyma gyrraedd ein llety'n yr Intercontinental Hotel yn ddiogel, a fûm i erioed, na chynt na chwedyn, yn falchach o fynd oddi ar gefn un dim na mynd oddi ar gefn y camel 'na'r bore hwnnw. Roedd y siwrnai gloncog wedi ysgwyd fy mherfedd i i gyd, ac roedd pob asgwrn fel pe bai wedi'i dolcio.

Yn y gwesty roedd Salim yn ein disgwyl ac yn ein cyfarch yn hapus:

"Sut hwyl gawsoch chi? Wnaethoch chi fwynhau eich hunain? Mae'n siŵr eich bod chi isio bwyd!" — i gyd ar un gwynt.

Bwyd! Y cwbwl roeddwn i ei eisiau oedd fy ngwely — ond wedyn, roedd rhaid trio plesio.

"Be' gymrwch chi — cywion ieir?" holodd Salim.

"Ia, iawn."

"Faint 'dach chi isio bob un?"

"Faint o be?"

"Wel, o gywion ieir, siŵr iawn."

"O, — un bob un."

"Dim ond hynny bach! Mae Bholu a'i frodyr yn bwyta chwech bob un bob tro!"

Brenin y bratia! Unwaith eto fe'm cefais fy hun yn ceisio

dychmygu maint fy narpar-wrthwynebwyr.

Aeth Salim yn ei flaen, yn garedig iawn, i'n hysbysu fod Akram wedi bwyta dafad gyfan ar ei ben ei hun, un tro, ac wedi'i golchi i lawr gyda galwyn o laeth gafr. Chwarddodd y ddau ohonom gan feddwl mai stori gelwydd golau oedd hon, ond yn ddistaw bach, roedd gen i hen deimlad annifyr ei bod hi'n hollol wir. Yna, dywedodd Salim wrthyf mai Akram oedd fy ngwrthwynebydd yn yr ornest y noson honno...

Yn y Stadiwm

PENNOD 18

"Damio, roeddwn i isho
pisiad arall..."

Bump o'r gloch y noson honno, daeth Salim i'r gwesty i fynd â ni i'r Stadiwm. Roedd y ffyrdd yn llawn o bobol yn cerdded, ar gefn beiciau a phob math o anifeiliaid, ac mewn ceir — pob un yn anelu am y Stadiwm. Rhyfeddais pan ddaeth honno i'r golwg — roeddwn wedi dotio'n lân! Roeddwn wedi gweld ac wedi chwarae yn rhai o'r stadiwms mwyaf yng ngogledd Lloegr, ond welais i erioed ddim byd oedd yn cymharu â hon. Mi fuasech wedi medru rhoi Wembley o'r golwg mewn un cornel o'r cae hwn — roedd lle i gant a deg ar hugain o filoedd eistedd yma, heb sôn am y seddau ychwanegol oedd wedi eu rhoi ar y maes ei hun y noson honno wrth addasu'r lle o fod yn gae criced i fod yn fan lle gellid gornest reslo ynddo.

Ac felly, fel y disgrifiais yn y prolog, dyna lle roeddwn toc yn y gornel goch yn wynębu Akram ar ôl i hwnnw wneud ymddangosiad arallfydol. Hwn oedd eilun y dorf; hwn oedd y dyn oedd yn bwyta defaid cyfain — a hwn oedd am fy ngwaed i y foment honno. Doedd 'na ddim modd i mi geisio osgoi fy nhynged. Safai Akram yn ei gornel gyda baner werdd a gwyn Pakistan dros ei ysgwyddau. Safai yn hollol ddigyffro er gwaethaf bonllefiadau'r dorf — fuasai rhywun ddim yn meddwl nad oedd am wneud un dim mwy na mynd am dro bach ar ôl cinio dydd Sul.

Ond doeddwn i ddim eiliad yn llonydd — roeddwn ar bigau'r drain, yn cerdded yn ôl ac ymlaen yn y gornel, yn neidio i fyny ac i lawr, clymu ac ail-glymu criau fy esgidiau, llacio a thynhau llinyn fy nhrons — unrhyw beth heblaw cadw'n llonydd.

Ceisiwn edrych yn ffit ac yn ystwyth. Trïo edrych yn beryg...Damio, roeddwn i isho pisiad arall — a finnau wedi cael deg cyn gadael yr ystafell newid!

O'r diwedd, dyma'r reffari yn ein galw i'r canol:

133

"Ten five minutes rounds, you understand? One fall or a knock out, and you win."

"What about submissions," gofynnais yn ddiniwed.

"Submissions? Submissions — what is this?"

Ceisiais egluro gorau gallwn, ond chwarddodd y dyfarnwr:

"These things we do not have. Akram is fighting for Allah, and he will not, as you say, submit. First, he will die — or you will!"

Daliai'r dorf i weiddi: "Allah Madhat! Allah Madhat!"

Iechyd mawr, tydw i ddim isho marw yn y fan yma, meddyliais. Pe bai'r rhain yn fy lladd, maen nhw'n saff Dduw o fy mwyta i'n fyw, a'm golchi i lawr efo galwyni o laeth gafr!

Dyna'r gloch, a dyma gychwyn. Cychwyn araf — roedd Akram yn wyliadwrus hefyd. Toedd o erioed wedi ymladd yn erbyn dyn gwyn o'r blaen a doedd yntau ddim yn saff beth yn hollol oedd o'i flaen. Yn ystod y rownd gyntaf honno, canfûm ei fod in llawer cryfach na mi, ond doedd o ddim yn gwybod cymaint o symudiadau, diolch i'r drefn.

Yn yr ail rownd, roeddem dal yn gyfartal, ac aeth y gynulleidfa anferth yn fud. Yn y drydedd, roedd o'n cychwyn ennill meistrolaeth ar yr ornest, a dyma'r dorf yn codi i geisio'i ysbrydoli. Iddyn nhw, roeddwn i'n cynrychioli holl ffieidd-dra'r Ymerodraeth Brydeinig, ac Akram oedd eu gwaredwr, yn dial am bob cam a wnaed a hwy fel cenedl. Ymatebodd Akram i'r alwad gan gychwyn fy leinio'n ddidrugaredd.

Erbyn diwedd y drydedd rownd, roeddwn yn meddwl ei bod hi ar ben arnaf. Ond yn y gornel, dyma weld y ddraig goch yr oeddwn i'n ei chario gyda mi i bob man, — dyma feddwl am Gymru, ac am 'Sbyty — a dyma benderfynu y buaswn yn trïo un arall, un dros yr hen fois, achos doedd 'na ddim cachwrs yn fan'no.

Ar ddechrau'r bedwaredd rownd, mi ruthrais allan o 'nghornel a rhoi 'drop-kick' ar en Akram. Uffarn o gic mul oedd honno hefyd — yr orau a rois i yn ystod fy oes, mae'n fwy na thebyg. I lawr ag Akram. Roedd syndod, yn ogystal ag effaith y gic, wedi bod yn gyfrifol am ei lorio — roedd o'n meddwl bod popeth drosodd, ac y buasai gweddill yr ornest yn hawdd iddo, ond doedd o ddim wedi bargeinio mai Cymro oeddwn i. Mwslem oedd o, a Methodist oeddwn innau — ac mae'n rhaid gen i 'mod innau wedi cael nerth o rywle:

"Ond anghofiaswn fod y Nerth
A deimlodd Moses yn y Berth
Yn llosgi eto yn y grug
Heb ddifa'i swyn, heb ddeifio'i sug."

Aeth y dyrfa'n ferw dan. Oedd posib i Akram golli? Oedd,
roedd hi'n edrych bod hynny'n bosib...nac oedd siŵr, meddai'r
lleill — roedd peth felly'n amhosib! Mi roddais fy holl egni i'r
bedwaredd rownd, ond er gwaethaf pob ymdrech, methu â'i
drechu wneuthum i. Erbyn diwedd y rownd honno, roedd fy
nerth yn pallu ac roeddwn wedi chwythu 'mhlwc. Teimlais rhyw
flinder eithafol yn fy llethu — a doedd hi fawr o ots bellach ai
byw ai marw fyddai ei diwedd hi.

"Ymdrechais ymdrech deg" gwaeddais yn uchel ar ddech-
rau'r bumed rownd a phlanu am y gelyn. Yn rhy hwyr y gwelais
Akram yn rhoi naid i'r entrychion. Glaniodd arnaf gyda chic —
roeddwn wedi rhuthro ar fy mhen iddi...

"...eight, nine...OUT!"

Roedd y Cymro dewr wedi'i drechu a toedd y ddraig
ddim i'w chwifio'r noson honno. Yn raddol, deuthum ataf fy
hun yng nghanol y cylch. Cododd y dyfarnwr fraich Akram a
neidiodd hwnnw i'r awyr gan lefain "Allah Madhat! Allah
Madhat!" Neidiodd can mil o Fwslemiaid ar eu traed gan ateb y
waedd gyda bonllefau a barhaodd am funudau cyfan.

Wrth wylio'r dorf, gwyddwn na fuasai dim ond buddug-
oliaeth i Akram wedi eu bodloni nhw'r noson honno. Pe buaswn
i wedi ennill, 'fuasai 'run o 'nhraed i wedi cael mynd allan o'r
cylch hwnnw gan y dorf, a daeth geiriau a glywswn lawer gwaith
gan fy nain yn ôl i'm clustiau, gyda rhyw ystyr newydd yn perth-
yn iddyn nhw erbyn hynny:

"Trwy ddirgel ffyrdd mae'r Arglwydd Iôr
Yn dwyn ei waith i ben."

Roedd yr hen wraig yn llygad ei lle — roedd fy Nuw innau wedi
ennill y noson honno hefyd!

* * * * *

Gan mai dydd Gwener yw dydd gŵyl y Mwslemiaid, dim

ond ar y diwrnod hwnnw yr oeddwm ni yn reslo ym Mhakistan, neu'n cynnal 'cwshti', fel y galwent hwy yr ornest. Buom yn reslo yn Sialkot a Multan, ac yna roeddem yn gorffen ein taith yn Lylpur y Gwener canlynol.

Roedd mwy o 'foreign wrestlers' i fod i ymuno â ni yno meddai Salim, yr hyrwyddwr, a phwy oedd yno'n disgwyl amdanom ond 'King Kong'. (Toes gan y King Kong yma ddim byd i'w wneud â King Kong Kirk, – na'r un King Kong arall o ran hynny.) Emil Kovaks oedd ei enw bedydd, erbyn deall, ac roedd yn gawr o ddyn dros ei chwe troedfedd ac yn pwyso pedair stôn ar hugain.

Yn enedigol o Budapest, Hwngaria, roedd wedi reslo ym mhob congl o'r byd. Ef oedd un o'r dynion galluocaf imi'i gyfarfod erioed – medrai siarad saith iaith. Synnai'n fawr o glywed ein bod yn mynd adref ar ôl bod drosodd am ddim ond mis o amser: "Mae'r wlad 'ma'n ddigon mawr ichi aros yma am flwyddyn heb unwaith orfod mynd yn ôl i'r un dref y buoch ynddi eisoes," oedd ei farn ef.

Cafodd air gyda Salim gan ddweud ein bod yn reslwyr da, a'n bod yn fodlon aros yno am gyfnod hwy o amser – ond bod rhaid i'n cyflog godi i £150 yr wythnos. Roedd hyn tipyn uwch na beth enillai reslwyr ym Mhrydain, ond yn ddim byd wrth gwrs o'i gymharu â maint y cynulleidfaoedd ym Mhakistan. Cytunodd Salim ar unwaith, ac arhosais yno am ddeunaw mis – ar wahân i ambell wythnos yn yr India, Dwyrain Pakistan ac Afghanistan.

Gwlad a luniwyd ar sail rhaniad crefyddol yw Pakistan wrth gwrs – pan enillodd yr India ei hannibynniaeth, deddfwyd ym 1946 bod rhaid rhannu'r Mwslemiaid oddi wrth y Siekiaid a'r Hindwiaid, a gorfu i'r Mwslemiaid fynd i fyw i'r gogledd-orllewin. Hon oedd y rhan dlotaf a sychaf o gyfandir yr India, yn ddiarffordd a heb gyfleusterau da i gyrraedd yno.

Wrth i'r Mwslemiaid geisio cyrraedd yno o bob cwr o'r India, y gyfraith oedd un ychen i bob teulu a dim ond yr eiddo y medrai'r ychen hwnnw ei gario y caent fynd gyda hwy. Yn yr India roedd Bholu a'i deulu o filiwnyddion wedi ennill eu cyfoeth i gyd yn y cylch reslo – ond bu rhaid iddynt adael y rhan fwyaf o'u henillion wrth fynd am Bakistan.

Setlodd y teulu yn Lahore, bymtheg milltir oddi wrth y ffin gyda'r India, a deng mlynedd yn ddiweddarach, roedd y teulu rhyfeddol hwn yn filiwynyddion unwaith eto! Mae eu llwyddiant hwy'n nodweddiadol o lawer o deuluoedd eraill ym Mhakistan — cenedl o gwffiwrs ydi'r rhain, cenedl sy'n mynnu codi 'nôl i'r wyneb, waeth beth sy'n ceisio'u trechu.

O fewn pum mlynedd i sefydlu'r wladwriaeth, roeddent wedi defnyddio afonydd mawr yr Himalayas i ddyfrhau'r wlad, gan agor camlesi anferth, ac erbyn heddiw mae'r tir yn ffrwythlon braf.

Ofn mawr y genedl ydi'r Rwsiaid — maent yn ofni bod Rwsia'n llygadu'r wlad am nad oes gan y pŵer mawr hwnnw yr un porthladd dwr cynnes ei hun, a'r un agosaf at Rwsia yw Karachi. Cymerodd Rwsia gam i'w cyfeiriad wrth feddiannu Afghanistan, ac fel un sydd wedi gweld y miloedd digartref ar y ffin â'r wlad honno yn treulio gaeafau caled mewn pebyll, mi allaf dystio bod yr ofn sydd ym Mhakistan yn un real iawn.

Gwlad sydd wedi egino mewn gwasgfa barhaus ydi Pakistan. Wedi i'r Saeson adael (bu cryn ddathlu yno gyda llaw wedi i'r Gwyddelod ddienyddio Lord Mountbatten — y fo oedd yn gyfrifol am yrru'r Mwslemiaid i'r darn yma o anialwch yn y lle cyntaf), doedd hi ddim yn dda iawn rhyngddyn nhw a'r India. Wedi imi fod yno am rhyw ddeunaw mis, aeth hi'n rhyfel rhwng y ddwy wlad, a phenderfynais ddychwelyd i Gymru. Erbyn hynny roeddwn yn teimlo fy hun yn "hiraethu am fynyddoedd hardd fy ngwlad", a dychwelais adref. Pythefnos oedd hyd y rhyfel, ond er i Salim fy ffonio ambell waith ar ôl hynny, aeth blwyddyn dda heibio cyn imi ddychwelyd yno.

Yn ôl i Bakistan

PENNOD 19

"Mil o bunnau — ac mi wna i ei reslo fo."

Cael ffôn gan Salim yn gofyn oeddwn i'n barod i ddychwelyd yno wnes i. Cytunais innau. Y cwestiwn nesaf oedd a fedrwn i ddod â reslwr pwysau trwm arall yno gyda mi.

Mi roedd gen innau'r union ddyn, sef Klondyke Bill — roedd o'n un o'r "pwysau trwm" go iawn, gan ei fod o'n pwyso deuddeg stôn ar hugain! Roeddwn wedi reslo yn ei erbyn bedair gwaith yn ystod y flwyddyn honno ac wedi dod yn ffrindiau calon efo fo. Hwn fyddai fy mhartner i ym Mhakistan, doed a ddelo.

Hannai Klondyke o Malton yn Swydd Efrog — dim ond

Klondyke Bill yng ngogoniant ei ddeuddeg stôn ar hugain.

138

pum troedfedd, deng modfedd o daldra ydi o, ond bod ganddo anferth o fol, a hwnnw'n galed fel cefn rhaw. O feddwl ei fod yn ddyn mor drwm, mae yn eithriadol o chwim ar ei draed, ac mae ganddo feddwl miniog, addas iawn ar gyfer y gamp.

Ar ôl gadael yr ysgol, aeth i weithio mewn siop groser ym Malton, ond doedd hynny ddim yn gweddu iddo rywsut. Dych-mygwch ddyn deuddeg stôn ar hugain yn gofyn rhyw gwest-iynau fel "Ydach chi isho chwarter o de heddiw, Mrs Smith?" drwy'r dydd, bob dydd!

Yn un ar bymtheg oed, dysgodd gelfyddyd Judo ac yna, yn ddeunaw oed, dechreuodd reslo, ac o'r diwedd roedd yn hapus ei fyd. Os ydach chi'n ddeuddeg stôn ar hugain, mae bron pawb yn natur syllu arnoch chi a'u cegau'n agored a llawer yn eich gwawdio a chwerthin am eich pen. Ond os ydach chi'n ddeuddeg stôn ar hugain ac yn reslwr, mae pethau dipyn gwahanol. Bryd hynny rydych yn rhywun i'w barchu ac i'w ofni.

Mwynhai Klon y parch a ddaeth yn sgîl ei alwedigaeth newydd, ond toedd neb cleniach na fo mewn gwirionedd, ac roedd o'n feddal fel rhyw dedi-bêr mawr pan ddoi hi'n fater o drin plant.

Ta waeth, i ffwrdd â ni am Karachi — roeddwn wedi rhyb-uddio Salim am faint a phwysau fy mhartner, a hefyd wedi'i siarsio i gael hogia'r wasg i'r maes glanio i'n cyfarfod. Roeddwn yn cychwyn dod i ddallt y gêm erbyn hyn ac yn sylweddoli pwysigrwydd hysbysebu.

Ar ôl y strach o gael Klondyke i mewn i ddwy sedd yn yr awyren, llwyddwyd i gyrraedd Karachi yn ddiogel — a hynny am bedwar o'r gloch y bore unwaith yn rhagor. Gwelais ar fy union bod Salim wedi bod wrthi'n ddygn — roedd torf anferth yn disgwyl amdanom, ynghyd â chynrychiolaeth gref o'r wasg. Toedd neb yno wedi gweld unrhyw un tebyg i Klon o'r blaen, a doedd yna ddim pall ar y rhyfeddu tuag ato. Roedd Salim wedi gofalu am glorian ar ei gyfer, a dyma roi y mawr ar honno i brofi i bawb faint roedd o'n ei bwyso. Chwyrlïodd y nodwydd gan daro marc 452 pwys — bonllefau mawr o gymeradwyaeth a dwsinau o gamerau yn fflachio.

Y tu allan i'r maes awyr roedd Salim wedi gofalu am ferlen a thrap i fynd â ni i'n harddangos o amgylch y ddinas. Drwy'r cefn yr aem i mewn i'r trap, ac fel y rhoddodd Klondyke ei bwysau

Wythfed rhyfeddod y byd — Klon yn codi'r ferlen.

ar y stepan, fe saethwyd y siafftiau yn y pen blaen i fyny gan godi'r ferlen i'r awyr gyda hwy!

Dyna ichi olygfa! Klondyke yn dal ei afael yn y trap ac yn ceisio mynd i mewn, a'r ferlen i fyny yn yr awyr yn cicio ac yn methu deall beth oedd yn digwydd. Hwnnw oedd y llun ar dudalennau blaen pob papur newydd yn y wlad drannoeth, ac ar unwaith roedd y genedl gyfan wedi agor eu calonnau i'w dderbyn.

Os cawsom dyrfaoedd mawr o'r blaen, wel mi gawsom ddwbwl y rheiny y tro hwn. Pryd bynnag yr aem allan o'r gwesty am dro bach, byddai tyrfa o rhyw fil o bobol yn ein canlyn o fewn ychydig eiliadau inni fynd drwy'r drws. Roedd pob perchennog caffi allan yn y stryd eisiau inni fynd i'w le o i fwyta — a hynny am ddim wrth gwrs. Roedd pob teiliwr eisiau gwneud crys neu drowsus iddo am ddim...yn wir, roedd pob masnachwr yn fodlon gwneud unrhyw beth inni. Doeddan nhw ddim yn dwp wrth gwrs, oherwydd gwyddent fod ganddynt siawns dda o gael eu lluniau ar dudalennau blaen y papurau yn sgîl hynny! Yn wir, roedd llun Klon yn y papurau bob dydd o'r wythnos am gyfnod — llun ohono'n gwneud rhywbeth rhyfeddach na'i gilydd yn feunyddiol.

"East Pakistan" oedd enw Bangladesh yr adeg honno, ac mi ffoniodd Arlywydd y wlad honno Bholu gan wahodd y reslwyr draw yno. Addawodd roi'r Stadiwm am ddim os aem yno. Ar ôl iddo gysylltu â Salim, Klondyke a minnau, ffoniodd Bholu yr Arlywydd yn ôl a gofyn beth oedd maint y Stadiwm. Digon o le i gan mil oedd yr ateb. Ystyriodd Bholu am ennyd, a nodiodd ei ben — mi wnai y tro ar binsh. Yna gofynnodd i'r Arlywydd anfon deuddeg ticed awyren draw yma. Yn toedd ganddo wyneb fel drws jêl dywedwch! Mi roeddan ni'n cael y Stadiwm am ddim eisoes, ond roedd Bholu eisiau jam arni. Ta waeth, cyrhaedd- odd y ticedi ymhen tridiau, a'r diwrnod canlynol roeddem i ffwrdd ar y 'Bangladesh Airlines', trwy garedigrwydd yr Arlywydd ei hun.

Roeddwn eisoes wedi cyfarwyddo a budreddi ym Mhak- istan — yn arbennig y tu allan i ddinasoedd Lahore a Karachi, ond doedd fan'no'n ddim o'i gymharu â Bangladesh. Mae hon yn un o wledydd tlotaf y byd — mae "beth sydd imi yn y byd?" yn brofiad byw i'r holl drigolion yno. Tomen dail o le ydi Dhaka, a'r safon byw yn druenus. Wedi cyrraedd y ddinas honno, aeth Klon a minnau i lawr i'r orsaf i weld y trenau'n cyrraedd. Deuent yn stribedi, a phob un dan ei sang — y torfeydd yn llifo i'r brif- ddinas i weld y 'cwshti' drannoeth. 'Welais i erioed y ffasiwn olygfa — roedd pobol yn hongian y tu allan i bob cerbyd oedd ym mhob trên.

Drannoeth roedd y Stadiwm yn llawn i'w hymylon, ac roedd yr Arlywydd ei hun yn dod i weld yr ymladdfa. Gosodwyd pedair soffa wrth ymyl y cylch reslo ar ei gyfer ef a'i westeion. Cyrhaeddodd tua thri o'r gloch a chychwynnwyd ar y reslo. Cynhaliwyd pump ar hugain o ornestau amatur i ddechrau — dim ond i gynhesu'r dyrfa fel petai!

Yn ôl y drefn arferol, tynnwyd enwau allan o het i ben- derfynu pwy o'r reslwyr proffesiynol fyddai'n wynebu ei gilydd. Yr enw cyntaf allan o'r het oedd Orig Pehalwan — sef Orig Reslwr. Un enw ac nid dau sydd gan bob Mwslem — mi fedrwch ddych- mygu'r problemau mae hynny'n ei achosi pan maen nhw'n ceisio mynediad i Brydain pan mae rhyw swyddog neu'i gilydd yn gorfod cael hyd i ail enw iddyn nhw i gyd. Yn ôl traddodiad y wlad, wrth ein henwau cyntaf yn unig y caem ein galw, ond roedd- ent hefyd yn defnyddio'r gair 'Pehalwan' (Reslwr) ar ei ôl — ac roedd hi'n fraint fawr cael arddel yr enw hwnnw. Yr ail enw ddaeth o'r het oedd "Y Teigar", sef Jahir, o Fangladesh. Jahir oedd pencampwr ei wlad, a gwyddwn ar fy union bod hon am fod yn ornest galed.

Y gornestau eraill oedd Akram o Bakistan yn erbyn Ajit Suigh o'r India ac Azam o Bakistan yn erbyn Klondyke Pehalwan.

Y fi a Jahir oedd i ymladd yn gyntaf, ac o'r cychwyn sylweddolais bod fy ngwrthwynebydd yn dipyn cryfach na mi. Enillodd y pedair rownd gyntaf yn rhwydd, ond erbyn y bumed, gwyddwn fy mod yn ffitiach nag o, ac os medrwn ddal ati, yna buaswn yn medru'i drechu. Ffactor arall oedd o 'mhlaid i oedd nad oedd Jahir wedi bod allan o'i wlad ei hun erioed, ac felly dim ond techneg gyfyngedig y wlad honno a ddefnyddiai. Roeddwn i, erbyn hynny, wedi trafaelio cryn dipyn ac wedi dysgu sawl gwers fendithiol yn ysgol profiad.

Enillais yr wythfed a'r nawfed rownd yn hawdd, a dyma ymroi iddi o ddifri yn y rownd olaf, ond methu â'i lorio wnes i. Y canlyniad oedd gornest gyfartal, a phan gododd y dyfarnwr fraich dde y ddau ohonom, roeddwn yn hapus iawn gyda fy mherfformiad.

Yn union ar ôl derbyn clod a chanmoliaeth y dorf, neidiodd Jahir i lawr o'r cylch ac aeth yn syth at yr Arlywydd gan ddisgyn ar ei liniau o'i flaen a chusanu'i esgidiau. (Mae hyn yn ddull digon arferol o ddangos parch yng Ngwledydd y Dwyrain — fedrwch chi ddychmygu unrhyw un yn gwneud y ffasiwn beth i'r wrach 'na sy'n ein rheoli ni ar hyn o bryd dwedwch?!)

Dywedodd yr Arlywydd wrtho am godi a gofynnodd beth- oedd ei gais. Cais Jahir oedd cael caniatâd i roi ail-gynnig ar fy nhrechu i.

Erbyn hyn roedd Akram wedi cychwyn ymaflyd yn erbyn Ajit Suigh, ac aeth yr ornest honno ymlaen i'r ddegfed rownd hefyd gyda'r ddau'n gyfartal ar ei diwedd. Curodd Klondyke Azam yn hawdd yn y drydedd rownd.

Clywais wedyn bod yr Arlywydd wedi caniatau cais Jahir, ond roedd yna un broblem fawr, sef ein bwriad i ddychwelyd i Karachi y bore canlynol. Galwodd yr Arlywydd Bholu draw ato gan ofyn a fuasai'n bosib inni aros yno tan y Gwener canlynol. Gofynnodd Bholu am ychydig o funudau i wneud rhai trefniadau. Cyhoeddwyd hynny dros yr uchelseinydd gan orchymyn i bawb aros nes bod yr Arlywydd yn gadael. Eisteddodd y gynulleidfa enfawr i lawr yn ddisgwylgar.

Daeth Bholu at Klondyke a minnau i ofyn os oedd gennym wrthwynebiad i aros. "Tydan ni ddim yn aros yma ar unrhyw gyfrif yn y byd," meddwn innau — y fi oedd yn siarad ar ran y ddau ohonom fel rheol.

"Pam?" holodd Bholu.

"Lle uffernol sydd yma," meddwn. "Rydan ni'n mynd yn ôl i Lundain neu Karachi — mae hynny'n dibynnu arnoch chi."

Roeddwn yn adnabod Bholu yn eithaf da erbyn hyn — ef oedd y bargeiniwr gorau erioed y bûm i'n gwneud busnes efo fo. Mae bargeinio yn ffordd o fyw i'r Mwslemiaid. Os mai £80 roeddan nhw am dalu i chi, yna £50 gynigien nhw. Felly mi fuasai'n rhaid ichi ofyn am gant gan wybod y buasech yn gorfod dod i lawr. Chwarae'r gêm honno yr oeddwn i.

"Wnewch chi aros pe rhown i ganran o'r pres wrth y giât ichi?" oedd y cwestiwn nesaf.

"Na wnawn — does gan y gynulleidfa hon ddim arian, felly 'fedran nhw ddim fforddio dod yma'r wythnos nesaf eto, ac felly 'fedrwn ni ddim bod yn ddiogel y bydd 'na gymaint o arian wrth y giât."

Drwy gyfieithydd, oedd hefyd yn gyfreithiwr, yr oedd Bholu'n siarad â mi gan na fedrai'r un gair o Saesneg — na Chymraeg 'chwaith! Bu'r ddau'n ymgynghori'n ddwys am rai munudau, ac yn y diwedd dyma finnau'n dweud wrth y cyfieithydd:

"Dywed wrth Bholu bod gen i barch mawr iddo ac mai oherwydd hynny y daethom yma i ddechrau arni. Dywed hefyd fy mod yn cytuno i'w gais ar ddau amod, sef bod ein cyflog am yr wythnos yn dyblu, ac yn ail — os oes gan Jahir awydd gornest arall gyda mi, yna rhaid iddo roi £1,000 i lawr yn gefn iddo'i hun."

Chwarddodd Bholu ar ôl clywed y cyfieithiad gan ofyn os oedd gen i fil o bunnau i gefnogi fy hun. Atebais innau cyn gynted ag y medrodd y cyfieithydd gael ei eiriau allan o'i geg:

"Nac oes — mi wyddost · hynny'n iawn. Ond rwy'n fwy na pharod i fenthyca'r arian oddi wrthot ti!"

Gwenodd Bholu gan ysgwyd fy llaw:

"Shwkria, Pehalwan. Shwkria, Pehalwan," meddai, sef 'Diolch, reslwr.'

Aeth Bholu â'r neges at yr Arlywydd a chyhoeddwyd y

byddai reslo'r Gwener canlynol yn ogystal, ac eglurwyd beth oedd ar y rhaglen: 'Reslo Rhyngwladol — Orig o Gymru yn erbyn Jahir, Pencampwr Bangladesh'. Rhwygwyd yr awyr gan floedd y gynulleidfa — mi fuasai rhywun yn taeru ei bod hi'n taranu!

'Chefais i ddim munud o lonydd gan y wasg trwy gydol 'yr wythnos a ddilynodd, ond caem groeso mawr ble bynnag yr aem iddo yma hefyd. Un dydd cafodd Klondyke a finnau a phedwar reslwr arall ein gwadd i ginio i bentref rhyw hanner can milltir y tu allan i Dhaka. Pennaeth y pentref oedd wedi'n gwadd.

Dyma gychwyn mewn dau gar ar hyd ffyrdd pridd heb sôn am darmac yn unlle. Wrth gyrraedd y "pentref", roeddem yn barod am y gwaethaf — a 'chawsom ni 'mo'n siomi. Roedd poblogaeth rhywbeth tebyg i Gaerdydd yn byw yno, — ac adeiladau unllawr, tlodaidd oedd yn y lle i gyd. Mulod ac ychain oedd yr unig ddull o deithio yno, ac roedd geifr drewllyd a hen ieir ym mhobman.

Peth rhyfedd na fuasai 'na foch yma, meddwn wrthyf fy hun, heb ddeall y pryd hwnnw nad ydi Mwslemiaid yn bwyta cig mochyn. Bechod hefyd, — mi fuasai'r lle yma wedi bod yn ardderchog i fagu rhyw ddwy neu dair mil ohonyn nhw.

Cyrraedd tŷ'r pennaeth — nad oedd yn ddim gwell na thŷ neb arall o'r tu allan, ond yn ddigon taclus y tu mewn fel yr oedd y lleill i gyd, mae'n debyg. Sylwais nad oedd golwg o ferched yn unlle — a chefais ar ddeall os oedd dyn y tu allan i'w crefydd hwy yn galw, yna byddai pob gwraig dros ddeg oed yn mynd i ystafell arall o'r golwg, ac yn aros yno nes i'r dieithryn fynd ymaith.

Yn yr ystafell orau yr oeddan ni — carped ar lawr, a rhyw ddwsin o glustogau ar hwnnw wrth ymyl y muriau. Dim arall. Roeddwn i wedi hen arfer a'r steil hwn bellach — hwn oedd y patrwm i'r tlawd a'r cyfoethog yn y gwledydd Mwslemaidd. Erbyn hyn roeddwn wedi dysgu derbyn a pharchu traddodiadau a deddfau pob gwlad yr ymwelwn â hi, ac roedd — ac y mae o hyd o ran hynny — gen i barch mawr yn fy nghalon at y gred Fwslemaidd.

Mae'n wir bod 'na ochr lem iawn i'r grefydd — "llygad am lygad" yw'r egwyddor sylfaenol ynddi. Os cewch eich dal yn dwyn, yna torrir bys oddi ar eich llaw dde; os cewch eich dal yr eilwaith, yna collwch eich llaw dde. Os delir chi y trydydd tro,

144

yna mae'n beryg mai'ch pen chi gaiff y fwyell.

Mae dipyn o stŵr o dro i dro yn y wasg Seisnig ar gownt rhyw Sais druan sydd wedi'i ddedfrydu i'w fflangellu'n gyhoeddus yn un o'r gwledydd Mwslemaidd. Cario cyffuriau neu feddwi ydi'r drosedd fel arfer, ac mae'r Saeson yn ffieiddio at y barbareiddiwch yma. Maen nhw wedi anghofio erbyn hyn sut yr oeddan nhw'n ymddwyn ym mhedwar ban byd pan oedd ganddyn nhw eu hymerodraeth.

Ond yn fy meddwl i, does gennym ddim hawl beirniadu gwlad ddieithr rydym yn ymweld â hi. Rhaid derbyn y cyfan, gan barchu yr iaith, y deddfau a'r traddodiadau sy'n perthyn i'r wlad honno.

Ni chlywir yr un Mwslem byth yn dweud "Wela i chi 'fory". Na, — "Wela i chi 'fory, Insallah" ydi hi bob tro, sef "drwy ewyllys Allah". Maent yn rhoi'r dyfodol yn gyfangwbl yn nwylo eu Duw — mae ganddynt eu gobeithion personol, wrth gwrs, ond gan Allah mae'r hawl i benderfynu. Bydd y Mwslem yn gweddïo bum gwaith y dydd — 'does wahaniaeth lle maen nhw na beth maen nhw'n ei wneud: pan ddaw hi'n amser gweddïo, maent yn rhoi'r gorau i bob dim ac yn wynebu Mecca a gweddïo.

Mae'n arferiad i lawer ohonyn nhw bererindota i Mecca bob blwyddyn, ac ym 1983 cafodd cyfaill i mi — Sadique, sydd o gefndir Mwslemaidd, er ei fod yn Anghrediniwr erbyn hyn, — ffôn gan gyfeillion yn Mecca yn dweud bod ei fam ar goll yno. Mae tua deng miliwn o Fwslemiaid yn mynychu'r ddinas sanctaidd bob blwyddyn, ond er mor ofer yr ymddangosai ceisio cael hyd i un wraig yng nghanol tyrfa o'r fath, daliodd Sadique awyren i Mecca. Dioddefai ei fam gan gloffni'r gowt, ond roedd yn wraig wylaidd iawn ac ni fuasai'n meddwl gofyn am gymorth neb.

Y tro hwn roedd y wraig wedi mynd i mewn i fosg i weddïo am iachâd, ac ymhen hanner awr yr oedd yn holliach — ac roedd mor ddiolchgar nes ei bod wedi penderfynu aros yn y mosg a dal ati i weddïo. Bu yno am dridiau yn yfed dim byd ond dŵr y mosg. A'r hyn sy'n rhyfedd i Sadique gychwyn chwilio amdani drwy fynd o'r naill fosg i'r llall. Yn y drydedd fosg yr aeth i mewn iddi — ac mae cannoedd ohonynt yn Mecca wrth gwrs — y cafodd o hyd i'w fam!

Wel, yn ôl â ni at aelwyd Fwslemaidd y pennaeth yn y pentref arbennig hwnnw. Unwaith yr oeddem yn ei barlwr, gwahoddodd ni i eistedd ar ei glustogau, yna daeth â choffi Twrcaidd inni i gyd. Dyna ichi beth drwg ydi hwnnw — yn gryf ac yn dew fel mwd, ond roedd rhaid ceisio ei yfed er mwyn plesio.

Ar ôl rhyw chwarter awr, daeth dau ddyn i mewn yn cario y plât mwyaf a welsoch chi erioed. Ar y plât roedd rhyw anifail wedi'i goginio ac wedi'i osod ar ben tomen o reis.

Dim ond y ni — y chwe reslwr — oedd yn eistedd; roedd 'na rhyw ddeg arall yn yr ystafell, ond roedd y rheiny'n sefyll. Traddodiad y wlad yw bod gwesteion yn bwyta yn gyntaf, ac yna pawb arall yn cael tamaid ar ôl iddyn nhw gael eu digoni. Felly dim ond un ar bymtheg oedd yn yr ystafell — ond roedd digon o fwyd o'n blaenau i borthi'r pum mil.

Ar ôl rhyw bum munud, trois at Ajit Suigh, oedd agosaf ataf, a gofyn yn ddistaw:

"Beth sy'n digwydd nesaf?"

Yr ateb oedd mai Klondyke oedd i fod i ddechrau arni gan ei bod hi'n weddol amlwg mai y fo oedd y bwytawr mwyaf. Rhoddais innau bwniad i Klon a dweud wrtho am blannu iddi.

"But I can't," meddai hwnnw. "I haven't got a knife and fork."

Trois yn ôl at Ajit ac esbonio'r broblem. Chwarddodd hwnnw nes bod y lle'n siglo, yna plygodd ymlaen a gofyn caniatad Klondyke i ddechrau. Wedi'i gael, dyma fo'n llarpio darn o'r anifail a'i roi ar ei blat ac wedyn yn rhoi dwy lond llaw o reis ar ei ben.

Rhoddodd fy stumog dro, ond llwyddais i roi pwniad arall i Klon iddo yntau wneud yr un peth. Yna trois yn ôl at Ajit a gofyn sut flas oedd yna ar y ddafad.

"Its not a sheep — its a goat," oedd yr ateb. Rhoddodd fy stumog ddau dro fel arall, a chodais a mynd allan i gael chwydfa reit dda.

Draw i Wledydd yr Olew a'r Aur

"Doedd yr un o'r brodyr yn medru ysgrifennu'i enw..."

O'r diwedd daeth dydd Gwener — diwrnod gorffwys i bawb arall, ond diwrnod gwaith i ni. Dywedai pawb bod rhagolygon am dyrfa dda i'r ornest hon eto, ac yn wir erbyn cyrraedd y Stadiwm, gwelsom bod mwy o dyrfa yno na'r wythnos cynt hyd yn oed. Sylweddolais ar fy union fy mod wedi gwneud camgymeriad drwy beidio â derbyn y cynnig am ganran o'r arian a dderbynnid wrth y giât. Wnes i fyth 'mo'r camgymeriad hwnnw yng ngwledydd y Dwyrain ar ôl hynny — canran amdani bob tro, gan fod tyrfaoedd mor anhygoel yno.

Yn yr ornest olaf yr oedd Jahir a minnau i wynebu'n gilydd. Hen arwydd drwg oedd hwnnw i mi — fy nghas safle, fel y gwyddoch i gyd erbyn hyn. Roedd gen i ddwyawr i chwarae efo 'modiau ac i gnoi 'nwinedd...beth oedd yn bod ar fy mhen i'n rhoi mil o bunnoedd ar ganlyniad yr ymladdfa!

Bu Klondyke yn fuddugol yn erbyn Goga Pehalwan, ac o'r diwedd roedd yr amser wedi dod i minnau gamu i'r cylch. Dechreuodd yr ornest yr un fath â'r un flaenorol gan fod Jahir dal yn gryfach na mi er gwaetha'r ffaith 'mod i wedi bwyta fy siâr o'r hen afr honno yn y diwedd.

Ond, yn ôl yr un patrwm, roedd yn cychwyn chwythu'i blwc erbyn y bumed rownd. Y tro hwn, gadewais iddo ddal i gael y llaw uchaf arnaf yn hytrach na gwrth-ymosod. Fo enillodd y bumed rownd o filltiroedd. Roedd yn dal i fy leinio yn y chweched, ac erbyn hyn roedd y dyrfa yn berwi wrth weld ei harwr yn meistroli'r dyn gwyn. Credent i gyd mai dim ond mater o amser oedd hi mwyach.

Roeddwn yn dal i ddisgyn ar y mat fel sach datws yn y

seithfed rownd hefyd. Un...dau...tri...yna codi. Clec arall. Un...
dau...tri...pedwar... 'Nôl ar fy nhraed, ond roedd hi'n edrych
fel petai hi wedi hen ddarfod arna' i. Lawr â fi unwaith yn rhag-
or... Un...dau... ...saith...wyth... Bang! Fel ergyd o wn, roeddwn
ar fy nhraed. Neidiais i'r awyr gan lanio cic mul o dan gliced ei
ên o. Roedd yr amseru'n berffaith. Gwyddwn na chodai. Roedd
fy nghynllun wedi gweithio.

Aeth y dyrfa'n fud tra bod y dyfarnwr yn cyfrif at ddeg
mor araf ag y medrai. Unwaith y clywais 'Deg', neidiais ar raff
ganol y cylch gan godi fy mraich dde a gweiddi: "Cymru am
Byth!" Gan fod y lle mor arswydus o dawel, clywodd pawb fy
nghri.

"Seinier hwy o ben y bryniau
I awelon mwyn y nen
Nes atseinio'r hen fynyddau
Glodydd enwog Gwalia wen,
Cluded yr awelon balmaidd
Dy angylaidd glodydd glân,
Canaf innau hen alawon
Melys mwynion Gwlad y Gân."

Yn yr awyren ar y ffordd yn ôl i Bakistan, talodd Bholu y
mil o bunnoedd imi. Gofynnodd imi sut yr oeddwn mor saff

fy mod am drechu Jahir o'i wynebu am yr eilwaith. Eglurais nad oedd Jahir na minnau wedi ceisio glanio'r un cic mul o gwbwl yn ystod ein hymrafael cyntaf. Fy marn oedd na wyddai am y tric hwnnw o gwbwl. Ychwanegais ei fod o yn saff o gofio amdano o hyn ymlaen!

Gwenodd Bholu gan ddweud na fuasai wedi bodloni imi fentro mil o bunnoedd — o'i arian ef! — ar yr ornest, oni bai ei fod yntau'n gwybod hefyd y buaswn yn ei guro. Roeddwn uwch ben fy nigon — fy unig ofid oedd nad oedd neb o Gymru yno yn fy ngwylio'n cario'r dydd tros fy ngwlad.

Yn yr Airport Hotel yn Karachi yr oeddem yn lletya erbyn hyn — llecyn dipyn distawach na chanol y dref. Pan gyrhaeddsom yn ôl o Bangladesh, gwelsom bod criw o Saeson yno yn hedfan awyren gargo yn ddyddiol o Rwsia i'r India. Gweithio o faes awyr Stanstead yn Lloegr yr oeddan nhw fel rheol, yn cludo ceffylau ac ati i'r Ariannin. Ond ers rhyw wythnos roeddent yn hedfan i Rwsia bob dydd, codi llwyth o ddefaid o'r fan honno, eu hedfan i'r India a'u dadlwytho, ac yna hedfan yn ôl i Karachi bob gyda'r nos.

Rhodd gan Rwsia i bobl yr India oedd y defaid, ond am ryw reswm ni châi'r awyren aros yn Rwsia nac yn yr India dros nos, ac felly defnyddient y maes awyr agosaf, sef Karachi. Roedd dau Rwsiad yn gorfod bod gyda hwy'n barhaol er mwyn iddynt gael mynediad i mewn i Rwsia. Doedd yr un o'r ddau'n medru 'run gair o Saesneg, ond roeddent yn dychwelyd gyda dwy botelaid o fodca cryf bob nos, chwarae teg iddyn nhw. O ganlyniad roedd Klon a minnau, y chwech oedd yn hedfan yr awyren, a'r ddau Rwsiad yn cynnal parti mawr bob nos. Neb yn talu am ddim a phob un wrth ei fodd. Aeth hyn yn ei flaen am chwe wythnos.

Yn y cyfamser roedd Salim wedi bod yn ein pennau i fynd gydag ef a phump o frodyr Bholu i'r Dwyrain Canol am fis, yn hytrach na mynd adref yn ôl ein bwriad. Canmolai Salim y lle i'r entrychion — ond roeddem yn cymryd pinsiad o halen efo'i froliant o erbyn hyn gan ei fod wedi dweud cymaint o storïau fel hyn wrthym o'r blaen.

Roeddwn wedi gweld y maes awyr yn Dubai eisoes — a'r unig beth a wyddwn am y wlad oedd ei bod hi'n anhygoel o boeth yno. Toeddwn i prin wedi clywed am y gwledydd eraill rheiny — Barhain, Abu Dhabi, Alain a Quatar. Buom rhwng dau feddwl am sbel — un goes eisiau mynd adref, a'r llall eisiau dal ati i grwydro. O'r diwedd, penderfynu mynd "rhag ofn na chaem y cyfle eto".

Yn yr awyren ar y ffordd i Dubai, canfyddais rhywbeth rhyfedd iawn. Wrthi'n llenwi'r cardiau 'passport' arferol yr oeddwn i, pan ddaeth Aslam draw ataf. Rhoddodd bum cerdyn arall imi — ei un o a rhai ei frodyr, — gan ofyn imi eu llenwi drostynt. Gwneuthum hynny, a phan gefais air o'r neilldu gyda Salim ar ôl cyrraedd Dubai, cefais yr esboniad ganddo.

Dywedodd mai reslwr o'r enw Imam Bux oedd eu tad, ac mai reslwr o'r enw "The Great Gamma" oedd eu taid. Nid oedd yr un o'r brodyr wedi cael diwrnod o ysgol erioed, gan eu bod yn gwybod ers pan oeddent yn ddim o beth mai reslwyr fydden nhw ar ôl tyfu i fyny. Nid oedd hi'n gyfraith gwlad i bawb fynychu'r ysgol bryd hynny, ac os nad oedd rhieni am weld eu plant yn mynd yn athrawon, clercod, cyfreithwyr neu fancwyr, yna nid oeddent yn trafferthu eu danfon i gael addysg ffurfiol.

O ganlyniad, derbyn eu gwersi ar y pyllau tywod wnaeth Bholu a'i frodyr — roeddent yn medru reslo cyn medru cerdded yn ôl yr hanes.

Daeth yn deulu poblogaidd a chyfoethog, ac er nad oedd yr un ohonyn nhw'n medru ysgrifennu'i enw hyd yn oed, roedd hi'n amhosib i neb eu twyllo na chael y gorau arnynt wrth geisio taro bargen.

Rydw i wedi crybwyll wrthoch chi'n gynharach bod Bholu yn fargeiniwr heb ei ail, ac mae'r stori fach nesa' 'ma'n cadarnhau hynny.

Daeth dyn o Lylpur i Karachi un diwrnod gan grefu ar Bholu i fynd â'r tîm reslo i'w dref ef gan fod rhagolygon da yno am anferth o dorf. Dywedodd fod brwdfrydedd mawr yn yr ardal ynglŷn â'r "cwshti" ac roedd arbenigwyr diguro ar y grefft ganddyn nhw yn lleol.

Ar ôl deuddydd o fargeino caled, trawyd y fargen a chytunodd Bholu i fynd â Klondyke, Akram a minnau i Lylpur drannoeth a byddem yn reslo yn erbyn y cewri lleol ar y dydd Gwener a'r dydd Sadwrn canlynol.

Cytunodd Bholu i'r tîm lleol gadw arian y "giât" ar y noson gyntaf, ac yna roeddem ninnau i gael yr arian a dderbynid ar y nos Sadwrn.

Fel y gwyddoch chi, arferai'r Saeson adeiladu llawer o drefi yn y gwledydd tramor ar siâp baner yr 'Union Jack' pan oeddan nhw'n rheoli'r gwledydd hynny. Mae Lylpur yn un o'r trefi hyn — mae'r trigolion wedi newid enw'r lle i Islamabad erbyn heddiw.

Pan gyrhaeddon ni'r dref, roedd posteri ym mhobman — fedrech chi ddim troi heb weld poster, ac roedd awyrgylch carnifal drwy'r dre. Yng nghanol y dref roedd modelau deg troedfedd o bob un o'r reslwyr, a'r rheiny wedi eu peintio — hysbysebu penigamp, chwarae teg iddyn nhw.

Cychwynnai'r reslo yn brydlon am chwech o'r gloch, — hynny yw, — yn ôl y posteri — ond fel arfer, roedd pethau ar ei hôl hi. Doedd bod ddwyawr yn hwyr yn ddim byd newydd yn y rhan honno o'r byd, ond y tro hwn aeth dwyawr yn deirawr. Euthum draw o'r ystafell newid i'r swyddfa'r swyddogion i edrych beth oedd achos yr oedi.

Yno roedd Bholu yn clebran hefo'r bobol leol. Roedd 80,000 o bobol yn disgwyl yn amyneddgar y tu allan, ond roedd fy ngwas i wedi newid ei feddwl — roedd o eisiau derbyn pres y noson gyntaf erbyn hyn ac mi gâi'r bobol leol yr arian i gyd ar y noson ganlynol.

Y rheswm wrth gwrs, meddai o wrthyn nhw, oedd ei fod o wedi gweld y reslwyr lleol ac fe wyddai o'n iawn y byddan nhw'n rhoi cweir iawn i'w reslwyr o. Oherwydd hynny, mi fyddai mwy fyth o dyrfa yno yn gwylio'r reslo ar y noson ganlynol. Roedd y fargen a gynigiai felly yn un arbennig o dda i'r bobol leol, meddai Bholu.

O'r diwedd dyma gytuno, ac aeth y noson rhagddi. Curodd Klon ei wrthwynebydd yn hawdd. Disgynnodd distawrwydd mawr fel mantell oer dros y stadiwm. Enillodd Akram ei ornest ef gyda llai fyth o ymdrech — aeth y distawrwydd yn ddistawach os oedd hynny'n bosibl. Mazar Hassan-Dâr, y pencampwr lleol, oedd fy ngwrthwynebydd i — roedd hwn yn reslwr arbennig o gryf. Yn ôl chwedl leol, medrai gario bustach ar ei gefn, a hwnnw'n fustach llawn maint, cofiwch chi.

Mi ganfyddais i ar fy union ei fod o yn ddyn neilltuol o gryf, ond canfyddais hefyd nad oedd ei ddawn o ar y cwshti ddim yn rhyw aruthrol iawn. Un o'r prif gampau wrth reslo ydi llwyddo mynd y tu ôl i'ch dyn. Triwch chi hyn rhyw noson hefo rhywun yr un maint â chi — tydi hi ddim yn gamp hawdd os ydi hwnnw'n gwneud ei orau i'ch rhwystro chi.

Roeddwn i wedi hen feistroli'r gamp honno erbyn yr

adeg honno, ac roeddwn yn medru ymosod ar y dyn cryf o'r tu ôl bob gafael. "Os nad wyt gryf, bydd gyfrwys" medd yr hen air — ac felly y bu hi, ac fe'i trechais yn llwyr yn y bumed rownd.

Roedd y distawrwydd yn llethol bellach — chlywais i erioed y fath ddistawrwydd. 80,000 o bobol yn hollol fud — roedd o bron iawn â 'myddaru i. Doedd y bobol hyn erioed wedi arfer colli, a dalient i eistedd yn eu seddau yn hollol syfrdan.

Ar ôl rhyw ddeng munud o'r distawrwydd yma, daeth llais dros yr uchelseinydd i gyhoeddi y byddai 'cwshti' yno'r noson ganlynol yn ogystal, ac y byddai'r "hogiau lleol yn siŵr o orchfygu" eu gelynion y tro nesaf. Roedd eisiau i bawb fynd adref a chofio dychwelyd drannoeth, ac yn y cyfamser gofynnodd iddynt i gyd, bob wan jac, i weddïo ar Allah i roi nerth o'r newydd i'r reslwyr lleol.

Rhoddais innau rhyw weddi bach i Dduw'r Hen Gorff i'm helpu innau, — ond chwarae teg, beth oedd un weddi yn erbyn 80,000? Cysgais gwsg y cyfiawn y noson honno beth bynnag, ond tua chwech o'r gloch y bore cefais fy neffro gan Akram. Roedd ei fys ar ei geg a siarsiai Klon a minnau i ddod gydag ef yn ddistaw. Aethom ar ei ôl, heb syniad ble'r oeddem yn mynd.

Allan â ni ac roedd Bholu y tu allan yn ein disgwyl mewn bws mini. Edrychais arno yn syn, gwenodd gan roi ei fys ar ei geg gan sibrwd, "Karachi". Gwawriodd arnaf yn araf nad oedd dim "nos yfory" i fod — roeddan ni am ei bachu hi oddi yno. Eisteddai Akram a Bholu yn seddau blaen y bws, a Klon a minnau yn y cefn. Sylwais bod sach fawr rhwng y ddau frawd, ac wrth i ni deithio am Lahore, fedrwn i ddim llai na sylwi bod y sach hon yn cael parch mawr. Ar ôl rhyw ugain milltir o ddreifio mewn distawrwydd, dywedyd wrth y dreifar am aros er mwyn inni gael ateb galwadau natur. Allan â Bholu ac Akram a thros y clawdd — ond gan ofalu mynd â'r sach hefo nhw.

Toc, dyma nhw'n eu holau, a'r sach hefo nhw. Nôl i'w seddau, a'r sach rhyngddyn nhw unwaith yn rhagor. Ugain milltir ymhellach dyma aros mewn caffi ar ochor y ffordd — caffi llawn pryfed oedd hwn, yn ôl arfer y wlad honno. Chwe ŵy wedi ei ffrio hefo pryfed a dim arall oedd y brecwast gawsom yng nghanol yr anialwch y bore hwnnw.

Ar ddiwedd y brecwast anrhydeddus dyma Bholu yn nodio ar Akram i dalu. Toedd Bholu — fel pob brenin — byth yn cario arian sychion ei hun. Digwyddais sylwi ar Akram yn tynnu papur 100 Rupies allan o geg y sach ar ôl ei hagor rhyw hanner modfedd.

Toeddwn i ddim wedi meddwl dim am y sach nes gweld cymaint o barch a gawsai ar y bws, a'i bod wedi cael lle rhwng y ddau frawd yn y caffi. Yrŵan dechreuais feddwl: "Beth sydd yn hon, ys gwn i? Tydi hi erioed yn llawn o arian? — Nac ydi, amhosibl!"

Rhoddodd Akram y newid yn ôl yn y sach. Lle od i gadw newid mân, meddyliais. Ymlaen â ni am Lahore. Buom yn tîn-droi yn y fan honno gan golli'r awyren gyntaf, ond roeddem yn y maes awyr mewn da bryd i ddal yr un nesaf am unarddeg o'r gloch. Wedi holi, canfuom bod honno'n llawn — ond 'wnaeth Bholu ddim cynhyrfu dim. Anfonodd am brif ddyn y maes awyr a dweud wrtho am dynnu pedwar o bobol oddi ar yr awyren er mwyn gwneud lle i ni.

Meddyliais bod Bholu wedi cychwyn colli arni — fedrwn i ddim ond dychmygu sut fuasai hi petawn i'n trïo gwneud hynny yn Heathrow. Ond fel y digwyddodd hi, dyma'r dyn yn tynnu pedwar o bobol oddi ar yr awyren heb droi blewyn, ac fe gymerson ninnau eu seddau hwy. Dyna i chi fesur o faint dylanwad Bholu.

Cafodd y dyn y tu ôl i'r ddesg ein paciau er mwyn eu llwytho ar yr awyren — gafaelodd yn ein cêsus a'u towlu y tu ôl i'w ddesg. Roedd Akram yn siarad â rhywun ar y pryd. Yn sydyn dyma fo'n rhoi naid yn glir dros y cownter a chrafangu am y sach oedd wedi cael ei thowlu yno gyda gweddill y bagiau. Eglurodd bod y sach yn dod i fewn i'r awyren efo nhw.

Ffwrdd â ni am yr awyren, a chŷn cyrraedd Karachi, euthum at Bholu a chyda gwên gofynnais iddo beth oedd pwysigrwydd y sach. Dim ateb.

"Ga' i ddyfalu?" holais.

"Cei."

"Arian y giât, neithiwr?"

Nodiodd ei ben a rhoi ei fys ar ei geg.

"Tydw i erioed wedi gweld llond sach o arian," mentrais, "ac mae'n debyg na chaf i byth mo'r cyfle eto. Oes 'na bosib i mi gael un cip bach arni ar ôl cyrraedd Karachi?"

Gwenodd y Cadfridog.

Ar ôl cyrraedd Gwesty'r Maes Awyr yn Karachi, dyma'r ddau i mewn i'n stafell ni a dywedodd Bholu wrth Akram am agor ceg y sach. Dwn i ddim os oes unrhywun ohonoch chi wedi gweld llond sach o arian papur, os nad ydach chi, — mae hi'n olygfa gwerth ei gweld, coeliwch chi fi!

Nid sach fechan tebyg i sach lo oedd hon, ond o'r un

maint â sach wenith ers talwm, ac roedd hi wedi'i stwffio'n llawn dop â rupies.

"Un cwestiwn arall," gofynnais. 'Pam y gwnaethoch chi ddianc ar ôl y noson gyntaf a chithau wedi addo cynnal ail noson?"

"Gwyddwn yn iawn y buasen ni'n eu trechu nhw'n hawdd," meddai Bholu, "ac felly ni fuasai neb eisiau dod i weld y cwshti ar yr ail noson."

Rhoddodd ei law yn ngheg y sach a chydiodd mewn dyrnaid o bapurau gan eu rhoi i mi. Gwnaeth hyn eilwaith gan roi'r dyrnaid i Klon y tro hwn. Gadawodd yr ystafell heb air ymhellach. Ar ôl cyfri, roedd anrheg Klon yn werth £748, a chefais innau £803. Mewn unrhyw wlad arall, mi fuasai Bholu yn y jêl am wneud yr hyn a wnaeth, ond doedd neb yn meiddio rhoi bys arno yn y Punjab.

Bholu — miliwnydd ddwywaith mewn oes, ac arwr mawr y Mwslemiaid.

* * * * *

Drannoeth ar ôl glanio yn Dubai, daeth Salim ataf gan ddweud wrthyf ei fod am ddangos golygfa ryfedd imi. Aeth â fi i brif swyddfa y National Bank of Credit and Commerce, sef prif fanc Pakistan. Aethom i mewn i swyddfa Mohammad Sadique, sef pennaeth yr holl ganghennau oedd gan y banc yn y Dwyrain Canol. Yno, gwelais olygfa a'm syfrdanodd.

Eisteddai Sadique wrth ei ddesg gyda phentyrrau o lyfrau o docynnau reslo o'i flaen. Roedd cynffon hanner milltir o hyd o bobol i'w gweld drwy'r drws allan — pob un yn awyddus i brynu tocyn ar gyfer y reslo, a phwy oedd yn gwerthu'r tocynnau ond y dyn ei hun! Pennaeth y banc yn y Dwyrain Canol yn gwneud joban pwt o glerc! Fedrwch chi ddychmygu Pennaeth y Banc of England yn gwerthu tocynnau Wembley o'i swyddfa ei hun!

Winciodd Salim arnaf gan ddweud bod Mwslemiaid yn credu mewn cynorthwyo'i gilydd. Ys gwn i sut groeso gawn i yng Nghymru petawn yn mynd at reolwr banc a gofyn iddo fy nghynorthwyo i werthu ticedi!

Y broblem fawr yn y Dwyrain Canol oedd cael caeau digon mawr — ac roedd hon yn broblem ddieithr iawn i mi. Yr hyn nad oeddwn wedi'i sylweddoli oedd ein bod y tu allan i ffiniau'r hen Ymerodraeth Brydeinig erbyn hyn — ble bynnag y bu honno, mi all'sech fentro bod 'na lawer o stomp ar ei hôl hi, fawr iawn o drefn ar ffyrdd, ysgolion ac ysbytai ac ati — ond roeddach chi'n saff dduwcs o gael un peth safonol, sef stadiwm fawr urddasol o amgylch cae criced. Ffordd y dyn gwyn o gael y dynion tywyll i redeg ar ôl peli iddyn nhw oedd hyn i ddechrau, — ond mae hynny wedi newid erbyn hyn hefyd, wrth gwrs!

Ta waeth, doedd gan yr Arabiaid ddim amynedd â'r fath ffolineb — a phwy all eu beio nhw a hwythau'n byw tan haul tanbaid y Dwyrain Canol. A dweud y gwir, ychydig iawn o ddidd-ordeb a ddangosai'r Arab mewn un dim. Oni bai am y gangiau o labrwrs a ddeuai yno i weithio o'r India, Pakistan ac Iran, wn i ddim beth fuasai hanes y lle. Ac o blith y mewnfudwyr hyn y caem ni ein cynulleidfa.

Mae wedi newid byd yno erbyn hyn, ond bryd hynny, cae pêl droed a ddaliai bymtheg mil oedd y peth gorau y medrem gael gafael arno. Deg troedfedd yn unig oedd uchder y waliau, ac felly llifodd llawer i mewn am ddim. Er hynny, buom yno am rhyw fis, ac rwyf yn dal i ddychwelyd i'r Dwyrain Canol yn gyson, ac yn cael derbyniad gwresog iawn yno.

Ers 1978 rwyf wedi cychwyn mynd i wlad hollol newydd i mi yn y rhan honno o'r byd, sef Swltaniaeth Oman. Llythyr gan rhywun o'r enw Verghese yn fy ngwadd i a phedwar reslwr arall i fynd yno oedd y tro cyntaf i mi glywed am y lle Byddaf yn cael llythyrau o'r fath o bedwar ban y byd yn rheolaidd gan bob math o bobol. Gwastraff amser ydi'u hanner nhw, ond mi fydda i'n ateb bob un, ond byth yn cytuno i fynd i unlle heb gael sgwrs ar y ffôn â'r dyn y pen arall yn gyntaf. Sgwennais at Verghese gan esbonio'r telerau a dweud wrtho am fy ffonio. Ymhen ychydig ddyddiau cefais alwad ffôn ganddo yn dweud bod y telerau'n dderbyniol ac yn gofyn inni fynd yno ymhen pythefnos, aros am ddeng niwrnod, ac y byddai ef yn danfon ticedi inni trannoeth.

Bu'n driw i'w air a chyn hir roeddem yn glanio ym Muscat, prifddinas Oman. Erbyn cyrraedd yno dyma gael ar ddeall nad oedd y reslwyr o India a Phakistan wedi cyrraedd. Wedi methu cael 'fisas' yr oeddan nhw — mae Oman gyda'r wlad galetaf yn y byd i gael mynediad iddi. Roedd pedwar reslwr yn eistedd yn y maes awyr yn Karachi, a phedwar arall yn Bombay yn disgwyl am ganiatâd i fynd i Oman.

Doedd dim amdani ond disgwyl. Buom yn disgwyl dridiau. Ond o'r diwedd dyma gael dechrau ar y twrnament. Mewn stadiwm fechan wedi'i hadeiladu'n bwrpasol yr oeddem yn reslo — roedd yno dair mil yn gwylio bob nos am ddeng noson. Bu'r cyfan yn llwyddiant mawr, ac arwyddais gytundeb yn y fan a'r lle i fynd yno deirgwaith y flwyddyn, ac mi rydw i'n dal i fynd yno hyd heddiw.

Mae'r wlad yn cael ei rheoli'n llwyr gan un dyn, sef y Swltan Quaboos, ac mae'n gwneud hynny'n llwyddiannus iawn. Yn ystod teyrnasiad ei dad y darganfuwyd olew yno, ac yn naturiol golygodd hynny newidiadau mawr yn y wlad. Anfonwyd Quaboos i Loegr i dderbyn ei addysg ac aeth yn ei flaen i Rydychen lle graddiodd yn anrhydeddus iawn.

Pan ddychwelodd, roedd wedi cael profiad o fywyd gorllewinol ac roedd ei syniadau'n llawer rhy ddieithr i hen ddull ei dad o lywodraethu. Bryd hynny, 'chaech chi ddim hyd yn oed gwisgo sbectol haul yn Oman. Gan fod ei syniadau mor od, carcharwyd y mab gan ei dad a bu yn ei gell am dair mlynedd.

Yn y diwedd llwyddodd i gael llythyr allan i'w ffrindiau yn Rhydychen gan ofyn iddynt drefnu 'coup' i gael gwared ar ei dad.

Trefnwyd a chyflawnwyd hynny yn fuan iawn, a dyna sut y daeth y Swltan Quaboos yn rheolwr. Mae ei dad yn byw hyd heddiw mewn fflat arbennig yng ngwesty'r Hilton yn Llundain.

Lle bach oedd Muscat ym 1978, ond erbyn heddiw mae traffyrdd ac adeiladau mawrion yno, a bu rhaid symud y maes awyr er mwyn gwneud lle i'r ddinas ehangu. Does dim yn y ddinas, dim ond tywod — dim blodau, dim glaswellt na dim byd arall.

Ond rhyw wyth gan milltir o Muscat, ger y ffin ag Yemen, mae tref o'r enw Sulalah sy'n wyrth o le. Mae yno flodau a choed a ffrwythau a phorfa las — a'r cyfan yn ynys werdd yng nghanol diffeithwch llwyr ar bob llaw. Am ryw reswm, mae dŵr yn tarddu yno, gan roi inni fyd hollol wahanol ar ei union.

Yn Oman y gwelais i rasus camelod am y tro cyntaf — a dyna ichi olygfa ydi honno. Ras dros bum milltir fel arfer ac mae'n werth i'w gweld gan fod y camelod mor fawr ac yn medru symud mor gyflym. A rhaid cyfaddef mai dipyn o gamel fûm i am nifer o flynyddoedd — yn byw allan o'r bag oedd gen i ar fy nghefn ac yn symud o fan i fan byth a beunydd. Bythefnos ar ôl dychwelyd o Oman y tro cyntaf hwnnw, daeth galwad arall — a'r tro yma mynd i Affrica yr oeddem ni. Hwn oedd ein hymweliad cyntaf â'r Cyfandir Tywyll.

Sierra Leone

PENNOD 21

"...a miliwn o bunnoedd iddo fo'i hun."

Anelu am Sierra Leone yr oeddem y tro hwn — gwlad brydferth gyda choedwig yn gorchuddio'r rhan fwyaf ohoni. Wrth lanio, dyma weld rhesi ar resi o gytiau sinc oddi tanom, a dyma finnau'n dweud wrthyf fy hun ei bod hi'n amlwg nad Mwslemiaid oedd yn byw yma, gan eu bod nhw'n cadw moch. Erbyn dallt yn iawn, y bobol leol oedd yn byw yn y cytiau hyn.

Wedi cyrraedd y gwesty, dyma ganfod bod y pecyn posteri a anfonwyd yno i hysbysebu'r reslo yn dal heb ei agor. Doedd y dyn oedd i ofalu am yr ochr honno i bethau ddim wedi gwneud ei waith. Felly, doedd dim amdani ond gohirio'r gornestau a cheisio hysbysebu tipyn arnom ein hunain — a tydi hynny ddim yn beth hawdd i'w wneud mewn gwlad ddieithr os na fedrwch chi siarad yr iaith frodorol.

A myn diain i, dyma ni'n cael ar ddeall bod rhywun yn tynnu'r posteri i lawr bron iawn cyn gynted ag yr oeddan ni'n eu rhoi nhw i fyny ar y waliau. Aethom draw i Swyddfa'r Heddlu i weld beth oedd yn bod, ac i weld os medrent hwy fod o ryw gymorth inni.

Eglurodd yr heddwas nad oedd gennym ganiatâd i gynnal reslo yn y wlad, ac na chaem y caniatâd hwnnw ond gan un dyn yn unig. Y fo oedd yn rhedeg pob dim yn y wlad yn ôl pob tebyg, a'i enw oedd Donald McCauley Q.C.

Ffwrdd â ni i chwilio amdano'n reit sydyn, ond ar ôl tridiau o ddisgwyl, llwyddasom i drefnu amser i'w gyfarfod. Disgwyliais weld dyn gwyn am mai Q.C. ydoedd, ond dyn hollol ddu eisteddai o'n blaenau pan gawsom fynediad i'w swyddfa yn y diwedd.

Coffi, a dweud ein cais. Yna McCauley'n chwerthin dros y lle. Eglurodd nad oedd posib i ni wneud dim o'r fath beth yn llwyddiannus yn Freetown — yr unig ffordd y caem gynulleidfa oedd drwy wneud y sioe am ddim, oherwydd doedd gan y bobol, drueiniaid bach, ddim mymryn o arian i dalu am ddim.

Pobol o Lebanon oedd yr unig bobol busnes oedd yno o gwbwl, ond nid oedd gan neb lleol ddim math o waith, a dim math o incwm. Dywedodd wrthym y buasai wrth ei fodd yn ein helpu. gan ein bod wedi dod cyn belled, ond dyna fo — doedd dim y medrai ei wneud. Yna cysidrodd eto, a meddai gan edrych braidd yn gyfrwys arnom, — beth petaem ni yn gwneud sioe am ddim yn Freetown, yna mi dalai ef yn bersonol am i ni fynd i reslo o flaen y mwyngloddwyr yn y chwarel ddiemwnt lleol.

Doedd gennym ddim dewis ond derbyn — a dweud y gwir, roeddwn yn edrych ymlaen at gael gweld y chwarel ddiemwnt. Tybed ai rhywbeth tebyg i chwareli Bethesda, Llanbêr neu Ffestiniog oedd hon? Ac yn wir, erbyn cyrraedd y lle, doedd hi ddim yn annhebyg i'r Gloddfa Ganol — ond mai tomennydd o bridd ac o gerrig oedd yno yn hytrach na thomenni llechi wrth gwrs. Twll mawr yn y ddaear a'r sbwriel yma i gyd o gwmpas — ond dim golwg o'run diemwnt yn unlle.

Ni fedrem lai na sylwi bod radio transistor yn hongian ble bynnag roedd y dynion yn gweithio, a rheiny i gyd yn blastio'u sŵn ar eu heithaf. Gofynnais i'r tywysydd beth oedd y tu ôl i hyn, a chefais yr ateb bod y dynion yn gwrthod gweithio os na chaent y sŵn byddarol yma drwy'r dydd.

Wedi cael ei hannibynniaeth bum mlynedd ynghynt, roedd Sierra Leone wedi colli llawer o'r technegwyr a'r rheolwyr gwyn profiadol, ac roedd pethau wedi mynd yn draed moch yn y wlad. Doedd neb ar ôl yn y chwarel ddiemwnt oedd yn gwybod sut i drin yr offer, a bob tro y byddai unrhyw beiriant yn torri, roedd rhaid gadael hwnnw gan na wyddai neb sut i'w drwsio. O ganlyniad, roedd y dull o weithio wedi mynd yn ôl yn fwyfwy cyntefig, gyda'r gweithwyr druan wedi gorfod dychwelyd at gyfundrefn Ap Chwys, sef yr hen gaib a rhaw. A'r dyn oedd yn rheoli'r chwarel oedd...ia, dyna chi, yr un un ag oedd yn rheoli pob dim arall yn y wlad: Donald McCauley.

Yn Lloegr roedd Donald McCauley wedi derbyn ei addysg, ac roedd yn gweithio yno fel Q.C. ar yr adeg pan fu lladrad mawr yn y chwarel ddiemwnt hon. Roedd dau Ffrancwr wedi dwyn gwerth tair miliwn o bunnoedd o ddiemwntau o'r chwarel, ac wedi'i bachu hi oddi yno. Pan oeddent yn paratoi i adael y wlad mewn awyren, cawsant eu dal. Taflwyd hwy i garchar, a buont yno am dros flwyddyn gydag awdurdodau'r wlad yn ansicr beth i'w wneud â hwy. Ar ben hynny, roedd y Llysgenhadaeth Ffrengig, wrth gwrs, yn pwyso ar Arlywydd Sierra Leone i'w dwyn i gyfraith neu eu rhyddhau.

Doedd dim i'w wneud ond gyrru am frodor o Sierra Leône oedd yn gwneud enw iddo'i hun yn Lloegr ar y pryd, — sef yr hybarch Donald McCauley. Cynhaliwyd yr achos a rhoddwyd y Ffrancwyr ar brawf, gyda McCauley wedi penodi'i hun yn farnwr erbyn hyn. Parhaodd yr achos am bythefnos, ac yn y diwedd dyfarnwyd dedfryd fel a ganlyn: roedd Sierra Leone i dderbyn gwerth miliwn o bunnoedd o'r diemwntau; roedd y lladron i dderbyn miliwn ar yr amod na ddeuent byth yn ôl i'r wlad; ac roedd y miliwn arall i fynd i boced y Barnwr Donald McCauley am ei drafferth ac am fod mor deg gyda phawb!

Mae Donald yn dal i fyw yn Freetown heddiw, yn filiwnydd gan gwaith drosodd, yn berchen hawlfraint ar holl 'one-armed-bandits' y wlad i gyd, ac yn wir yn berchen ar bob dim sy'n gwneud arian yno. Os oes gan unrhyw un ohonoch ffansi rhoi diemwnt i'r wraig, sgwennwch ataf i ac mi yrraf i ei gyfeiriad atoch — mae o'n hen foi iawn ar fy marw.

Merched yn Reslo

> "Pwy fase'n meddwl y buasai
> un oedd ychydig ynghynt yn paffio
> o flaen Marks an' Sparks yn Llandudno,
> yn curo goreuon y byd!"

Tua'r adeg yma, cafodd rhyw foi o Gaerloyw oedd yn byw ym Manceinion, syniad da iawn. Y syniad hwnnw oedd y buasai gweld merched yn reslo yn sicr o dynnu'r tyrfaoedd.

Roedd chwe hyrwyddwr cyfreithlon ym Mhrydain ar y pryd, ac roeddwn innau — yn fawr fy mharch — yn un ohonyn nhw. Toedd y boi gafodd y syniad, sef Chunky Hayes, ddim yn un o'r Chwe Phwysig, ac mi ffieiddiodd y rheiny at y fath beth. Merched yn reslo? — ych a fi! A gwaharddwyd ein holl reslwyr ni rhag cymryd rhan yng ngweithgareddau Chunky.

O ganlyniad doedd gan Chunky druan ddim reslwyr i lenwi'i raglen, a bu'n rhaid iddo droi at unrhyw un oedd ar gael oedd y tu allan i grafangau'r Chwe Dyn Mawr. Defnyddiai hogiau ifanc oedd wedi prin feistroli'r gamp; defnyddiai hen, hen fois a wynebau fel platiad o bryfaid genwair ganddyn nhw, ac a ddylai fod wedi ymddeol ers cyn y Rhyfel Byd Cyntaf ; ac roedd yn defnyddio reslwyr oedd wedi brifo neu'n fethedig — doedd hi'n ddim iddo roi dyn un goes i reslo yn erbyn dyn efo dim ond un fraich! Er hynny i gyd, roedd cynulleidfaoedd anferth yn tyrru i weld sioeau Chunky — a hynny am fod merched yn reslo ynddyn nhw.

Roedd y ffaith fod y dyn yma yn llwyddo yn cythruddo'r Chwe Sanctaidd yn waeth fyth. Doedd peth fel hyn ddim i fod : roedd rhaid pasio deddf gwlad yn erbyn y peth. Ar ôl hir drafod yr achos ymysg ein gilydd, penderfynwyd — yn enw cyfiawnder — nad oedd dim y medrem ei wneud ond cymryd y merched oddi arno a'u defnyddio nhw ein hunain. Chwarae teg inni am fod mor ystyriol yntê!

Dwy hogan oedd yn reslo inni ar y dechrau — Naughty

Mitzi Mueller — y ferch gyntaf i reslo ym Mhrydain.

Nancy Barton a Mitzi Mueller o Fanceinion. Mae'r hen Naughty Nancy yn fam i ddau o blant bellach ac yn byw yn Awstralia ac nid' yw'n reslo efo neb heblaw ei gŵr o dro i dro, ond mae Mitzi efo ni o hyd — ac yn dal i reslo'n gyhoeddus fel cath wyllt.

Ar y cychwyn roeddem yn wynebu pob math o helyntion pan ymddangosai enw dwy hogan ar y rhaglenni reslo. Am gyfnod roedd pob cyngor dosbarth ym mhob cwr o Wledydd Prydain yn baglu dros ei gilydd i geisio rhwystro'r fath beth rhag digwydd yn eu neuadd fach nhw. Unwaith roedd y posteri'n ymddangos, mi fyddai trefi yn parchuso dros nos ac yn haeru bod y ffasiwn sioe yn sarhâd ar eu henw da.

Un o'r ymgyrchwyr mwyaf brwd yn ein herbyn oedd y 'News of the World' — ia, y nhw o bawb yn sôn am egwyddorion a gwarchod safonau a hawliau merched ac ati! Roeddan nhw wedi pwyso a mesur y mater yng nghlorian cyfiawnder ar eu tudalennau nhw ac wedi dod i'r casgliad bod y ffasiwn beth yn wrthun. Cafodd hyn ddylanwad mawr ar lawer o bobol wrth gwrs — os oedd papur cynddrwg â hwn yn gweld rhywbeth yn ddrwg, mae'n rhaid ei fod o'n ddu-bitsh.

Dwn i ddim pam fod cymaint o ffys wedi'i wneud 'chwaith — roedd merched yn reslo yn America ers talwm byd, er na chawsant ganiatâd gan Gyngor Athletau Efrog Newydd tan mor ddiweddar â 1972. Nid bod rhaid inni ddilyn pob dim sy'n dig-wydd yn America wrth reswm, ond prif ddiben cyngor tref neu gyngor plwyf 'ddyliwn i ydi gweithredu yn ôl dymuniad gweddill yr ardalwyr, ac yn amlwg roedd galw mawr am y math yma o adloniant.

Wrth lenwi'r ffurflenni ar gyfer llogi neuadd, roeddem yn nodi'r noson a nodi mai reslo fyddai'r achlysur ac ati, ond nid oedd dim yn y rheolau yn gofyn inni nodi os oedd merched yn reslo ai peidio. Rhyw ddeng niwrnod cyn y sioe, pan fyddai'r posteri yn cael eu plastro drwy'r dref y byddai'r helynt yn cych-wyn. Sguthan o gynghoryddes yn cael panic fyddai hi i ddechrau; honno'n ffonio'r Maer i adrodd ei chwyn, gan ddweud os nad oedd dim yn y rheolau i wahardd sioe fel hon, yna roedd rhaid newid y rheolau. Mi fyddai'r gynghoryddes wedi troi'r Maer rownd ei bys bach, a hwnnw wedyn yn gorchymyn Clerc y Cyngor i stop-io'r fath ffieidd-dod.

Llun yn dangos parchusrwydd merched glân y reslo —
beth oedd haru'r cynghorau 'ma'n gwrthwynebu'r rhain, yntê?

Gwraig o Bontycymer sy'n enw mawr ymysg newyddiadurwyr yn Llundain erbyn hyn yw Molly Parkin

Molly Parkin's People

Ban rocks Rusty the wrestler

By EDWARD MACAULEY

WRESTLING boss Orig Williams is fighting mad. For two of his girl grapplers, Rusty Blair and Tina Starr, have been asked to make their bouts a little less revealing.

They were accused of being too scantily dressed when they wrestled at the Drumsill Hotel, Armagh, Northern Ireland.

"The manager has banned us," said Orig at his home in Rhyl, North Wales. "I've been happy to cover them back if they promised to be more fully dressed."

Former world champion Rusty, 21, said: "It's ridiculous." Tina added: "To say we showed anything at all is a nonsense. We're very careful when we are taking part in a wrestling match. It's not a strip show."

Added Mr. Williams: "These girls have wrestled right round the world without a complaint."

RUSTY: "It's ridiculous."

LEFT—The bill, the promoter, the revenge. ABOVE: Vivacious Viv, victorious.

Picture: Bob Hewitt

Unladylike on Llandudno Pier

(THEY WON'T ALLOW IT IN LONDON, SEE?)

HAVE JUST returned from Llandudno in North Wales, lungs bursting still with ozone, eyes full of seaside donkeys, Punch and Judy, Red Cross ladies on the prom guarding their Mile of Pennies. Three yards and two pence over is what they'd measured as I left.

The one in charge resembled Margaret Rutherford. Her friskier, aged aide jigged up and down to music holding to her head a Japanese transistor wrapped all in polythene to keep it safe from squally showers.

A lovely place, Llandudno, its pace unchanged from what it was 100 years ago. Even so, it's a lively hole, each hour packed with things to do ... a smokey boat trip to the Isle of Man ... excursions to Snowdonia and ... have your palm read on the pier ... drink morning coffee, tucking into creamy cakes ... take afternoon tea, scoffing home-made scones ... trek back to boarding houses (B. and B. No Sand Allowed—Please Shake Before You Step Inside).

Quick slash and wash and brush, some smartening up sartorial-wise, then out again and on the town to see what nights North Wales has to offer.

A wide assortment. David Whitfield singing at the Palace. A Case O' Murder, smash-hit play complete with artistes from TV. Singing Dancing Lots of laughs, from End of Pier Attractions. And at the entrance to the pier itself where stands Llandudno's gracious Grand Hotel, there's wrestling in the hotel's Roman Room.

They've had the posters up all week. Small pockets of people gather around to point and smile and stare. They're very taken with the picture of the star attraction — "Vivacious Viv Martell," they read. "Sex Siren, 46-28-36." Forty-six? Can it be? But yes, the evidence is there before the eyes. A strapping girl—a strong but supple lady wrestler, billed opposite "Miss Lena Blair, The Brilliant Scottish Teenager."

Doors open at 6.30 p.m. sharp. Queues start to form at five to six, the front seats are the favourites.

Inside, local Welsh boy Orig Williams — promoter, manager, organiser all in one—puts finishing touches to the newly-erected wrestling ring. He's huge, in Wales a well-known footballer but now devoted to the wrestling scene. He participates himself, no week going by without him wrestling in the ring.

He ambles forward oozing health, very brown and friendly like a bear. His black winchester is open to the waist, his upper lip sports a snazzy dark moustache, above it he wears the latest sunglasses. He has the terrible sexual confidence of a gipsy—the sort of man you'd think to hide your daughters from—but when he speaks he's very sweet, attentive, kind, with the rather boyish confidence so keen to have, leaning to, if confiding in you all the time.

He started off confiding worriedly: "Very much afraid the ladies' contest will not be exactly as billed. No. Unavoidable circumstances beyond control of man or beast, you understand. However, the evening's entertainment will be all and more than advertised!

"Vivacious Viv Martell awaits upstairs in her dressing-room, willing and more than eager to give you a few words before making her usual spectacular entrance in the ring. And with her, though not necessarily on talking terms, is quite a, well, quite an extraordinary sort of girl, pretty Blackfoot Sue who I've managed to produce at this very last minute.

"Thank God, isn't it, in these emergencies sent to try us!

Death

"Miss Lena Blair, you see, hasn't quite been able to make it. Nor, for that matter, has the Wild Man of Borneo, a twelve-stone of a heavyweight, half man, half animal. Never mind, though: I'm giving them Doctor Death.

"It isn't an enviable job organising all I have to do. But I love it you understand, yes indeed! Ten years it's been now with the girls. Not easy—well, there's many places won't touch them. Lady wrestlers? they say. Oh no! Local councils, you see, take it upon themselves to be guardians of the people. Unladylike they think."

"My very own home town of Rhyl just up the coast, will they have them? No! You ask, you give a ring when you get back to London. Ask the Greater London Council—are lady wrestlers permitted to appear in London? Oh you have already asked? The answer's no. I know it's no. They won't allow it, no ground into it all. I give ... ing. It'll ... from publ. Vivaciou across he glowering on-eating diced up which she paw. I younger shouldn h too, perh she made her by people s "T' will ... thing I ... win. I '... what I d ... British ... I won t ... Mitzi M ... Devon: ... that's j ... I pulled ... ambitio ... hospital ... "In ... sevents ... I was b ... family ... brothe ... sional ... ten ... me of ... twelv ... on ar ... But ... stone ... "I ... do ... Th ... so, I ... I'm ... night ... Lass ... did ... she ... I w ... for ... pull ... pai ... hal ... wre ... of ... di...

Women's wrestling: is it in good taste?

AN ALL-WOMEN tag team will be filmed at Arfon Leisure Centre next Thursday for a new S4C series. It features Klondike Kate, Naughty Nicki, Angel McManus and Tina Starr.

The independent film company Na Nog of Penygroes, whose producer is O. P. Hughes of Nebo, will be filming the 12-week series of programmes.

Ann Beynon, Press officer for S4C, said: "This will be the first female tag team to be televised, but we had no complaints over the last wrestling series we did which had women in it.

"We were aware that it was something that needed to be treated carefully, so S4C's ruling body saw the programme beforehand to make sure that it did not exploit women and was not offensive.

Mr. Aled Roberts, manager of Arfon sports centre, said that as far as they were concerned, they had hired the main hall to the film company.

"I was not aware that women wrestlers were being filmed, and I do not think the council have any objections," he said.

By Catrin Williams

"Herald"

Popular

Miss Mary Richards, deputy mayor of Arfon, said: "I do think that there are better things to film — it may give S4C viewers from outside the area the wrong impression of what we are like in Caernarfon," she said.

Producer Mr. O. P. Hughes said he could see no reason against filming the wrestlers: "It is popular all over the world, especially in Japan," he said.

The Independent Broadcasting Authority commented: "S4C decide for themselves what they show because we have no control over them — they are their own authority.

"We have never had women wrestlers screened because we do not feel that it lends itself to TV.

"Some people might be offended at seeing women in a physical contest, and we have taken their views into account. When the few proposals for filming women wrestling has come before us, they have been turned down."

Drannoeth byddem yn sicr o dderbyn llythyr twrnai oddi wrth Gyngor y Dref yn dweud wrthym na châi'r merched ddim reslo yn eu neuadd hwy. Doedd dim amdani wedyn ond ffonio'r pwysigyn yn ei swyddfa a'i fygwth: os oedd ef am wahardd y genod rhag reslo, yna doedd gennym ni ddim dewis ond gadael i'r wasg wybod. Byddem yn enwi rhai o'r papurau dyddiol a sôn am eu hoffter o sgandal ac fel roedd ganddyn nhw'r ddawn i 'fystyn a lliwio pob stori. Soniem hefyd am eu nod pennaf mewn bywyd, sef tynnu enwau pobol barchus drwy'r baw ac ati...

Os oedd 'na banic yn swyddfeydd y Cyngor o'r blaen, mi fuasai hi'n draed moch yno bellach. Byddent yn fy ngalw yn bob enw dan haul — o, toeddwn i'n ddyn drwg yn eu bygwth fel hyn! A pham bod eisiau dod ag enwau unigolion i'r mater — roedd PAWB yn eu tref fach daclus nhw yn gwrthwynebu i 'run o'r hen hŵrs 'na ddangos ei bronnau yn eu neuadd nhw.

Taerwn innau nad oedd 'na ddim noethni yn perthyn i'r sioe o gwbwl, mai ei hen feddwl budur o oedd wedi dychmygu hynny i gyd. Wel, ta waeth, yr ateb o'r pen arall oedd hyd yn oed pe tasen ni'n cynnal y sioe 'ma, mi fuasen ar ein colled gan na fuasai 'na neb — hynny yŵ, NEB, — yn dod yno i'w gwylio. Roedd o wedi byw yn y dref ar hyd ei oes ac yn 'nabod y bobol yn well na neb. A beth bynnag, doedd y contract am y neuadd ddim yn dal dŵr gan nad oeddem wedi talu'r blaendal.

Roeddwn innau'n disgwyl am honno — am funud bach, meddwn innau, ydach chi isho rhif y dderbyneb? O wel, — does dim amdani ond ffonio'r 'Daily Mirror'.

"Pwy?"

"Y 'Daily Mirror'."

"Pam y nhw? Beth sydd a wnelo nhw â hyn?"

"Dim?"

"Pam y nhw, felly, 'neno'r tad?"

"Am mai'r 'Daily Mirror' yw papur mwyaf poblogaidd Prydain, ac felly bydd mwy o bobol yn dod i glywed am yr helynt 'ma drwy'r cyfrwng hwnnw."

Ar ben hynny, roeddwn yn ffrind personol i Ted McCauley eu gohebydd, ac roedd o bob amser yn barod i gyhoeddi unrhyw stori debyg i hon.

"We...we...Wei!" fyddai hi ar ben arall y ffôn wedyn. Roeddwn i'n ddyn hollol afresymol! *Peidio* â ffonio'r papur tuasai orau — mi fyddai'n fy ffonio'n ôl wedi iddo gael sgwrs gyda'r Maer. Pan fyddwn yn derbyn yr alwad yn ôl oddi wrtho, mi fyddai'n ddyn bach gwylaidd, cwrtais erbyn hynny.

Stori am drefi yn Lloegr yw hon wrth gwrs — fydden ni byth yn cael helbul fel hyn yng Nghymru. Na, roedd y trafferthion roeddan ni'n ei gael yng Nghymru yn ddeg gwaith cymaint â hyn!

'Gwylia rhag ofergoelion,
Rhagrith, er fy mendith, Môn.
Poed it hedd pan orweddwyf
Ym mron llawr estron, lle'r wyf.
Gwae fi na chawn enwi nod,
Ardd wen, i orwedd ynod!''

Cael ei dorri allan o'i hen wlad gafodd Goronwy Owen o Fôn druan, ond wrth fy meirniadu innau — peidiwch â bod yn rhy llym. Cymro bach sy'n ceisio byw y gorau medr ef sydd wedi sgrifennu'r geiriau hyn.

Ar un cyfrif, bu Cymru yn reit flaenllaw yn y byd reslo merched oherwydd yma — ar S4C — y gwelwyd merched yn reslo ar y teledu am y tro cyntaf erioed. Doedd hynny ddim heb ei feirniaid wrth reswm fel y gwelir o'r toriad allan o 'Herald Caernarfon a Dinbych'.

Fy syniad i oedd hwn — ac y fi sydd i ysgwyddo'r holl fai. Yr unig betha wnes i mewn gwirionedd oedd ymateb i ofynion y werin. Ble bynnag yr awn i, roedd rhywun yn siŵr o'm holi: "Pryd mae'r merched 'ma'n reslo nesaf, Orig?'' Os mai dyna oedd dewis y werin, yna pwy oedd ceiliogod dandi'r I.B.A. i warafun iddynt yr adloniant hwnnw?

Ar y dechrau, wrth gwrs, roedd hi bron yn amhosib cael gafael ar ferch oedd yn fodlon derbyn cael ei hyfforddi i fod yn reslwraig broffesiynol. Roedd hyn islaw sylw y rhan fwyaf ohonynt. Ond mae'r oes wedi newid — er gwell, gobeithio — ac mae mwy o bwyslais ar ferched i amddiffyn eu hunain.

Pedair ar ddeg oed oedd Tina Tate pan ddaeth ei mam ataf gan ddweud ei bod yn gadael yr ysgol ymhen blwyddyn, heb obaith am waith yn unlle, a tybed a fyddai'n bosib i mi ei hyfforddi i fod yn reslwraig? Roedd Tina — Tina Starr ydi'i henw erbyn hyn — yn ferch hynod o heini, ac yn un hawdd i'w dysgu.

Tina Starr — "A oes posib dysgu'r ferch 'ma i reslo?"
oedd cwestiwn ei mam hi.

O ganlyniad mae wedi teithio'r byd, o Siapan hyd America, ac mae'n dal i ennill ei bara menyn yn y cylch reslo.

Merch arall yr wyf wedi'i hyfforddi yw Bella Ogunlana — hogan groenddu yr oeddwn wedi dod ar ei thraws yn Llandudno o bob man. Ar fy ffordd adref o'r dref honno, wedi bod yn reslo yno yr oeddwn, a beth welwn yn sydyn yn y dref lân, dawel a pharchus honno ond ufflon o ffeit y tu allan i Marks and Spencers. Mae'n siŵr bod rhyw ugain o hogia a genod wrthi — criw ifanc deunaw i'r ugain oed yma — yn leinio'i gilydd yn braf, a hithau'n nos Sul. 'Welais i ddim cystal sioe ers talwm iawn — mi roedd hi'n rêl 'Wild West' yno.

Dyma arafu'r car a stopio i fwynhau'r olygfa. Daliwyd fy llygad gan hogan groenddu oedd yn taflu 'left hooks' fel dyn, a phan fyddai'r gelyn yn disgyn, mi fyddai'n gwneud yn saff ei fod o'n gorwedd drwy roi uffarn o gic iddo. Hogyn neu hogan — toedd dim gwahaniaeth ganddi: roedd yn eu leinio nhw i gyd. Clec, lawr â nhw, a chic.

Mi ellwch fentro 'mod i wedi dotio at yr hogan yma. Yn anffodus, cyrhaeddodd yr heddlu, a difetha'r cwbwl.

Rŵan, roedd yn rhaid i mi gael gwybod pwy oedd yr hogan hon, a thrannoeth — 'trwy ddirgel ffyrdd' — dyma ganfod mai Bella Ogunlana oedd ei henw a'i bod yn gweithio fel gweinyddes yn y Grand Hotel yn Llandudno. Naid i'r car a draw i'w gweld hi. Pan gyfarfûm â hi, dywedais fy mod wedi 'mhlesio'n fawr gan ei pherfformiad hi'r noson cynt, ac eglurais pwy oeddwn.

Erbyn deall, roedd hi mewn dipyn o ddŵr poeth. Hi oedd yn cael y bai am gychwyn y ffrwgwd y noson cynt. A oedd hyn yn wir? Roedd rhywun wedi'i galw'n 'Black Panther' ac roedd pethau wedi mynd o ddrwg i waeth. Gwell fyth!

Dywedais wrthi y buaswn yn hoffi'i dysgu i reslo, ac y buaswn i'n talu ei dirwy drosti. Câi hithau ad-dalu finnau o'r cyflog a enillai fel reslwraig. Mi fuaswn hefyd yn hysbysu'r gyfraith ei bod yn cael ei hyfforddi, ac felly na fuasai byth eto'n codi helynt, gan fod reslwyr yn bobol gyfrifol a chall!

Hynny a fu, a'r enw gafodd hi wrth gwrs oedd 'Black Panther'. Roedd ei thad yn hannu o Nigeria a chofiais i Donald McCawley ddweud wrthyf pan oeddwn yn Sierra Leone mai i Nigeria y dylswn fod wedi mynd bryd hynny, gan fod y bobol yno'n llawer cyfoethocach. Sgwennais at Power Mike, hyrwyddwr reslo yn Lagos, a dweud wrtho bod gennyf hogan o Nigeria oedd yn fodlon dod draw yno i reslo. Daeth Power Mike yma i wneud trefniadau ac rwy'n cofio byth mai'r peth cyntaf ddywedodd

Bella Ogunlana — wedi'r ymdrech a'r hyfforddiant: llwyddiant!

o wrthyf oedd mai fo oedd y dyn cryfaf yn Affrica. Dywedodd hefyd ei fod yn fab i bennaeth pwerus y Kano oedd yn byw yng ngogledd y wlad, ac felly nid oedd ganddo ofn na dyn na Duw.

O sgwrsio ymhellach, deuthum i ddeall mai'i syniad o oedd cynnal pencampwriaeth y byd i ferched yn Lagos. Dywedais ei fod yn syniad ardderchog — ond sut roedd o am gael gafael ar y merched?

Hawdd! Mynd i bob gwlad lle roedd merched yn reslo, arwyddo cytundebau, a'i cael i gyd draw i Lagos. Dywedais y buaswn yn ei gynorthwyo gan fy mod yn adnabod hyrwyddwyr yn Efrog Newydd, Siapan, Sbaen a Ffrainc. I'r dim, — eu ffonio nhw ar unwaith, meddai'r mawr.

Ond beth am y gost o'u cael nhw i gyd ynghyd yn Lagos? Twt, doedd arian ddim yn broblem yn y byd os nad oedd rhywun yn poeni am y peth, oedd yr ateb.

Chwe awr ar y ffôn — a Buzby'n chwerthin llond ei fol, mae'n siwr. Ond yn sydyn iawn, roedd pethau'n altro. Addawodd Princess Jasmine ddod o Chicago; Beverley Shade o Florida; Natasha o South Carolina; Debbie o Tennessee; Lola Gracia a Conchita Suarez o Valencia a Mimmi o Siapan ac uffarn o slasian handi arall o Baris.

Erbyn y diwedd roedd gennym bedair ar hugain o ferched, yn cynnwys Rusty Blair o'r Alban a Bella Ogunlana o Landudno — ac roeddwn innau wedi gaddo mynd yno i fod yn Arolygwr!

Ydach chi erioed wedi byw mewn nyth cacwn am bythefnos? Wel, mi rydw i. Roedd y dyn cryfaf yn Affrica wedi rhoi y genod mewn wyth gwahanol westy i wneud yn saff nad oedd yna ddim cweryla.

Mae pedair gwaith mwy o geir yn Lagos nag a ddylai fod, ac o'r herwydd mae deddf yno sy'n datgan mai ceir efo'u rhifau'n darfod gyda 1, 3, 5, 7 neu 9 yn unig sy'n cael defnyddio'r ffyrdd ar un diwrnod, a cheir â'u rhifau'n darfod â 0, 2, 4, 6, neu 8 yn unig ar y diwrnod canlynol. Syniad da, efallai, — ond syniad hollol aneffeithiol gan fod pawb yn prynu dau gar!

Fy ngwaith i bob dydd oedd mynd oddi amgylch y gwahanol westai i wneud yn siŵr bod y genod i gyd yn iawn — ac oherwydd y drafnidiaeth, roedd hyn yn cymryd drwy'r dydd imi. Hefyd, wrth reswm, — merched ydi merched, a doedd 'na ddim byd yn iawn byth gan yr un ohonyn nhw.

Mimmi o Siapan (ar y chwith) a Princess Jasmine, —
dwy o'r genod graenus a gymerodd ran yn y twrnament mawr.

Beth bynnag, bu'r holl gur pen yn werth chweil i mi oher-
wydd Bella Ogunlana a enillodd y gwregys aur a'r teitl 'Pencam-
pwraig Reslo'r Byd'. Trechodd Princess Jasmine yn yr ornest
derfynol. Pwy fuasai'n meddwl y buasai un oedd ychydig ynghynt
yn paffio o flaen Marks an' Sparks yn Llandudno, yn curo goreu-
on y byd! Ac yn naturiol, cafodd glod a sylw mawr gan y cyf-
ryngau i gyd.

Derbyniodd pob math o gynigion i aros yn Nigeria — rhai
ohonynt yn cynnig arian mawr iddi, ond yn ei byw 'fedrai'r hogan
ddim cael ei thraed allan o'r wlad yn ddigon buan. Er bod ganddi
deulu agos yno, a bod ei brodyr a'i chwiorydd yn dod i'w gweld
yn gyson yn y gwesty, mynd oddi yno oedd ei bryd. Roedd ei
gwreiddiau gorllewinol bellach yn rhy ddwfn iddi ddychwelyd i
wlad ei thadau. Hi oedd yr hogan fwyaf addawol — o fewn y byd
reslo, hynny yw — imi erioed ei gweld, ond unwaith y cyrhaedd-
odd adref, nid oedd ganddi fath o ddiddordeb yn y busnes hwnnw.
Bu'n reslo am rhyw chwe mis ar ôl hynny, ond yna rhoddodd y
gorau i'r gwaith a mynd i weithio i'r ffatri Hotpoint ym Mod-

elwyddan. "Cyw a fegir yn uffarn, yn uffarn y mynn fod" — ia, myn uffarn i!

Rhaid cyfaddef nad oedd Nigeria yn cynnig darlun hapus iddi o fywyd y reslwr teithiol, ychwaith. Dychwelais i'r wlad honno sawl tro ar ôl hynny — ac mae'r lle'n gwaethygu gyda phob ymweliad.

Rusty Blair

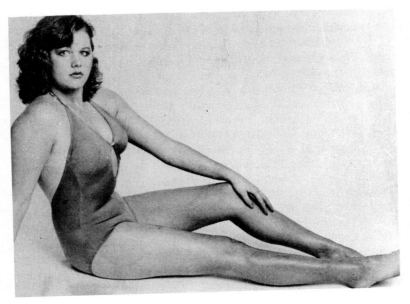

Reslo yn y Jyngyl

PENNOD 23

"Power Mike oedd y dyn duaf a welais erioed...
...ond, tawn i'n marw,
y foment honno, roedd yn hollol wyn!"

Roedd Power Mike wedi trefnu gornestau yn Calabar
— porthladd yn ne Nigeria. Yno â ni, a chanfod bod y gwesty
yn un reit dda, chwarae teg — roedd y staff hyd yn oed yn honni
bod y dŵr yno yn ffit i'w yfed. Ond doedd wiw inni fentro hynny,
neu "Job a ddywedodd fod y bîb ar y bobol" fuasai hi.

Mynnodd Mike i mi fynd hefo fo i weld y Stadiwm newydd
oedd wedi'i chodi yno — y ni oedd yn cael y fraint o'i hagor hi
yn swyddogol gan mai dyma'r achlysur rhyngwladol cyntaf i'w
gynnal yno. Ac yn wir i chi, roedd hi'n batrwm o Stadiwm hefyd
— cylch newydd sbon yn ei chanol, a seddau o gwmpas gyda
soffa neu ddwy ar un ochr ar gyfer yr Obong.

Yr Obong ydi'r rheolwr ar y rhan honno o Nigeria — ac
roeddem wedi cael ein gwahodd i'w balas y prynhawn hwnnw i
gael y fraint o gyfarfod a'i Fawrhydi. Cyn inni adael Lagos,
roedd nifer o'r bobl yno wedi ein herian mai canibaliaid oedd
yn byw yn ardal Calabar, ac mai'r Obong yma oedd y 'witch
doctor' yn y fan hon. Tynnu coes oeddan nhw siŵr...wel, dyna
beth oeddan ni'n ei obeithio beth bynnag...

Am ddau o'r gloch, cawsom gyfarfod â'r Obong — a gwel-
som gydag ochenaid o ryddhad mai hen ŵr tua 90 oed ydoedd.
Diolch byth, — fedrai hwn ddim ein rhoi ni mewn sosban ar
chwarae bach!

Am saith o'r gloch y diwrnod hwnnw yr oedd y reslo i
gychwyn, a dyn lleol gyda'r enw ffansi Hercules Ayelah oedd
fy ngwrthwynebydd i. Cyrhaeddais yno am bump, ac roedd y
dyrfa eisoes yn cychwyn llifo i mewn. Fedrwn i ddim llai na
meddwl na fuasai 'na fawr o obaith i "Fab y Bwthyn" petai'r
rhain i gyd yn penderfynu mai mewn crochan yr oeddwn i am

Yr Obong ar ei orsedd — anodd credu wrth edrych arno ei fod yn gyn-ganibal. Mae'r 'dyn cryfaf yn Affrica' — Power Mike — ar ei law chwith.

ddarfod fy rhawd y noson honno.

Chwarter i chwech, rhuthrodd Power Mike i mewn i'm hystafell newid â'i wynt yn ei ddwrn:

"Orig, we have no lights in the booths, so we can't use the turnstiles!"

Euthum hefo fo, a gweld bod dynion casglu'r arian yn stryffaglio i wneud hynny efo canhwyllau a fflachlampau. Dechreuais regi'r penbyliaid oedd i fod i ddarparu golau i'r cr'aduriaid bach 'ma weld beth oeddan nhw'n ei wneud. Dyma setlo efo Mike bod rhaid nôl ceir a thrawo goleuadau ar y giatiau mynediad. Mi weithiodd i'r dim, ond unwaith eto dyma'r hen amheuon yn ail-godi yn fy meddwl: be goblyn oedd yn mynd i ddigwydd nesaf yn y wlad anhrefnus hon?

Roedd ugain mil o bobol yn y Stadiwm bellach — mae Calabar yng nghanol y jyngyl fwyaf trwchus yn Affrica, a doedd dim fel hyn wedi digwydd yno o'r blaen. Euthum i gael golwg ar y dorf cyn mynd i orffen newid — dyna od, meddyliais, — doedd dim i'w weld ond tywyllwch dudew gyda miloedd o oleuadau sigarennau ac ambell fflach pan oedd rhywun yn tanio un. Trois ar fy sawdl i fynd i ddweud wrth Mike ei bod hi'n bryd i rywun fynd i danio'r golau i'r dorf hon gael gweld beth roeddan nhw'n ei wneud.

Methais â chael gafael yn Mike, ond deuthum ar draws Banjul, oedd yn glerc iddo. Na, toedd yntau ddim yn gwybod lle roedd Mike ar y pryd — mae'n rhaid ei fod yn brysur wrth ei waith yn rhywle, meddai. Beth am y goleuadau, holais. Goleuadau? Pa oleuadau, felly? Goleuadau'r cylch reslo? Pa oleuadau cylch reslo, tybed? Wel, golau i'r gynulleidfa fedru gweld beth oedd yn digwydd. O, hynny! — o, na, doedd o'n gwybod dim byd am hynny. Dywedodd yr âi i chwilio am Mike, a diflannodd.

Roeddwn yn poeni o ddifri rŵan — doedd bosib nad oedd 'na drydan yno! Na, — roeddwn wedi clywed rhywun yn profi'r sustem sain yn gynharach y diwrnod hwnnw. Drwy lwc, mi drewais ar yr union foi fasa'n gwybod — sef y reffarî.

Ond na, toedd yntau'n gwybod dim ynglŷn â goleuadau'r cylch reslo. Ond y peth tebycaf, meddai, oedd nad oeddent yn eu tanio tan y munud olaf un neu buasent yn denu miloedd o wybed a phryfed o bob math o'r goedwig.

Wel, dyna ryddhad. Roeddwn yn teimlo'n hynod falch o glywed hynny. Dyna lle roeddwn i wedi bod yn lladd ar y bobol yma, ond y nhw oedd gallaf yn y diwedd! Taw piau hi, meddwn wrthyf fy hun, rhag i mi ddangos mwy o fy anwybodaeth.

Wrth imi droi i fynd, galwodd y dyfarnwr fi'n ôl. Gofynnodd imi a fuaswn garediced ag egluro'r rheolau wrtho. Pa reolau, meddwn innau'n wylaidd. Rheolau reslo, meddai yntau! Doedd o erioed wedi gwneud y gwaith yma o'r blaen, oherwydd mai dyfarnwr pêl droed oedd o go iawn.

Iechydwriaeth — be ar y ddaear yr oeddwn i wedi'i wneud yn mentro i'r ffasiwn le? Ar y gair, dyma Mike yn ei ôl. Power Mike yw'r dyn duaf a welais erioed — ac rwyf wedi gweld sawl graddfa o ddu erbyn hyn. Ond 'tawn i'n marw, — y foment honno roedd o'n hollol wyn!

"Golchwyd Magdalen yn ddisglair
A Manase ddu yn wyn."

— tydi'r stori honno'n ddim o'i chymharu â Mike yn troi'n wyn yn Calabar.

Cyfaddefodd wrthyf ei fod, yn ei brysurdeb mawr, wedi anghofio popeth am y goleuadau. Gofynnodd a oedd gen i unrhyw syniad beth allen ni ei wneud. Bêth am ddod â cheir i mewn.

holodd wedyn. Da i ddim: mi fuasai eu goleuadau'n rhy isel, ac mi fuasen nhw'n dallu pobol, meddwn.

"Wel, be wnawn ni 'ta," meddai Power Mike, mewn anobaith.

Sylwais mai 'ni' oedd hi rŵan. Mi wyddwn nad 'ni' fuasai hi pe bai'n bryd rhannu'r arian serch hynny, gan mai yno ar gyflog yr oeddwn i yn hytrach nag ar ganran o'r giât. Dywedais wrtho mai'r unig beth amdani oedd cyhoeddi ar yr uchelseinydd bod nam ar y sustem drydanol gan roi'r bai i gyd ar MANWEB neu SWEB neu rhywun cyffelyb. Cyhoeddi hefyd y cai bawb docyn yn ôl wrth y giât fel y caent ddychwelyd i weld y sioe y noson ganlynol.

"Syniad ardderchog," meddai Mike. "Dwn i ddim be fuaswn yn ei wneud hebot ti. O..ia... — fuaset ti gystal â gwneud y cyhoeddiad ar yr uchelseinydd?...Diolch yn fawr."

Roedd ar fin diflannu, pan lwyddais i gael gafael arno. Protestiais nad oedd neb yno'n deall Cymraeg ac nad oedd ond dau neu dri yn medru Saesneg hyd yn oed. Y diwedd fu i Mike wneud y cyhoeddiad. Rhoddais fy mhig allan o'r stafell newid i weld beth oedd yr ymateb. Yr argian! — welsoch chi 'rioed y ffasiwn ruthro. Pawb yn plannu am y giatiau er mwyn bachu ticed — dim 'Ar eich ôl chi, Syr' yn fan'ma; nage wir, — plannwrs oedd y rhain.

Ond doedd yna ddim helynt — neb yn cwyno eisiau ei arian yn ôl na dim felly. Roedd pawb reit fodlon unwaith yr oeddent yn ddiogel eu bod am gael dychwelyd y noson ganlynol.

Drannoeth bûm wrthi drwy'r dydd gyda Mike a hanner dwsin o weithwyr eraill yn gwneud yn siŵr bod y goleuadau yn iawn ar gyfer y noson honno. Erbyn diwedd y prynhawn, roedd pob dim mewn trefn, ac roeddwn innau wedi llosgi'n golsyn yn yr haul oedd wedi bod yn taro ar ein cefnau drwy'r dydd.

Bûm yn pryderu na fuasai cymaint yno wedi siom y noson gynt, ond erbyn chwech o'r gloch gwelais bod y lle eisoes dan ei sang. Os oedd ugain mil yno'r noson gyntaf, roedd yno ddeng mil ar hugain ar yr ail noson. Y rheswm am hynny oedd nad oedd gan ddynion y giatiau ddigon o docynnau i roi un yn ôl i bawb gafodd ei siomi y noson gynt. Yn y diwedd roeddent yn rhoi darn o bapur blanc iddyn nhw. Aeth y stori ar led, chwiliodd pawb yn y dref am bapur blanc, a'r canlyniad oedd bod deng mil wedi cael mynediad am ddim!

Pan gyrhaeddais y cae, roedd goleuadau'r cylch eisoes ynghyn. Da iawn, fydd 'na ddim problemau heno. Dwy ffeit oedd yr arlwy — Hercules a finnau, a Ben Lionhart o Lagos yn erbyn hen gyfaill imi o Fanceinion, sef Jumping Jim Mozer.

Brodor o'r West Indies oedd Jim. Cyrhaeddodd Llundain yn ddeunaw oed gan weithio'i ffordd i Fanceinion, lle'r arhosodd am ugain mlynedd. Un tywyll ei groen oedd o, wrth gwrs, ond nid oedd cyn ddued â'r Nigeriaid. A tha waeth, nid oedd y rheiny'n ei ystyried yn ddyn du go iawn am fod ganddo ormod o wybodaeth o'r Saesneg!

Jim a Ben Lionhart oedd yn ymladd gyntaf, ond cyn cychwyn ar yr ornest cafwyd arddangosfa o ddawnsio brodorol. Pan ymddangosodd y dawnswyr, roeddent wedi eu paentio drostynt, gyda'r dynion yn cario gwaywffyn a'r merched yn hollol

Jim Mozer: llam-giciwr gorau'r byd,
ond un oedd yn ofni pryfed ac ysbrydion drwy'i dîn ac allan.

fronnoeth — ac yn wir i chi, roedd 'na bâr o frestia go iawn gan bob un ohonyn nhw. Tasan nhw'n Friesians ac yn byw yng Nghymru, mi fasa pob un ohonyn nhw'n cynhyrchu mwy na'u cwota, dw i'n siŵr! Buont yn dawnsio am hanner awr — ac 'X' fasa'r dystysgrif ar y ddawns hon yn saff ichi. Tipyn gwahanol i'r dawnsio gwerin ar lwyfan Eisteddfod yr Urdd!

O'r diwedd, daeth yn amser i Jim a Ben fynd i'r afael â'i gilydd. Gwyliais Jim yn cerdded am y cylch ac yn neidio dros y rhaffau i mewn iddo. Yn sydyn, dechreuodd chwifio'i dywel o gwmpas ei ben a rhedeg rownd y cylch. Meddyliais ei fod wedi cael ffit — bod y ddawns wedi'i wneud yn lloerig neu rhywbeth.

Yna dyma fo'n rhoi naid allan o'r cylch a rhedeg at Mike gan weiddi a chwifio'i ddwylo. Erbyn hyn, roeddwn wedi deall beth oedd o'i le — roedd y cylch yn dew gan bryfed gan fod y goleuadau wedi bod ynghyn am gymaint o amser. Gyrrodd Mike bedwar dyn i mewn i'r cylch i lanhau'r mat efo brwshus llawr a thyweli, a dyma'r ornest yn cychwyn o ddifri.

Jim Mozer yw'r llam-giciwr gorau'n y byd, a dyna pam y cafodd ei alw'n 'Jumping' Jim. Ond doedd o ddim yn fo'i hun y noson honno — a gwyddwn o'r gorau mai ar y pryfed yr oedd y bai. Fel pawb o'r West Indies, mae Jim yn credu'n gryf mewn ysbrydion, a threuliais oriau yn gwrando arno yn adrodd hanes ei fywyd cynnar yn Jamaica, gan sôn am yr holl ysbrydion oedd yno, ac fel yr oedd pawb yn tro'i bry ar ôl marw.

Ildiodd Jim yn yr ail rownd, er y buasai wedi curo'i wrthwynebydd yn hawdd o dan amodau arferol. Rhedodd o'r cylch yn ol am yr ystafelloedd newid gynted ag y medrai. Plediodd arnaf i beidio â mynd yno — dywedodd bod y pryfed i gyd yn eu holau, a'i bod hi'n beryg bywyd mynd yno i'w canol. Gallwn weld ei fod wedi'i ddychryn o ddifri.

Ond yn ei flaen yr aeth y Cymro dewr — rhaid oedd chwifio'r Ddraig, jyngyl a phryfed neu beidio. Ymlaen..ymlaen...! Ond rhaid imi gyfaddef i minnau gael dipyn o fraw ar ôl cyrraedd y cylch. Nid rhyw biwiaid bach fel oedd 'na dan bont 'Sbyty cyn glaw oedd 'na fan'ma. Doedd 'na'r un fodfedd sgwâr o'r mat reslo nad oedd 'na gannoedd o bryfed arni, a'r rheiny bob lliw a llun yn neidio a dawnsio a chwffio efo'i gilydd, tra bod 'na gymylau o bryfed asgellog a chynffonnog yn hedfan o gwmpas uwch ben y mat. Fedrech chi ddim anadlu heb iddyn nhw lenwi'ch trwyn chi, a fedrech chi ddim siarad heb gael llond ceg ohonyn nhw.

Edrychais ar fy ngwrthwynebydd. Yn ddu fel tar ac yn hyll fel pechod. Dyn lleol oedd o, a doedd y pryfed bach ddim yn poeni dim arno — un pry oedd yn poeni hwn, ac y fi oedd hwnnw. Edrychais ar ei ddannedd — dannedd mawr, miniog fel dannedd siarc. Dywedais wrthyf fy hun mai canibal oedd hwn — doedd dim dwywaith am hynny.

Unwaith eto, crwydrodd fy meddwl yn ôl i 'Sbyty Ifan, a chofio'r côr hwnnw a ganai wrth giât Bod Ifan pan oeddwn innau'n byw tan loywach nen:

"Heb gwmni unrhyw berson
Ond pryfed man, di-ri,
O, ienctid, ienctid, cofiwch
Fod marw'n dod i chi."

Mi fuasai'n resyn petawn i'n marw yma yn y jyngyl, mor bell o'r hen 'Sbyty, Meddyliais. Ydi'r rhain yn bwyta pobol farw, tybed? Neu a fuasai'r pryfed wedi gloddesta arna' i gyntaf?

Dyna'r gloch, a chyn imi allu troi roedd y canibal ar fy nghefn ac yn fy leinio nes roedd y dyrfa yn gwallgofi. Roedd 'na ddyn gwyn oedd yn mynd i gael ei ladd yn fan'ma heno, ac roedd pawb yn rhwbio'u dwylo. Mi daerwn imi glywed un o'r dyrfa yn gofyn wrth un arall prun ai darn o 'nghoes i yntau darn o 'mrest i roedd o'n ei ffansïo.

Roedd Hercules yn driw i'w enw — yn gryf fel arth, ond ar wahân i'r 'Bear Hug', ychydig a wyddai am hanfodion reslo. Reslo gyda'r coedwigwyr lleol oedd yr unig brofiad yr oedd o wedi'i gael — meddyliwch mewn difri: canibaliaid yn reslo â'i gilydd!

Erbyn diwedd y rownd gyntaf roedd y ddau ohonom yn waed trosom — na, toedd o ddim wedi cychwyn fy mwyta yn fyw na dim byd fel'na. Gwaed y pryfed oedd o — bob tro y câi un ohonom ein taflu, byddem yn lladd rhyw gant neu ddau o bryfed wrth ddisgyn arnyn nhw, ac roedd eu cyrff yn glynu ar ein crwyn ninnau.

Bwced o ddŵr a molchi oedd hi ar ddiwedd y rownd gyntaf. Yna, edrychais ar y dorf. Doedd 'na 'run wyneb clên yn eu mysg nhw i gyd. Dechreuais gysidro rhywbeth y byddaf yn meddwl amdano'n aml mewn lle dieithr: sut y bydd hi arnaf i fynd allan o'r lle 'ma petawn i'n ennill. Wnai'r rhain ddim curo 'nghefn i ar y ffordd allan — hynny ydi, os na fuasai ganddyn nhw bastynnau yn eu dwylo!

Cyn imi ddechrau cysidro mai colli fuasai gallaf, roedd y canibal yn ôl ar fy nghefn ac yn fy leinio. Toedd y gloch ddim hyd yn oed wedi'i chanu, ond roedd y dyrfa wrth ei bodd. Doedd dim angen rhyw fan reolau yn y fan yma.

Aros di 'ngwas i, meddwn wrthyf fy hun, a disgwyliais am fy nghyfle. Mi ddaeth hwnnw tua chanol yr ail rownd — ceisiodd roi llam-gic, ond roedd hi'n amlwg nad oedd erioed wedi trio rhoi un o'r blaen. Gwelais hi'n dod o bell, symudais, methodd a disgynnodd ar ei gefn gyda chlec, a clywais sŵn y pryfed yn clecian oddi tano.

Cododd yn araf ddigon — roedd wedi cael cryn ysgytwad ac wedi colli'i wynt. Neidiais arno'r munud hwnnw gan roi'r 'Boston Crab' gorau a roddais i neb erioed iddo. Daliais ef, a chyda fy holl nerth, plygais ef yn ôl fel bwa. Clywais ei gefn yn clecian, ac yna rhoddodd sgrech. Ond toedd 'na ddim gollwng i fod, rhag ofn nad oeddwn wedi brifo digon arno. Dyma dynhau fy ngafael a rhoi mwy fyth o bwysau arno. Rhwygodd ei wae yr awyr, ond roeddwn i'n wallgo bellach, ac yn ddim gwell na chanibal fy hun.

Llamodd Power Mike a dyn arall i'r cylch a'm gorfodi i ollwng fy ngafael ar y truan —a gwyddwn felly mai fi oedd yn fuddugol. Gwyddwn hefyd mai'r broblem nesaf fyddai sut oedd mynd oddi yno'n fyw i mi gael adrodd y stori wrth rywun rhywbryd eto.

Doedd dim amdani ond troi trwyn y tarw. Gafaelais yn y meic ac annerch y dyrfa yn Saesneg. Dywedais wrthynt mai fi, y dyn gwyn oedd wedi trechu, ac nad oedd yn bosib i'r un dyn du fy niweidio gan fy mod yn meddu ar bwerau goruwchnaturiol. Rhoddais y meic yn llaw Power Mike a dywedais wrtho am ail-adrodd yr hyn a ddywedais yn eu hiaith hwy. Parablodd Mike am tua phum munud. Ar ôl iddo orffen, neidiais o'r cylch a cherdded at yr ystafelloedd newid. Gwahanodd y dyrfa fud gan wneud llwybr clir imi — nes 'mod innau'n teimlo fel Moses yn cerdded drwy'r Môr Coch.

Anelu am y Miliwn!

PENNOD 24

"Bobol bach...
Roedd y Stadiwm ar dân...!"

O Galibar aethom ar ein hunion i Mali. Lle ar y ddaear mae fan'no, meddech chi — a wela' i ddim bai arnoch. Eto, mae'n siŵr eich bod i gyd wedi clywed am Timbucktoo..? Wel, yr unig beth sy'n werth ei wybod am Mali yw'r ffaith mai yn y wlad honno mae Timbuktoo.

Hon yw un o'r gwledydd tlotaf yn y byd, gyda rhan helaethaf y wlad yn Anialwch y Sahara. Er inni hysbysebu'n gornestau'n drwyadl ar radio'r wlad (doedd y teledu ddim wedi cyrraedd yno bryd hynny), dau gant o bobol yn unig a ddaeth i wylio'r reslo. Dw i'n siŵr mai dim ond y ddau gant yma o holl bobol y wlad fedrai fforddio mynd i weld unrhyw beth os oedd yn rhaid talu am fynd i mewn. Stori dlawd oedd ein hanes ym Mali, felly. Rwyf wedi bod mewn dwsinau o wledydd — gormod o lawer imi fedru adrodd stori am bob un ohonyn nhw — ond mae'r stori fach yma am Mali yn dangos nad ydi reslo yn fywyd rhamantus bob amser. Am bob llwyddiant, mae tri methiant. A chyda llaw, mae'r hen air yn hollol wir: ia, twll o le ydi Timbuktoo.

Dychwelsom i Lagos, a channoedd yn y maes awyr yn fan'no yn cynnig cario eich bag. Ond doedd wiw ichi ollwng gafael arno neu welsech chi mohono byth wedyn. Roedd hyd yn oed mwy o drafnidiaeth nag arfer ar ffyrdd y ddinas. Rhoddodd Power Mike ei ben allan drwy'r ffenest i holi beth oedd yn bod. Rhywun wedi lladrata o fanc yn y ddinas oedd yr ateb. Mi gymerodd deirawr inni symud deng milltir o'r maes awyr i'r gwesty.

Trafferth yn y gwesty oedd yn ein wynebu nesaf — roedd Power Mike wedi hurio ystafelloedd inni yn y gwesty cyn inni adael y wlad, ond haerai'r clerc wrth y cownter nad oedd hynny'n wir, a dywedai nad oedd ganddynt le i'r un ohonom. Tynnodd

Mike 50 naira o'i boced (tua £100) a'i roi i'r hogyn fel cil-dwrn. Ar ei union, dyma yntau'n dweud bod yr ystafelloedd ar gael inni.

Dyna drefn arferol pethau yn Nigeria, a toedd yr Ecko Hotel yn ddim ond adlewyrchiad o'r gyfundrefn lwgrwobrwyo sy'n rhemp yno. Dim ond porter fuasai Jiwdas Iscariot yno — fuasai o ddim yn ddigon drwg i fod yn gymwys ar gyfer yr un swydd arall.

Drannoeth roedd hanes y lladrad o'r banc ar dudalennau blaen y papurau newydd — roedd y chwe lleidr wedi'u dal. Dywedai'r papurau y byddai'r treial drannoeth — ar ddydd Mercher — ac yna byddent i gyd yn cael eu dedfrydu'n euog ac yn cael eu dienyddio'n gyhoeddus ddydd Sadwrn. Dim lol, na disgwyl am farn rheithgor na dim byd fel'na yn fan'ma! O flaen gwesty'r Ecko mae'r glan mor mwyaf poblogaidd yn Lagos — milltiroedd o dywod aur — ac yn fan'no yr oedd y lladron i'w dienyddio.

Dyna'i gyd oedd yn mynd a bryd y cyfryngau am weddill yr wythnos. Anogid pawb i fynd yno erbyn hanner dydd — mi fydd hi'n sioe dda, gyda'r mynediad am ddim — cofiwch gefnogi'r digwyddiad. Aeth Jim Mozer a minnau i lawr yno, gan ddisgwyl cael golwg o bell ar y gweithgareddau. A phell oedd hi hefyd — fedrem ni ddim mynd yn agos at y traeth gan fod yno 50,000 o bobol yno o'n blaenau. Trodd Jim a minnau yn ein holau, ond dychwelsom ymhen teirawr a chanfod bod y dyrfa yno o hyd. Aethom am dro arall a dychwelyd ymhen dwyawr — ond nid oedd dim newid yn y sefyllfa. O holi rhywun, cawsom ar ddeall bod y lladron wedi'u saethu ond bod y plismyn wedi gohirio'r digwyddiad o hanner dydd tan dri fel y medrent hwy fanteisio ar y cyfle i werthu ychwaneg o lemonêd i'r dyrfa sychedig.

Roedd gwaed ar y chwe polyn a safai'n rhes wrth lan y môr:

"Un fendith dyro im
Ni cheisiaf ddim ond hynny:
Cael gras i'th garu'n fwy bob dydd,
Cael mwy o ras i'th garu..."

Ar ôl y fath dywallt gwaed yn ystod y dydd, doeddem ddim yn disgwyl y buasai'r dyrfa yn hidio rhyw lawer am dalu i weld gornest reslo gyda'r nos. Eto i gyd, roedd yna dyrfa enfawr yn ein gwylio y noson honno.

Roedd Power Mike yn daer eisiau mynd â ni i Uganda — roedd o wedi cyfarfod Idi Amin ac wedi'i weld yn hen foi iawn. Gwrthod yn bendant wnaethom ni serch hynny, a diolch byth hefyd oherwydd rhyw flwyddyn yn ddiweddarach y cychwynnodd o ar ei droseddau erchyll.

Rhywsut mae hyn yn arwain y cof at Belsen yn yr Almaen — bum yn reslo yno hefyd, ac mae awyrgylch y lle yn ddigon arswydus o hyd gan fod y poptai yn dal yno. Mae achlysuron cynnal reslo'n wahanol iawn yn yr Almaen o'u cymharu â Gwledydd Prydain — bwrw un noson a symud ymlaen i le arall yw'r drefn yma. Ond yn yr Almaen cynhelir twrnamentau mawr — gall un twrnament bara chwech wythnos gyda gornestau'n cael eu cynnal bob nos.

Mae tua phedwar ar hugain o reslwyr yn cymryd rhan yn y twrnament, gyda phum gornest bob nos. Caiff pob enillydd un pwynt ac ni chaiff y collwr yr un pwynt, a'r sawl sydd gyda'r mwyafrif o bwyntiau ar ddiwedd y chwech wythnos sy'n ennill cwpan arian anferth a hefyd pentwr go sylweddol o bres. Yn y trefi mawr yng ngogledd yr Almaen — Hamburg, Hannover a Bremen — y cynhelir y twrnamentau hyn fel rheol.

I Essen yr euthum i i'm twrnament cyntaf yn yr Almaen — a hynny ym 1969 gydag Eric Taylor yn dod gyda mi. Roedd yno reslwyr o bob cwr o'r byd: Samson Negro o Venezuela; Otto Vanz o Awstria; Bobbie Gitano o Ffrainc; Hans Rooks o'r Almaen ac ati — a Nico Selenkovich oedd yr hyrwyddwr.

Yn ôl ein cytundeb roedd rhaid inni fod yn Essen ddeuddydd cyn i'r reslo gychwyn er mwyn i'r papurau newydd gael ein stori a'n lluniau. 'From England' oeddwn i iddyn nhw, ac roedd hynny'n rhwbio'n groes i'r graen o'r dechrau. Euthum at Nico gan egluro wrtho nad Sais mohonof, ond Cymro. Er fy syndod, nid oedd o erioed wedi clywed am ein gwlad. Dywedodd wrthyf nad oedd o ddim gwahaniaeth ac y gwnâi Lloegr yn iawn imi yn y fan honno gan na fuasai neb arall ddim callach.

Ond daliais i daeru gan dynnu llun map o Wledydd Prydain ar ddarn o bapur gan bwyntio at yr Alban, Iwerddon, Lloegr a Chymru. A! wrth gwrs — roedd o'n ei gweld hi rŵan, meddai o. Dim problem — mi newidiai o'r rhaglen. Ar noson gyntaf y twrnament edrychais drwy'r rhaglen a chanfod fy llun ynddo ymysg y reslwyr eraill, ac oddi tano roedd y geiriau: 'Orig Williams, (IRLANDE)'.

Doedd yr hen Nico 'mond wedi hanner fy neall i — ond roedd yn llawer gwell gen i gael fy adnabod fel Gwyddel yn hytrach na Sais. Meddyliwch am yr holl Gymry a gollodd eu gwaed yn y ddwy ryfel byd, a'r Almaenwyr yn ddim callach nad Saeson oeddan nhw:

> "Er i'r Almaen ystaenio
> Ei dwrn dur yn ei waed o."

Roedd awyren o'r Almaen wedi gollwng bom ar gae Plas Uchaf, rhyw ddwy filltir o ganol pentref Ysbyty Ifan yn ystod y rhyfel — yr hen Adolf eisiau cau'r ffordd i'r nefoedd mae'n siŵr. Jerri-bomar efo bom yn sbâr ar ôl bod ar gyrch i Lerpwl oedd y fam leol, ac yn ei gollwng i arbed ei chario adref. Petai Hitler yn gwybod mor agos y bu i chwalu pentref pwysicaf Prydain, a thrwy hynny ennill y rhyfel gydag un strôc, dw i'n siŵr y buasai o'n troi yn ei fedd.

Ond o edrych ar yr Almaen heddiw, mae'n anodd dirnad sut goblyn y trechwyd hwy yn y rhyfel o gwbwl. Mae'n wlad weithgar, benderfynol, heb fodloni ar ddim ond y safon uchaf ym mhob maes. Mae'r tir yn cael ei drin i'r eithaf gyda phob acer posibl yn cael ei haredig i dyfu dau gnwd y flwyddyn. Ffyrdd mawr hwylus o un pen i'r wlad i'r llall, a phob tŷ ac adeilad ym mhob pentref a thref yn lân a thaclus. 'Chewch chi ddim golchi'ch car ar y stryd yno ar ddydd Sul, ac ni chaiff loriau trymion ddefnyddio'r ffyrdd ar y diwrnod hwnnw ychwaith. Ond er caleted mae'r Almaenwyr yn gweithio — mae pob ffatri a garej yn agor am 7.30 yn y bore — mae dynion tywyll eu crwyn yno i wneud y gwaith caletaf a'r butraf un. Twrciaid yw'r rhain, — sydd yn debyg iawn i'r Gwyddelod neu'r Indiaid yng Ngwledydd Prydain.

Roeddwn wedi darllen am 'Reslwyr Olew Twrci' ac mi roeddan nhw wedi ennyn fy niddordeb. Tra oeddwn yn yr Almaen, ceisiais sgwrsio â'r Twrciaid yno ynglŷn â'r reslwyr hyn, ond heb fawr o lwyddiant gan nad oeddent yn deall Saesneg. Ddeunaw mis yn ddiweddarach — yn Ynys Manaw o bobman — deuthum ar draws Twrc o'r enw Sadi Pekerol oedd yn siarad Saesneg yn rhugl. Hyrwyddwr ym myd y theatr oedd y gŵr hwn, ond addawodd y gwnâi ymholiadau ar fy rhan unwaith yr âi'n ôl i Istanbul.

Gyda hyn, dyma dderbyn llythyr oddi wrtho yn cyhoeddi bod gan reslwyr y wlad ddiddordeb mawr yn y ffaith bod tîm o reslwyr tramor ag awydd dod yno i ymaflyd â hwy. Roedd y rhagolygon yn wych, meddai. Sgwennais yn ôl ar fy union gan ddweud wrtho am fynd yn ei flaen a'r trefniadau, ac y buasem yn cyrraedd yno yn ystod yr ail wythnos ym mis Medi. Siarsais ef bod rhaid cael cae neu Stadiwm mor agos â phosib i ganol Istanbul, ac un a ddaliai o leiaf 50,000 o bobl. Roeddwn yn hyderus y caem ddilyniant mawr yno gan fod Sadi wedi llwyddo i ni gael caniatâd i fynd a merched yno i reslo hefyd. Meddyliwch mewn difri — y ni fuasai'r criw cyntaf i fynd â merched i reslo i wlad Fwslemaidd: roeddan ni'n saff o wneud ffortiwn!

Roeddwn wedi bod ynglŷn â'r busnes rhyfedd yma ers rhai blynyddoedd erbyn hyn, ond er fy mod yn reslo o flaen torfeydd anferth, doeddwn i erioed wedi gwneud llawer iawn o arian fy hun. Ar gyflog y byddwn i fel arfer, ond roeddwn wedi gweld pobl llai galluog na fi yn gwneud miliwn mewn llai na mis.

Bob tro yr oeddwn i wedi cael cyfle i wneud tocyn o bres yn un o'r gwledydd pell 'ma, roedd 'na rywbeth wedi mynd o'i le ac mi roeddan ni'n colli arian ar y fenter, neu ddim ond yn clirio'n costau os oeddan ni'n lwcus. Cofiwch chi, toeddwn i ddim yn cwyno — roeddwn wedi cael cyfle i weld y byd a phobl y gwahanol wledydd (os oeddwn i rywfaint callach o hynny!). Ac roeddwn bob amser yn cofio geiriau Nain: "Os cawn ni iechyd, tydi hi ddim yn ddrwg arnom ni."

Ond wrth baratoi i fynd i Dwrci, roedd yr hen chwant i wneud arian mawr yn dechrau cnoi 'mherfedd i unwaith yn rhagor. Erbyn heddiw, mae'r chwant hwnnw wedi mynd, a gwn na fyddaf fyth yn filiwnydd. Rwyf wedi hen sylweddoli bod Nain wedi dweud calon y gwir. Ond wrth gychwyn am Asia, roedd fy nychymyg yn fflam a'm breuddwydion ar dân, a theimlwn yn sicr ym mêr fy esgyrn bod popeth am fynd o'm plaid y tro hwn.

Gan ein bod yn gorfod cario'r cylch a'r mat reslo efo ni, roedd rhaid i dri ohonom fynd yn y car efo'r gêr, sef Jim Mozer, Kevin Conneely a minnau. Roedd pawb arall yn hedfan yno. Lawr â ni i Dover a dal cwch i Zeebrugge yng Ngwlad Belg. Yna teithio ar hyd traffyrdd yr Almaen a thros ffyrdd troellog yr Alpau i Iwgoslafia. Mi gawsom dipyn o strach yn fan'no — hon oedd y wlad gyntaf y tu draw i'r llen haearn yr oeddem yn gorfod ei chroesi. Dim traffyrdd yn fan'ma — dim tar ar y ffyrdd hyd yn oed! Bownsio mynd ar hyd ffyrdd mynyddig o gerrig a phridd a thyllau mawr, ac yna agor allan i'r gwastadedd eang. Pum can milltir o ffordd unionsyth yn mynd â ni at y ffin â Bwlgaria wedi hynny. Gwlad ddigroeso oedd honno bryd hynny hefyd, a phawb dros saith oed yn gorfod treulio dwyawr yn trin caib a rhaw yn y caeau bob pnawn.

Dw i'n cofio Jim Mozer yn ceisio archebu bwyd mewn caffi yn Sofia, prifddinas Bwlgaria. Roedd o'n newynnog iawn ac yn ffansio cyw iâr, felly dyma fo'n neidio o gwmpas a chwifio'i freichiau a chlwcian "chic-chic-chic!" dros y lle. Amneidiodd yr hogan ei bod wedi ei ddeall, ond pan ddaeth hi'n ei hôl, dau ŵy wedi'u berwi oedd ganddi!

Bu raid inni aros yn Ederne i swyddogion y tollau ein' harchwilio cyn y medrem gael mynediad i Dwrci. Yma roedd cŵn a dynion yn tynnu pob car yn rhacs ac yn gadael i chi roi'r darnau'n ôl at ei gilydd yn eich hamser chi'ch hun Chwilio am gyffuriau yr oeddan nhw wrth gwrs, oherwydd dyma'r groesfan brysuraf rhwng Asia ac Ewrop. Yr ochr draw roedd Sadi Pekerol yn disgwyl amdanom, a 'mlaen â ni am Istanbul.

Ar y ffordd, cawsom glywed am fanylion ein sioeau — dwy noson yn Istanbul i ddechrau arni, yna ymlaen i Ankara, Ismir ac ati. Holais ef ynglŷn â'r Stadiwm yn Istanbul. Roedd hi'n ddigon mawr i ddal 12,000 meddai — teimlai bod hynny'n ddigon gan ein bod yno am ddwy noson. Damitôl, meddwn innau wrthyf fy hun, — nid dyma'r ffordd roeddwn i'n mynd i fod yn filionêr!

Roedd gweddill y tîm yn cyrraedd y diwrnod canlynol ac roedd y wasg yno'n eu cyfarfod yn y maes awyr. Fel y disgwylais, roedd yna griw mawr o hogia'r wasg yno — nid dim ond am bod reslwyr gwyn yn cyrraedd y wlad, ond yn ogystal am bod *merched* yn dod yno i reslo. Y cwestiwn mawr ym meddyliau pawb oedd a fedrai merched wneud rhywbeth a oedd hyd hynny wedi bod yn gyfyngedig i ddynion yn unig yn eu gwlad.

Er bod yr awyren yn hwyr yn glanio, ni phylwyd dim ar frwdfrydedd y wasg. O'r diwedd, cyrhaeddodd yr awyren, agorodd

y drysau a'r reslwyr oedd y rhai cyntaf allan. Fflachiodd y camer-
âu gannoedd o weithiau, ac roeddwn innau'n rhwbio fy nwylo'n
hapus.

Ond, fel arfer, roedd 'na un peth bach o'i le y tro yma
hefyd. Mitzi Mueller oedd yr unig hogan oedd efo'r tîm — roedd
y llall wedi cyrraedd Heathrow yn rhy hwyr i ddal yr awyren
Doedd pethau ddim yn rhy ddifrifol serch hynny gan y byddai'n
cyrraedd y diwrnod canlynol — ond yn rhy hwyr i fedru cymryd
rhan yn yr ornest reslo ar y noson honno. Ta waeth, roedd gan-
ddon ni ddigon o ddynion i wneud yn siŵr bod y rhaglen yn llawn,
ac mi fyddai hi'n saff o fedru perfformio ar yr ail noson.

Cynhwysai pob papur newydd yn Nhwrci luniau o'r reslwyr
yn y maes awyr y diwrnod canlynol, gan ddweud mai hwn oedd
y goresgyniad mwyaf gan ymladdwyr i'w gwlad ers dyddiau'r
Groegiaid. Edmygai'r gohebwyr ddewrder ein reslwyr ni — dywed-
ent mai dim ond gwŷr dewr fuasai'n dod i Dwrci i s'lensio'r Res-
lwyr Oel, sef y reslwyr gorau'n y byd.

Y noson honno cawsom drafferth ofnadwy i gyrraedd y
Stadiwm gan fod y drafnidiaeth yn neilltuol o drwm — a phawb
i'w weld yn mynd i'r un cyfeiriad â ni. Cyrraedd o'r diwedd — a
'nghalon yn rhoi llam, gan fod y lle eisoes yn orlawn. Adeilad
tebyg i'r Coliwsewm yn Rhufain ydoedd, heb do arno — ond
i'r dim ar gyfer reslo. Roedd 12,000 yn eistedd yn eu seddau
eisoes a 3,000 arall yn eistedd ar ben y wal allanol, a deallais yn
ddiweddarach bod miloedd o bobol wedi eu troi ymaith y noson
honno. Roeddwn eisoes yn cychwyn cyfri'r aur...!

Aethom ni, y deuddeg reslwr, ar barêd o amgylch y cylch
cyn cychwyn ar yr ornest, er mwyn i'r gynulleidfa gael ein cyf-
arfod, ac yna tynnwyd coelbren i weld pwy oedd yn reslo pwy.
Cawsom dderbyniad digon parchus, gyda brwdfrydedd mawr yn
cael ei arddangos tuag at yr unig ferch oedd yn ein plith. Ond yn
sydyn dyma'r gymeradwyaeth yn codi nes mynd yn hollol fydd-
arol. Cymerais gip tros fy ysgwydd i weld beth oedd yn digwydd
a gwelais bod dyn pen moel wedi ymuno â chynffon yr orymdaith.
Hwn oedd wedi ennyn y fath ymateb gan y dorf — pwy gythral
ydi hwn, meddwn wrthyf fy hun, a be mae o'i isho yma yng
nghanol ein sioe fach ni?

Cyn gynted ag yr oeddem wedi dychwelyd i'r ystafelloedd
newid, rhuthrais i gael gafael ar Sadi Pekerol er mwyn ei holi

*Ordulu — hwn oedd y concrit micsar cyhyrog a geisiodd
falu fy nghorff yn rhacs.*

ynglŷn â'r moelyn. Esboniodd yntau mai ei enw ydoedd Ordulu
Mustaffa. Hwn oedd pencampwr pwysau trwm y Reslo Olew yn
Nhwrci — ac roedd yn arwr i'r werin gan mai ef oedd yr unig un
erioed i ennill y bencampwriaeth agored dair mlynedd yn olynol.

Toedd Ordulu ddim i fod ar raglen y reslo y noson honno
ond ei ddiben wrth ymuno â'r orymdaith oedd s'lensio ein pen-
campwyr ni. Roedd y cyhoeddwr eisoes wedi datgan hyn dros yr
uchelseinydd a'r dorf yn naturiol wedi c'nesu wrth feddwl y
câi weld ei harwr yn ymladd yn erbyn y tramorwyr.

Teimlad Sadi Pekerol oedd y buasai'n syniad da gadael
iddo ymaflu — mi fuasai'n bechod siomi'r dyrfa, meddai, yn
arbennig gan nad oedd y genod yn reslo'r noson honno. Roedd-
wn wedi'i siarsio eisoes mai'r adeg gorau i gyhoeddi ein bod un
hogan yn brin, ac felly na fyddai reslo merched yn cael ei gynnal,

187

oedd reit ar ddechrau'r noson, cyn i'r gwaed gychwyn berwi. Holais ef os oedd wedi gwneud y cyhoeddiad hwnnw bellach. Nac oedd, — ddim eto, meddai, ond mi wnâi gyda hyn.

Cytunais ag ef y buasai'n syniad da caniatau i Ordulu Mustaffa reslo — ond fel gyda phob syniad da arall, roedd yna broblemau, a'r brif broblem oedd pwy fuasai'n reslo yn ei erbyn. Dywedais eisoes bod reslo yn weddol debyg ar hyd ac ar led y byd, ond yn Nhwrci yr arferiad oedd i'r reslwyr rwbio galwynni o Olew'r Olewydden drostynt cyn cychwyn, gan ei gwneud hi'n galetach i gael gafael iawn.

Cynhelir y math hwn o reslo ym mhob tref ac ym mhob pentref bob bwrw'r Sul yn Nhwrci — mae'n hen, hen draddodiad wedi'i drosglwyddo o'r naill genhedlaeth i'r llall ar hyd y canrifoedd. Unwaith bob blwyddyn cynhelir pencampwriaeth genedlaethol, gyda dros fil o reslwyr yn ymgiprys am y teitl mewn nifer o ornestau mewn cae eang dros gyfnod o dridiau. Mae'r ŵyl hon yn glamp o seremoni gan fod y reslwyr i gyd yn dawnsio ac yn gweddïo ar Allah cyn ymrafael, ac mae'n arferol i ffeit dda bara am ddwyawr neu fwy.

Gan fod y math yma mor ddieithr inni, nid oedd neb yn fodlon derbyn y sialens, gan fod pawb yn ofni efallai y buasai gan y dyn hwn rai triciau na wyddem ni ddim oll amdanynt. Pwy oedd yn mynd i ymladd Ordulu Mustaffa felly?

Ia, 'dach chi wedi'i gweld hi — yr hen lembo mawr hwnnw oedd y tu ôl i'r antur hon i Dwrci: Orig Williams o 'Sbyty Ifan. Y fo oedd yn gorfod sefyll yn y bwlch.

Aeth rhan gyntaf y rhaglen rhagddi'n ddidramgwydd, ac ar yr egwyl gofynnais i Sadi Pekerol a oedd wedi gwneud y cyhoeddiad ynglŷn â'r merched eto. Nac oedd, ddim eto, meddai hwnnw — ond mi wnai yn syth ar ôl yr egwyl.

Popeth yn dda, felly, ac euthum innau yn ôl i 'nghornel i ganolbwyntio ar y frwydr yn erbyn pencampwr Reslo Olew Twrci oedd o'm blaen. Mae'n hollbwysig bod eich meddwl yn hollol glir o flaen gornest — yn arbennig un mor bwysig â hon. Rhaid trechu eich holl ofnau a chredu'n hyderus mai chi fydd drechaf, na fydd posib i'r gwrthwynebydd eich brifo ac nad oes y ffasiwn beth a 'phoen' yn bod o gwbwl. Wrth ddringo i'r cylch, rhaid credu eich bod yn camu i wlad lle ni theimlir:

"Boen na galar fyth na chlwy."

Dydi'r Twrciaid ddim yn genedl fawr yn gorfforol, ac mae dyn chwe troedfedd yn ddyn mawr iawn yno. A dyn chwe troedfedd oedd fy ngwrthwynebydd i y noson honno, yn pwyso tua pedair stôn ar ddeg a'i ben yn hollol foel a golwg lem ar ei wyneb. Fel y cerddais at y cylch, roedd y dorf yn hollol dawel, ond pan ymddangosodd Ordulu Mustapha aeth y lle'n ferw gwyllt. Rhwygwyd awyr y nos gan weiddi a bloeddio croch. Taniwyd tân gwyllt, a chanwyd clychau a bu'n garnifal mawr am funudau. Galwodd y dyfarnwr ni i ganol y cylch i'n rhybuddio — ond toeddwn i'n deall yr un gair a ddywedodd.

Canodd y gloch i nodi cychwyn y rownd gyntaf. Faint ohonoch chi sydd wedi bod y tu mewn i goncrit micsar a hwnnw'n troi ffwl pelt? Wel, dyna sut yr oedd hi arna' i drwy'r rownd honno, ac roedd y dyrfa yn ferw dân. Gwellodd pethau yn ystod yr ail rownd, ac erbyn y drydedd roeddwn i wedi deall nad oedd y ffasiwn beth ag ildio yn bod yma chwaith. A dweud y gwir, ychydig iawn o'n rheolau ni gâi eu harddel o gwbwl.

Rhwng y drydedd a'r bedwaredd rownd, gwnaeth rhywun gyhoeddiad ar yr uchelseinydd a sylwais bod y dorf wedi anesmwytho rhywfaint — ond roedd gen i ormod ar fy mhlât i boeni am ryw fanion fel'na.

I mewn â mi am y bedwaredd rownd, ac erbyn hyn roeddwn yn llwyddo i ddal fy nhir dipyn gwell. Tua chanol y rownd, deuthum yn ymwybodol bod 'na ryw gynnwrf mawr ymysg y dorf a bod rhywbeth yn saff o fod o'i le. Yn sydyn, dyma fy ngwrthwynebydd yn stopio'n stond ac yn syllu i gyfeiriad y dorf. Yn naturiol, dyma finnau'n rhewi ac yn edrych i fyny yr un fath ag yntau.

Bobol bach! Roedd y Stadiwm ar dân, a'r dorf yn cynddeiriogi ac yn ceisio'i gwneud hi am y drysau. Roedd chwe thân braf wedi cynnau mewn gwahanol fannau yn y Stadiwm. Sut? Pam? 'Chefais i ddim amser i holi — dim ond ei g'leuo hi allan yr un fath â phawb arall.

Ar y ffordd yn ôl i'r gwesty cefais innau wybod beth fu. Penderfynodd Sadi Pekerol, yn ei ddoethineb, wneud cyhoeddiad na fyddai'r merched yn reslo'r noson honno reit ar ganol ein gornest ni. Gwylltiodd y dorf gan deimlo eu bod wedi'u twyllo, a dechrau llosgi'r Stadiwm. Pentyrrwyd cadeiriau yma ac acw a rhoi fflam iddyn nhw. Mewn gwlad boeth fel Twrci, doedd y coed fawr o dro cyn cydio, ac mewn ychydig funudau roedd y Stadiwm ei hun yn ffaglu.

Fore trannoeth, hon oedd y stori ar bob tudalen flaen. Pan aethom i'r Stadiwm y diwrnod hwnnw, gwelsom nad oedd y difrod yn ddifrifol iawn gan fod y frigâd dân wedi cyrraedd mewn pryd. Gyda thipyn o ymdrech, mi fuasai wedi bod yn bosib cynnal ychwaneg o ornestau yno y noson honno. Ond nid oedd modd ymresymu â rheolwr y Stadiwm — roedd ef wedi ymdynghedu na chynhelid reslo yno eto tra y byddai ef byw. Er ein holl berswadio a chrefu, "Na, na, na!" oedd yr ateb bob tro.

Doedd dim i'w wneud ond cytuno â'r dyn, setlo'n cownt gyda fo a symud yn ein blaenau i Ankara. Gan mai ef oedd yn gyfrifol am gasglu'r arian wrth y giât, gofynnais iddo faint o bres a dderbyniwyd oddi wrth y dyrfa. "£50,000" oedd yr ateb.

"Ardderchog, faint o hynny sy'n dod i ni, ar ôl talu am rentu'r Stadiwm?"

"Dim."

"Faint?"

"Dim. Mae'n rhaid tynnu'r gost am atgyweirio'r Stadiwm allan o'r elw yn gyntaf, ac yna mae'r gweddill yn eiddo i'r Stadiwm fel iawndal am ei bod wedi colli ei henw da."

Sefais yno'n syfrdan. Yna, dyma ddechrau taeru. Ond doedd neb yn fodlon fy nghyfieithu. Doedd dim amdani ond derbyn telerau'r hen gadno a mynd ymlaen am Ankara. Mi fyddai pethau'n well yno — wel, doedd dim modd iddi fynd ddim gwaeth.

Ond erbyn cyrraedd y brifddinas, roedd stori'r tân wedi cyrraedd o'n blaenau, ac nid oedd y rheolwyr yn fodlon inni logi eu Stadiwm nhw yn fan'no, rhag ofn i'r un peth ddigwydd eto. Taeru mawr a llwyddo i'w cael i alw pwyllgor arall i ailgysidro'r mater o'r diwedd. Pwyllgora brwd am ddwyawr wedyn, a llwyddo i gael eu caniatâd — ond am bris, wrth gwrs.

Roedd y wasg wedi bod yn tynnu sylw'r cyhoedd at y merched oedd am reslo ar hyd yr amser yr oeddem wedi bod yn Ankara (oedd, roedd yr ail wedi cyrraedd bellach). Ond yn anffodus, roedd y wasg hefyd wedi cyhoeddi nad oedd gobaith gennym o gynnal gornest reslo yn y ddinas.

Felly pan gawsom ganiatâd y pwyllgor yn y diwedd, roeddem yn gorfod gweithio'n galed i gael storïau newydd i mewn i'r wasg. Ond roedd argraff y stori gyntaf wedi treiddio'n rhy ddwfn, a phrin y coeliai neb bod yr ail stori yn wir. O ganlyniad, ychydig dros fil o bobl ddaeth i wylio'r reslo.

Ymlaen i Izmir ac Antalia, ond yr un oedd ein hanes yno, hefyd. Ofnai'r bobol weld y Stadiwm yn cael ei rhoi ar dân, ac felly cadwent draw.

Daeth yr antur fawr i ben. Roedd y breuddwydion pêr am fod yn filiwnydd wedi'u chwalu'n llwch, a dychwelais adref gyda 'nghynffon rhwng fy nghoesau. Ond os oedd y pwrs yn wag, roedd costrel fy mhrofiadau dipyn cyfoethocach, mae hynny'n saff ichi!

Ar Dair Olwyn

PENNOD 25

"Roeddwn i'n breuddwydio am ddychwelyd i Gymru a sefydlu Maffia Cymreig!"

    Er i'r freuddwyd am fod yn filiwynydd ddiflannu, dal i gynyddu a wnaeth yr anturiaethau. Daeth cais oddi wrth awdurdodau N.A.T.O. inni fynd i reslo yng ngwersylloedd milwrol Naples a Catania yn Sicilia. Derbyn y cynnig wrth gwrs, a gan ein bod yn gorfod mynd a'n cylch reslo ein hunain gyda ni, dyma basio i'w gario ar drelar y tu ôl i gar ar draws Ewrop.

    Cafwyd benthyg trelar mawr pedair olwyn ar gyfer y diben a'i fachu y tu ôl i'm car, ac yna i ffwrdd â ni — Dave Stalford a minnau — a Wendy. Mae Wendy yn wraig i mi erbyn hyn, ac wedi dwyn sawl bendith i'm bywyd yn sgîl hynny — yn bennaf trwy wneud i mi gallio tipyn, a hefyd rhoi rhodd o ferch fach imi, sef Tara Bethan.

    Rhwng Llundain a Dover cawsom drafferth gan fod injan y Rover yn gor-dwymo oblegid y llwyth oedd yn y trelar. Drwy

Wendy, fy ngwraig,

— yr hogan a'm

hanner gwareiddiodd.

lwc roedd Dave Stalford — o'r Shankil Road ym Melfast — yn beiriannydd craff yn ogystal â bod yn reslwr dewr. Ymhen awr, daeth at wraidd y broblem, trwsiodd y modur a dyma ail-gychwyn. Ond roedd y trelar yn hen ac yn drwm iawn, ac roedd yr hen Rover druan yn dal i duchan wrth ei dynnu.

Cwch o Dover i Calais, ac i lawr â ni am Baris. Mae traffordd fawr chwe lôn yn amgylchynnu Paris, a rhaid i rywun fod â llygaid fel hebog wrth chwilio am y ffordd gywir i fynd oddi arni, neu buasai'n rhaid gwneud taith o hanner can milltir o amgylch y ddinas pe tae rhywun yn methu. Pan oeddem ar y draffordd hon, dyma sylwi bod y trelar yn rhyw sgegian o un ochr i'r llall ac o ganlyniad yn ysgwyd y llyw gan ei gwneud hi'n anodd iawn cadw rheolaeth ar y car. Doedd dim modd stopio i weld beth oedd o'i le gan fod cymaint o drafnidiaeth o boptu inni — chwe lôn o yrrwyr gwyllt, a phawb yn mynd fel cath i gythral. Dal i fynd felly, gan wylio am ein bywydau am ein cyffordd ni i gyfeiriad y de a'r Eidal. Wrth ddod i ffwrdd oddi ar y draffordd, dyma aros i weld be' goblyn oedd yn bod. Doedd dim byd i'w weld allan o'i le ar yr olwg gyntaf: y cyplings a phopeth i'w gweld yn iawn, ond o'r diwedd dyma sylwi ein bod wedi colli un o'r olwynion. Felly trelar tair olwyn — nid un pedair olwyn — oedd gennym erbyn hyn. Roedd hi'n o wan arnom i fynd yn ôl i chwilio am yr olwyn golledig ar y draffordd wyllt honno, felly dyma gytuno i chwilio am westy a cheisio cael olwyn sbâr i'r trelar yn y bore.

Drannoeth aethom i fynwent geir leol — ond doedd 'na 'run olwyn yn fan'no fuasai'n ffitio'n trelar ni. Aethom i sgrap iard fwy — ond doedd 'na ddim byd addas yn fan'no 'chwaith. Y drwg oedd fod hwn yn hen drelar, ac felly roedd 'na gythral o echel arno — fel bôn braich gorila — a doedd dim modd cael olwyn digon mawr i ffitio hon. Mi fuom yn chwilio'n ddyfal drwy'r rhan fwyaf o fynwentydd ceir Paris, — y ni'n esbonio mewn Saesneg a Chymraeg, ac yn ceisio gwneud rhyw ben a chynffon o'r atebion Ffrangeg a'r llu ystumiau a dderbyniem. Roedd Cynan yn llygad ei le pan ddywedodd:

> "Methais weled Duw ym Mharis,
> Methais wedyn ar y Somme,
> Yr oedd niwloedd oer amheuaeth
> Wedi llethu'm calon drom."

Roedd ein calonnau ninnau'n bur isel erbyn hyn — y siwrnai faith o'n blaenau, a dim ond tair olwyn ar y trelar.

Ond doedd dim torri calon i fod. Dyma'r tri ohonom ni'n cael pwyllgor bach, a phenderfynwyd yn unfrydol nad oedd 'na ddim troi 'nôl i fod — roeddan ni am fynd yn ein blaenau, o Baris i Naples, a hynny ar dair olwyn. A wir, roedd yr hen drelar yn mynd yn o lew — rhyw roncian mynd, mae'n rhaid cyfaddef, ond yn ein blaenau roeddan ni'n mynd serch hynny.

Cyrhaeddsom dde Ffrainc, ac yn awr roedd rhaid croesi'r ffin i'r Eidal. Roeddem ar ein gwyliadwriaeth yn awr rhag ofn i un o swyddogion y tollau sylwi ein bod ni olwyn yn brin a rhoi stop arnom ni. Wrth gwrs, oherwydd oedran y trelar druan, doedd 'na ddim sôn am frêcs na chythral o ddim byd felly arno fo, felly mi fuasai'r dynion capia fflat 'na yn medru honni'n ddigon cyfreithlon nad oedd ein llwyth ni'n ddiogel.

Roedd rhaid cynllwynio felly. Dywedais wrth Stalford am fynd y tu ôl i'r llyw ac am yrru drwy'r tollau, ac wedyn y buaswn innau'n cerdded wrth ochr y trelar gan gogio tynhau'r rhaffau a thacluso'r llwyth — gan gerdded wrth ochr y fan lle roedd yr olwyn golledig i fod, gan obeithio drwy hynny na fuasai neb yn sylwi ein bod wedi'i cholli.

Mi weithiodd yn fendigedig, ac yn fuan roeddem ar ein ffordd drwy Ogledd yr Eidal — ond roedd hi'n rhy gynnar i ganu gan fod deuddydd da o deithio eto o'n blaen. Llwyddem i gadw'n gyson ar ddeugain milltir yr awr, gan aros bob hyn a hyn pan oedd y car yn gor-boethi. Roedd ein pennau ni i fyny yrŵan, a'r tri ohonom wedi dod i gredu ein bod am weld pen y daith. Gwyddem y caem gymorth yr Iancs yn eu gwersyll milwrol i drwsio'r trelar ar gyfer mynd i lawr i Sicilia a dychwelyd adref.

Y cyfarwyddiadau a gefais sut i gyrraedd Gwersyll N.A.T.O. Naples oedd inni droi oddi ar y draffordd rhyw drigain milltir cyn cyrraedd y ddinas a dilyn y ffordd ar hyd yr arfordir fuasai'n ein dwyn yn uniongyrchol at y gwersyll. Ond sut roeddem i wybod pryd y byddem o fewn trigain milltir i Naples, oedd fy nghwestiwn i. Roedd yr ateb a gefais yn un o'r cyfarwyddiadau ffordd rhyfeddaf a glywais erioed. Y marc i nodi hynny, yn ôl hogia N.A.T.O., oedd y buasem yn gweld tanau ar ochr y draffordd — sef tanau teiars yn llosgi bob rhyw filltir o'r daith. Pan welem y cyntaf o'r tanau hyn, yna byddem yn gwybod ein bod drigain milltir union o'r ddinas a bod tân cyffelyb bob milltir o'r ffordd hyd at gyrrion y ddinas ei hunan. Diben y tanau hyn oedd nodi bod merch yn sefyll yno — naci, nid un o 'Ferched y Wawr' ond un o'r rhai eraill rheiny — a'i bod hi'n chwilio am wirfoddolwyr. Roedd pob un wedi'i gwisgo fel merch ysgol — ac yn wir roeddan nhw'n edrych fel rhai o genod del Ysgol Ramadeg Llanrwst ers talwm hefyd, yn eu gymslips nefi-blŵ a'u blowsus gwynion, er bod y wynebau efallai yn tynnu at hanner cant! Y Maffia oedd yn gyfrifol am ddod â nhw mewn dwy fys mawr bob nos a'u gosod fel hyn ar ochr y draffordd, a'r tanau oedd y mynegbyst fel petai. Yn yr un modd roedd y tân cyntaf yn arwydd i ni droi am yr arfordir.

Unwaith roeddan ni'n troi ar ffordd yr arfordir, roeddan ni'n gwybod ein bod fwy neu lai wedi cyrraedd, felly dyma aros i ddathlu'r ffaith wyrthiol honno. Prynu llond bwced o win coch — dyna sut roedd y stwff yn cael ei werthu yno, — a llai na phunt oedd pris bwcedaid! Am weddill y daith o ddeng milltir ar hugain roedd y tri ohonom yn yfed o'r bwced hwn — ac ymhen rhyw ugain milltir, roedd y tri ohonom ni'n beipan feddw racs. Roedd o'n stwff da y noson honno, ond iechyd roedd o'n stwff drwg erbyn y bore — mi fuon ni'n sâl am ddyddiau, a hyd y dydd hwn tydw i byth wedi cyffwrdd â gwin coch ar ôl hynny. Godamio fo ddeuda i!

Cyrraedd pen y daith, a derbyn croeso mawr yn fan'no, a ben bore drannoeth aethom i'r adran drwsio peiriannau a chael cymorth clamp o ddyn du. Cafwyd gafael ar uffarn o olwyn fawr oddi ar rhyw hen fys, ond doedd honno ddim yn bachu'n daclus ar boltia'r trelar 'chwaith. Felly doedd dim amdani ond llifio'r boltia a weldio'r olwyn yn sownd i'r plât ar yr echel — a wir i chi, mi ddaliodd honno'r daith i lawr i Sicilia a'r holl ffordd yn ôl adref.

Wedi darfod ein sioe reslo yn Naples, aethom i lawr hyd at Reggio Calabria ym mlaen troed yr Eidal a hwylio oddi yno i Messina ar ynys Sicilia — ynys enwog y Maffia, wrth gwrs. Erbyn hyn, roedd pobol ddrwg y byd wedi dod yn dipyn o arwyr imi, ac roeddwn i'n rhyw freuddwydio weithiau am ddychwelyd i Gymru a sefydlu Maffia Cymreig! O ddifri rŵan — gan anghofio am y llofruddiaethau a'r erchyllterau eraill am funud — mae 'na lawer i'w ddweud o blaid system y Maffia. Maen nhw'n driw iawn i'w teuluoedd ac i bobol o'r un genedl â hwy, yn arbennig felly yn America. Maen nhw'n edrych ar ôl ei gilydd yn llawer gwell nag yr ydan ni yn ei wneud yma yng Nghymru.

Wrth gyrraedd Messina, roeddem yn hanner disgwyl gweld pawb yn gwisgo sbectols tywyll a hetiau duon efo bandiau gwyn, fel ar ffilmiau Hollywood. Ond wir, pobol hollol naturiol oedd yn fan'ma, a fedra i ddim dweud inni ddod ar draws yr un aelod o'r Maffia tra buon ni yno. Wedi clywed bod hogia ni wedi cyrraedd eu hynys fechan nhw mae'n siŵr, ac wedi clywed ein bod ni'n beryclach o beth coblyn na nhw!

Rhai Enwau sy'n Aros

> "Jackie T.V. Pallo...Les Kellett...
> ...Billy Two Rivers...Francis St. Clair Gregory...
> ...Bert Assarati...Randolph Turpin...
> – ac 'El Bandito' wrth gwrs!"

Mae reslwyr mor enwog am eu henwau rhyfedd a syfrdanol ag y maen nhw am eu campau corfforol. Mae reslo, wrth gwrs, y tu hwnt i'r byd a'r bywyd hwn gyda rhyw ramant a seremoni a steil yn perthyn iddo, ac mae'r enwau crand, pwysig yn help garw yn y busnes od, rhyfedd yma.

Ar ddechrau fy ngyrfa fel reslwr, roeddwn innau wedi ceisio meddwl am enw addas y buaswn i'n medru ei fabwysiadu hefyd — enw fel 'Llywelyn Ein Llyw Olaf' neu 'Y Ddraig Goch' neu 'Myrddin Wyllt' neu rhywbeth tebyg i hynny. Ond y broblem oedd y buasai'r Saeson yn rhy dwp i ddallt enwau felly, a gan na fuaswn i byth yn defnyddio enw Saesneg er mwyn eu plesio nhw, Orig Williams fuodd hi am sbel go lew.

Bûm yn reslo am nifer go dda o flynyddoedd cyn imi gael gwahoddiad i fynd i America i berfformio. Rŵan, os ydi rhai ohonoch chi'n meddwl bod 'na gimics ynglŷn â reslo yma yn Ewrop — wel, mi allwch fentro bod hi ganwaith gwaeth yn 'Merica. Mae pob dim yn gimics yn y fan honno — pob dim.

Roeddan ni yn y Madison Square Gardens rhyw noson, a mae 'na beth bynnag ddwsin o wahanol ornestau bob nos yn y fan'no. Fel roedd hi'n digwydd, yn y ddeuddegfed ornest yr oeddwn i i fod i reslo. Mi fedrwch ddychmygu'r stafelloedd newid — dau ddwsin o reslwyr o bob cwr o'r byd ar draws ei gilydd, a'r hyrwyddwr — Vincent MacMahon — yn ceisio cadw trefn. Americanwr o dras Gwyddelig oedd wedi gwneud pentwr bach reit ddel wrth hyrwyddo gornestau paffio oedd Vincent, ond roedd bellach wedi troi at hyrwyddo reslo. Clywais un o'r reslwyr eraill yn ei

"El Bandito" fel y'i bedyddiwyd yn Efrog Newydd.

holi, gan nodio i 'nghyfeiriad i:

"Who's the Mex?"

"He's not a Mex — he's a limey," oedd ateb MacMahon.

'Limey' wrth gwrs yw enw'r Iancs ar bobol o Wledydd Prydain — yn yr hen amser byddai morwyr yn bwyta ffrwythau leim ar fyrddau'r hen longau hwyliau rhag iddyn nhw ddioddef o sgyrfi.

"The God-damn limey looks more like a wet-back," oedd ymateb y llall. "You should have him as a Mex — I mean, with all those wet-backs out there in the crowd, he'd be a good pull for you."

'Wet-backs' ydi enw'r Ianc ar bobol sydd wedi dod i mewn i 'Merica'n anghyfreithlon drwy nofio ar draws y Rio Grande o Mexico. Roedd llawer o'r rhain yn cyrraedd Efrog Newydd ac yn ddilynwyr brwd y gornestau reslo. Mi fyddai gweld Mecsican yn reslo yn cynhesu'i calonnau nhw. Felly dyma Vince Macmahon yn troi ataf i gan ddweud:

"Orig, would you mind working as a Mex?"

"I don't care what I work as," meddwn innau, "so long that I get a few bob for it. Thats all that matters."

'O.K., tell you what — you work as a Mex tonight," meddai Vince. "What can we have as a name for you...I've got one — you look like a real rogue, how about 'El Bandito'?"

Hynny fu. Ac 'El Bandito' ydi'r enw hyd y dydd hwn. Maen nhw'n dweud bod 'na fandits a Gwylliaid Cochion yn Ysbyty Ifan ers talwm — wel, fedra' i ddeud dim ond 'mod i'n falch iawn o fod yn llinach y rheiny.

* * * * *

Fel y dywedais i, mae'r reslwyr yma i gyd yn bobol llond eu crwyn ac y tu hwnt i'r byd a'r bywyd hwn, ac mi ddyweda' i sut y bu i hyn gychwyn gyntaf un. Ar ôl yr Ail Ryfel Byd y dechreuodd reslo ennill tir o ddifri — ac ar y dechrau, reslo strêt, di-lol a di-liw oedd o. Ond ymhen rhyw ddwy neu dair mlynedd ar ôl cychwyn rhoi reslo ar y teledu, roedd peryg i bethau fflatio. Fedrwch chi ddim dal i wneud yr un peth dro ar ôl tro, gan ddisgwyl i bobol aros yr un mor frwdfrydig. Mae fel gwneud triciau mewn syrcas — mae'n rhaid mynd gam ymhellach bob tro, a dod â gimic newydd neu gymeriad newydd i mewn i'r maes a derbyn llwyddiant — neu fethiant — yn sgîl hynny. Y diwedd fu i gimics gael eu cyflwyno i fyd y reslars — ac wrth gwrs, Llundeiniwr gychwynnodd ar y gêm hon.

Jackie Pallo oedd ei enw — mae llawer ohonoch chi'n cofio hwn dw i'n siŵr, ac o Highbury yng ngogledd Llundain roedd o'n dod, a dyma ichi 'Jack-the-Lad' os bu 'na un erioed. Tyfodd Pallo ei wallt yn llaes, a'i glymu uwch ei war. Yna meddyliodd am y syniad o roi rhuban ynddo. Wel, roedd pobol wedi rhyfeddu —*dyn* efo rhuban yn ei wallt!

Ond roedd y tric yn gweithio, ac roedd y tyrfaoedd yn tyrru i'w weld yn reslo. Roedd Pallo uwch ben ei ddigon, ac yn cael mwy a mwy o sylw gan y wasg. Y peth nesaf a wnaeth o oedd ysgwyd ei ben yn ôl ac ymlaen wrth gerdded am y cylch reslo,

Jackie 'T.V.' Pallo: y penpwysigyn a ddechreuodd wneud ciamocs ar y teledu. Roedd hwn ar delerau da iawn efo fo'i hun.

ac roedd y dyrfa'n dotio. Yn sgîl ei boblogrwydd, cafodd ei ail-fedyddio'n 'Jackie "T.V." Pallo', gan ei fod yn gymaint o seren ar y sgrîn fach.

'Tasa fo'n Gymro, dw i'n siŵr mai Jackie Palwr fasa fo wedi cael ei alw — achos roedd o'n palu c'lwyddau yn well na neb welsoch chi erioed. 'Waeth beth fyddai testun y sgwrs, roedd o'n saff o fod yn gwybod pob dim am bob peth. Roedd o'n un o'r hanner dwsin cyntaf a laniodd yn Normandy adeg 'D-Day' — medda' fo, ond dw i ddim yn meddwl iddo fo erioed fod ar gyfyl y lle. Ond roedd ganddo'r ddawn o goelio ei straeon ei hun rhywsut, a doedd dim diben dweud wrtho fo ei fod o'n dweud celwydd. Mi ddywedai yr un celwydd wrthoch chi flynyddoedd ar ôl iddo fo'i ddweud o am y tro cyntaf — ac mi allech fentro bod yr ail fersiwn yr un fath yn union, gair am air, â'r fersiwn a glywsoch chi gyntaf. Os ydach chi am fod yn gelwyddgi da, rhaid ichi fod a chof da yn ogystal, — ac yn wir, mae'n rhaid cyfaddef bod Pallo yn rhagori yn y ddau faes. Cymeriad lliwgar a chythral c'lwyddog — ond dyn a wnaeth ei farc ar y teledu yn nyddiau cynnar reslo ar y cyfrwng hwnnw.

* * * * *

Unwaith yr oedd un wedi cychwyn ar y gimics yma, roedd 'na lawer o ddefaid eraill yn trïo stwffio'u hunain i mewn i'r un gorlan. Dydi'r rhan fwyaf o'r lleill ddim gwerth sôn amdanynt
Ond daeth un cymeriad gwreiddiol iawn i'r amlwg, sef Les Kellett. Ffarmwr o Bradford yn Swydd Efrog oedd hwn. Reslwr oedd o cyn y rhyfel, a phan gafodd alwad i ymuno â'r fyddin, gwrthododd fynd am nad oedd yn cyd-weld â rhyfel. Serch hynny, cafodd ei orfodi i ymuno yn y diwedd — mi aethon nhw i'w gartref i'w nôl o. Maen nhw'n dweud i mi mai dim ond chwe dyn erioed sydd wedi trechu grym byddin Gwledydd Prydain — wedi gwrthod plygu i'r drefn, ac wedi llwyddo i beidio â chael eu torri gan y system gosbi sy'n bodoli o fewn y fyddin honno. Les Kellett oedd un o'r rhain. Gwrthodai'n lân â gwneud dim byd. Gwrthodai fwyta hyd yn oed, a chafodd ei daflu i garchar. Ym-prydiai yn y fan honno wedyn, yn yr un dull â Gandhi yn union. Dechreuodd yr awdurdodau boeni ynghylch ei iechyd am ei fod yn gwanhau. Dyma'i alw o flaen pennaeth y gwersyll a holodd hwnnw ef pam nad oedd yn bwyta.

"Reslwr ydw i," oedd ateb Les, "ac rydw i wedi arfer bwyta pethau glas a bwydydd iach. Sothach gythral 'dach chi'n 'i roi o 'mlaen i yma."

"O, olreit," meddai'r pennaeth. "One, two; one, two — cerwch â fo yn ôl i'w gell."

I mewn â fo, clec fawr ar y drws y tu ôl iddo. Cyn pen deng munud roeddan nhw'n ôl yno ac mi ddechreuon daflu cabejes heb eu coginio i mewn i'r gell ato.

"Be' ydi'r rhain?" holodd Les.

"Wel, y ti ofynnodd am fwydydd glas i'w bwyta," oedd yr esboniad. "Dyma chdi'r gwningen ddiawl: bwyta'r rhain!"

Ta waeth, er ei leinio fo a phob peth — methu torri calon Les Kellett ddaru nhw. Yn y diwedd bu'rais iddyn nhw ei rydd-

*Les Kellett: ffarmwr ysgwyddog o Swydd Efrog,
ac un o'r dynion caletaf erioed yn y byd reslo.*

hau gan gydnabod eu bod wedi methu â gwneud milwr ohono.

Flynyddoedd yn ddiweddarach mi welais Les Kellett a'm llygaid fy hun mewn tŷ tafarn. Roedd o'n sefyll wrth y bar, ac yn ei ochr o roedd 'na ddyn yn lladd ar reslo. Dyma Kellett yn cael llond ei fol ar hwn, ac yn ei herio fo:

'Faint o ddyn wyt ti 'ta?''

'Cymaint o ddyn â chdi,'' meddai Mr Ceg Fawr.

Dyma Cellet yn gofyn i'r dyn y tu ôl i'r bar am forthwyl, a heriodd y Geg i wneud beth bynnag yr oedd ef ar fin ei wneud. Cytunodd hwnnw'n frwd.

Rhoddodd Kellett ei ddwrn ar y bar, gafaelodd yn y morthwyl a rhoddodd gythral o glec i'w fawd nes bod gwaed yn pistyllio i bob man. Trodd at y Geg i weld os oedd o am gadw at ei air — ond roedd hwnnw ar ei hyd ar lawr, wedi llewygu!

Dyn felly oedd o — dyn amhosib i'w frifo. Penci hollol nad oedd modd gwneud dim byd â fo unwaith roedd o wedi rhoi'i feddwl ar rywbeth. Roedd ganddo gastiau da wrth reslo hefyd, ac mi ddaliodd ati gyda'r grefft honno nes roedd o yn drigain oed. Creadur gwreiddiol dros ben, ac un poblogaidd iawn yn yr ardaloedd gwledig gan ei fod yntau'n ffarmwr ei hun. Arwr mawr pobol y wlad oedd hwn.

* * * * *

Does dim dwywaith mai'r cymeriad o'r byd reslo a wnaeth yr argraff fwyaf ar y werin yr adeg honno — cyfnod y teledu du a gwyn, cofiwch, — oedd Indiad Coch o'r enw Billy Two Rivers. Indiad Coch go iawn oedd hwn, heb unrhyw fath o gimic ffug ar ei gyfyl o. Rhyw ddeunaw oed oedd o pan gyrhaeddodd Wledydd Prydain gyntaf — a hynny'n syth o'r Connowagha Reservation yn Quebec, yng Nghanada. Roedd wedi torri'i wallt yn null y Mohic-an, a phan ofynnech iddo am ei lofnod, dyma a gaech:

Mae'r cylch yn dynodi'r tir yng Nghonnowagha a'r ddwy linell yn cynrychioli'r ddwy afon sy'n llifo drwy'r diriogaeth. Mae'r llun felly'n cynrychioli 'Billy Two Rivers'.

Ei dad oedd pennaeth y llwyth, ac roedd o wedi pender-fynu y byddai ei fab yn reslwr. Enillodd Billy cryn edmygedd iddo'i hun fel reslwr yng Nghanada eisoes, ac ar ôl iddo groesi'r Iwerydd, heidiai'r tyrfaoedd i'w weld. Y rheswm pennaf am hynny, wrth gwrs, oedd nad oedd neb yma wedi gweld Indiad Coch go iawn o'r blaen, ac felly roedd pawb eisiau sbec arno. Mi fu'n llwyddiant ysgubol — yn y gornestau cyhoeddus, a hefyd ar y teledu.

Cymeriad trawiadol, a reslar da — ond fel pob un ohonom, roedd ganddo yntau ei wendid, a gwendid Billy oedd y wisgi. Roedd y dyn gwyn wedi dysgu ers blynyddoedd bod y ddiod gadarn — a wisgi yn arbennig — yn gythral o atyniad i'r Indiaid. Wel i chi, roedd Billy yn dioddef o'r un haint.

Mae'n siŵr gen i nad oes llawer ohonoch wedi clywed am hyn, ond hyd y dydd heddiw mae'n rhaid i Indiaid Cochion gael trwydded i yfed. Yn yr un modd ag yr ydan ni'n gorfod cael trwydded i yrru car, ac yn ei cholli hi os byddwn yn cam-byhafio, mae'r Indiad Coch yn gorfod cael trwydded i yfed, a bydd yntau'n ei cholli hi os aiff dros ben llestri. Yng Nghanada

Billy Two Rivers — pencampwr y 'tomahawk chop'.

ac America, 'chân nhw ddim mynd i mewn i dafarn ac archebu peint neu wisgi heb yn gyntaf ddangos y drwydded hon. Pan ddaeth Billy Two Rivers draw yma gyntaf, doedd o erioed wedi bod yn unlle nad oedd rhaid dangos ei drwydded yfed, ac mi gymrodd dipyn o waith i'w berswadio nad oedd rhaid iddo'i dangos bob tro yr âi at y bar.

Serch hynny, rwy'n cofio ambell achlysur pan fu'r drwydded yfed 'ma'n handi iawn inni hefyd. Gan ei fod mor enwog, lle bynnag y byddai'n mynd, byddai'n saff o gael sylw. Yn y tafarndai, roedd y merched yn rhoi'r hwff i'w hen gariadon a mynd i eistedd ar lin Billy a rhwbio'n agos ato ac ati. Byddai'r cariadon wedyn yn cael y gwyllt am fod pawb yn chwerthin am ei ben ac yntau wedi colli'i hogan, ac ar ôl iddo fo gael digon o betrol, mi fyddai'n barod i chwilio am helynt. Âi'r cariad y tu ôl i Two Rivers a rhedeg ei ddwylo drwy'i wallt o efallai, a dweud "Dow, brwsh llawr ydi hwn!" Ond mi fyddai Billy reit amyneddgar ac yn dal i yfed yn dawel heb gymryd arno ddim byd.

Byddai'r boi'n dal i rwbio'i ben o, ac yn y diwedd yn cynnig cwffio. Os byddai 'na ffeit o gwbwl, ffeit fer, unochrog iawn fyddai hi. Wnâi Two Rivers byth gwffio yn y dafarn ei hun — rhag ofn iddo golli'i drwydded, wrth gwrs. Tu allan, felly, — dim ond am rhyw ddeg eiliad. Mi fyddai'r 'Tomahawk Chop' yn cael ei defnyddio, ac mi fyddai wedi cachu ar y s'lensiwr druan.

Os na fyddai 'na helynt, mi fyddai Billy wrth ei fodd yn ei morio hi yn y tafarnau. Yr ochr yma i Fôr Iwerydd, doedd o ddim yn ddyn eilradd, ac mi roedd yn gwneud yn fawr o'i ryddid. Ar ddiwedd y noson, mi fyddai'n cael cais i berfformio'r 'War Dance' — ac mi fyddai wrthi wedyn yn dawnsio fel yr andros, a phawb yn y dafarn yn ei ddilyn o gwmpas y byrddau. Peintiau'n chwalu a gwydrau'n deilchion, a dyn y bar yn mynd yn lloerig. Y diwedd fyddai i'r tafarnwr golli'i limpyn a gweiddi: "Digon! Dyna fo, — dim mwy o gwrw!"

Bryd hynny, âi Two Rivers i'w boced a nôl ei drwydded yfed a'i dangos i'r barman. Toedd hwnnw erioed wedi gweld dim byd tebyg, wrth gwrs, a byddai Two Rivers yn esbonio bod y drwydded swyddogol honno yn ei alluogi i gael diod pryd bynnag y mynnai un, ac nad oedd gan neb hawl i'w wrthod. Wedyn, mi fyddai'n codi rownd i bawb...

Wisgi a llefrith fyddai Two Rivers yn ei yfed, ac roedd honno'n broblem ynddi'i hun weithiau. Tydi hi ddim mor hawdd cael llefrith yn rhai o'r trefi 'ma ym mherfedd y nos. Os nad ydi'r tafarnwr yn byw yn ei dafarn, yn aml iawn ni fyddai ganddo ddim llefrith ar gyfyl y lle. Dw i'n cofio un noson yn Birmingham — gornest reslo, a Two Rivers yn gwrthod yn lân a mynd i'r cylch i reslo am na fedrai gael ei hoff ddiod. Roedd ganddo botel o wisgi, wrth gwrs — ond roedd y llefrith wedi darfod. Meddyliwch mewn difri — reslar yn gwrthod cwffio am nad oedd ganddo botel o lefrith!

Doedd dim amdani ond mynd i chwilio am beth o gynnyrch y fuwch yn rhywle — ond, fel y gwyddoch gyd, does 'na fawr o ffermydd yng nghanol Birmingham. Ond mynd i chwilio am lefrith fu raid i Lou Phillips, yr hyrwyddwr druan, — cnocio drysau a begera am lond cwpan o lefrith i fodloni'r hen Two Rivers.

Mae'r cyfnod yr ydw i'n sôn amdano rhyw bymtheg i ugain

mlynedd yn ôl, ond mi welais i Billy Two Rivers lai na chwe mis yn ôl. Mae Roy St. Clair (brawd Tony, y reslwr) yn cadw tafarn ym Manceinion, ac mi gefais alwad ffôn ganddo rhyw fore Sul yn fy ngorchymyn i fynd draw yno.

"Wnei di byth ddyfalu pwy sydd wedi glanio yma," meddai.

"Pwy sy 'na?"

"Billy Two Rivers," oedd yr ateb.

"Paid â deud dim mwy," meddwn innau. "Mi fydda i yno ymhen yr awr."

Naid i'r car, a mynd fel t'ranau am y 'Welcome Inn' ym Manceinion i weld 'y ngwas i. Erbyn imi gyrraedd yno, roedd Billy eisoes mewn hwyliau ardderchog, ac wedi cael tropyn reit dda ac yn mynd drwy'i betha' fel melin wynt. Roedd dau Indiad Coch arall gydag o — y tri ohonyn nhw yn cynrychioli eu llwyth ac ar eu ffordd i gyfarfod â'r llywodraeth yn Llundain i geisio newid rhyw gyfraith neu'i gilydd. Erbyn hynny, roedd ei dad wedi marw, a Billy oedd pennaeth y llwyth — dyma ichi ddyn i fod yn bennaeth ar rywbeth, os gwelwch yn dda! Ond wir, roedd hi'n dda calon gen i ei weld o eto. Roedd o'n dal i edrych reit dda, — ac yn dal i yfed wisgi a llefrith.

* * * * *

Roedd tad Tony St. Clair, y reslar poblogaidd, yn un o'r reslwyr proffesiynol cyntaf yng Ngwledydd Prydain. Y fo, Francis Gregory o bentref St. Clair, oedd pencampwr pwysau trwm reslo Cernyw, er nad oedd o'n ddim ond rhyw ddeunaw oed ac yn pwyso tair stôn ar ddeg ar y pryd.

Fel hyn y bu. Gwahoddwyd reslwyr Cernyw i roi arddangosfa o'u crefft yn y London Palladium am bythefnos ym 1936. Câi'r reslwyr £10 yr un am wythnos o waith, ac ar ben hynny roedd y reslwyr yn derbyn cymeradwyaeth y dorf drwy gael eu pledu â phres tra roeddan nhw yn y cylch reslo. Câi enillydd pob gornest gadw'r arian a deflid atyn nhw. Ar ddiwedd y pythefnos, Francis St. Clair oedd y pencampwr, ac aeth adref i Gernyw — wedi talu'i gostau i gyd — gyda hanner canpunt yn ei boced. Ei gyflog arferol am wythnos o waith bryd hynny oedd dwybunt a chweugain am wythnos, felly roedd wedi cael helfa go dda.

Yn ogystal â bod yn reslar o fri, roedd Francis Gregory

Francis St. Clair Gregory pan oedd yn chwarae Rygbi'r Gynghrair dros Wigan.

yn chwaraewr rygbi da iawn hefyd, ac roedd yn cynrychioli Cernyw yn ddeunaw oed. Cafodd dri gwahoddiad — gan Hull, Widness a Wigan — i fynd i Ogledd Lloegr i chwarae rygbi'r gynghrair. Wedi'i brofiad yn Llundain, roedd Francis yn meddwl o ddifri am wneud gyrfa iddo'i hun ym myd chwaraeon, gan ei bod hi'n haws iddo wneud pres yn y maes hwnnw. Penderfynodd dderbyn cynnig Wigan o ddecpunt yr wythnos, a symudodd i'r ardal honno gan chwarae i'r tîm oedd ar y pryd ar ben y gynghrair yn Lloegr.

Yng ngogledd Lloegr bryd hynny roedd dyn o'r enw Athol Oatley yn hyrwyddo reslo ym Manceinion, Blackpool, Lerpwl a Llundain. Aeth Francis ato gan ofyn iddo os oedd modd iddo drefnu gornest reslo iddo yntau. 'Oedd, yn tad," meddai Athol, ac felly y bu. Gan fod Francis gystal reslwr, roedd yn llwyddo i gael nifer o ornestau, ac ar yr un pryd roedd yn dal i chwarae rygbi'n broffesiynol.

Pan ddechreuwyd reslo'n broffesiynol yn ystod y tridegau, roedd dyn o'r enw Bert Assarati wrthi hi — dyn cythreulig o gryf nad oedd gan neb obaith ei drechu. Dim ond rhyw bum troedfedd chwe modfedd oedd o — ond pwysai un stôn ar bymtheg, ac roedd ar y reslwyr eraill ei ofn trwy'u tinau. Roedd aml un dewr fel Joe Cornelius a Dave Armstrong yn cachgio o ddallt mai Bert oedd eu gwrthwynebydd. Dau reslwr o Lundain oedd y rhain, ac mae sawl stori amdanynt yn derbyn gwahoddiad i fynd i reslo, ac yn dal trên i Lerpwl neu rywle tebyg. Ond wrth ddod oddi ar y trên yn y fan honno, dyma weld poster a deall am y tro cyntaf eu bod i wynebu Bert Assarati. Aros yn yr orsaf a dal y trên cyntaf adref fyddai eu hanes nhw!

Problem gyson Athol Oatley oedd cael hyd i reslwyr oedd yn fodlon mynd i'r afael â Bert Assarati. Fedrai o ddim cyhoeddi wrth y dorf mai llyfrgwn a chachgwn oedd ganddo — roedd rhaid i'r dyrfa gael gweld Bert yn reslo. Un noson dyma Athol Oatley yn rhoi Francis Gregory i wynebu Bert. Cweir go dda gafodd Francis — roedd Bert dair stôn yn drymach nag o, ac ar ben hynny, y fo oedd y cryfaf a'r mwyaf profiadol yn y busnes ar y pryd. Decpunt yr ornest oedd y tâl arferol i reslwr bryd hynny.

Yn Blackpool un tro, roedd y dorf yn barod i weld eu harwr yn reslo, ond roedd gan Athol Oatley broblem. Roedd Dave Armstrong wedi cachgio unwaith eto, a doedd ganddo 'run gwrthwynebydd arall allai roi gornest dda i Bert Assarati. Y diwedd fu gofyn i Francis Gregory a fuasai'n fodlon wynebu Bert eto.

Cytunodd Francis, ar yr amod ei fod yn cael mwy o bres. Chwarae teg iddo am fargeinio — wela i ddim bai arno! Cynigiodd Athol ugain punt iddo, a derbyniodd Francis.

Yn y rownd gyntaf, roedd Assarati'n trin Francis fel pric pwdin. Ar ddiwedd y rownd honno, dyma Assarati'n cydio'n ei wrthwynebydd gerfydd ei glustiau, ei wthio ar y rhaffau a rhoi ufflon o glec talcen iddo yng nghanol ei wyneb. Dyma drwyn Francis yn chwalu a'r gwaed yn pistyllio i bob man — roedd 'na beintiau o waed dros y mat i gyd. Canodd y gloch a dyma Tony Mancelli, y dyfarnwr, yn rhuthro at Francis ac yn studio'r hollt enfawr oedd yn ei drwyn.

"Iechydwriaeth, Francis bach," meddai o. "Mi rydw i'n ffrindiau mawr efo chdi. Fedra i ddim gadael i chdi ddal ati, a llanast fel hyn arnat ti. Rhaid imi stopio'r ornest."

Gafaelodd Francis yn ei fraich a dweud:

"Tony, os stopi di'r ffeit yma rŵan, 'wna i byth bythoedd yngan yr un gair wrthot ti eto."

"Ond Francis, rwyt ti'n waed yr ael — be' wna i efo chdi?"

"Rho un rownd arall imi."

Crefodd Francis yn daer, ac yn y diwedd gorfu i Tony gytuno ar hynny.

Ar ddechrau'r ail rownd, dyma Francis yn cynnull ei holl blwc a'i gythral ynghyd a saethu allan o'i gornel fel bwled o wn cyn bod Bert brin wedi troi rownd i'w wynebu. Rhoddodd Francis ufflon o glec iddo yng nghanol ei wyneb â'i ddwrn. Mi fuasai wedi bod yn ddigon i ladd dyn cyffredin. Ond er c'leted y glec, ac er mor annisgwyl oedd hi, 'wnaeth Bert ddim hyd yn oed arafu. Dal i gerdded yn ei flaen, ysgwyd ei ben — a mynd at Tony Mancelli a dweud wrtho fo:

"Dwed wrth hwn, chwarae teg iddo fo. Mae o wedi trio'i orau, ac mi rydw i'n ei barchu o."

Doedd gan Bert ddim meddwl o gwbwl o'r reslwyr eraill 'ma oedd yn rhy ofnus i'w wynebu. Ar ôl yr ornest honno, mi fu Bert yn hyfforddi tipyn ar Francis Gregory nes y daeth hwnnw yn y diwedd yn bencampwr pwysau trwm Gwledydd Prydain.

Mi gachodd sawl reslwr lond ei glôs wrth ddallt mai hwn — sef Bert Assarati — oedd ei wrthwynebydd.

Randolph Turpin

Un o'r reslwyr y bûm i yn eu hyrwyddo oedd yr anfarwol Randolph Turpin. Dyn croenddu a anwyd yn Leamington Spa oedd Randolph yn hannu o deulu o gasglwyr sgrap yn yr ardal honno.

Ar ôl yr Ail Ryfel Byd, Sugar Ray Robinson oedd pencampwr paffio pwysau canol y byd a dyma fo'n penderfynu mynd ar daith fyd eang gan gynnal gornestau mewn sawl gwlad. Honnai llawer o arbenigwyr y byd paffio mai Sugar Ray oedd y paffiwr gorau erioed — gan gynnwys cewri'r pwysau trwm megis Joe Louis hyd yn oed.

Wedi gornest lwyddiannus ym Mharis, daeth Sugar Ray i Lundain. Randolph Turpin oedd ei wrthwynebydd. Roedd o newydd gael ei ryddhau o'r Llynges ac yn ffit fel ci bwtsiar. Yn ôl y wasg, ni fyddai'r ffeit yn ddim mwy nag arddangosfa, gan fod yr anhygoel Sugar Ray yn ddiguro.

Doedd dwrn de Randolph Turpin ddim yn cytuno. Gan Randolph yr oedd y glec galetaf a welais i erioed, a chyda'r dwrn hwnnw y lloriodd Randolph bencampwr y byd, gan ei adael ar y canfas am y cownt.

Syfrdanwyd yr holl fyd — yn enwedig yr Iancs oedd yn lloerig ulw ac yn barod i gychwyn trydydd rhyfel byd. Credent hwy mai ganddyn nhw'r oedd yr hawl i bob teitl paffio o'r 'welter-weight' i fyny.

Gorfu i Randy arwyddo cytundeb cyn yr ornest yn addo mynd i Efrog Newydd am ail ffeit o fewn 90 niwrnod pe bai'r ffasiwn beth yn digwydd ag iddo guro Sugar Ray. Ffurfioldeb pur oedd hyn wrth gwrs, ond digwyddodd yr 'amhosibl' ac felly roedd yn rhaid i Randy fynd i Efrog Newydd i ail gwrdd â Sugar Ray.

Dewisodd Randy Gastell Gwrych, ger Abergele, fel lle i ymarfer. Roedd Bruce Woodcock, pencampwr pwysau trwm Prydain a'r Gymanwlad wedi defnyddio'r lle o'r blaen ac roedd cylch paffio a jim bwrpasol yno.

Erbyn hyn roedd Randy yn arwr drwy Wledydd Prydain, ac unlle'n fwy felly na Chymru wrth gwrs, lle roedd brwdfrydedd mawr ynglŷn â phaffio. Ymhen ychydig ar ôl cyrraedd Abergele, priododd Randy hogan leol o'r enw Gwen — Cymraes loyw, lân. Roedd y Cymry wedi mopio, a gwnaed Randy yn Gymro anrhydeddus dros nos!

A chwarae teg iddo, am weddill ei yrfa, dyma sut yr arferai lofnodi llyfrau ei ddilynwyr:

"Cymru am Byth!
Randy Turpin"

Daeth hi'n amser iddo fynd am yr Unol Daleithiau, ac o'r munud y cyrhaeddodd y wlad honno, ni chafodd o 'run eiliad o lonydd. Ar ôl mynd i'w wely y noson gyntaf yn y gwesty, clywai sŵn parti mawr yn yr ystafell nesaf. Ddywedodd o ddim wrth neb, ond digwyddodd yr un peth y noson ganlynol — a'r noson ar ôl honno. Penderfynodd newid gwesty pan welodd nad oedd y rheolwyr yn cymryd dim sylw o'i ŵyn, ond er symud gwesty bedair gwaith, roedd "parti drws nesaf" yn ei ddilyn.

Canfu Randy yn y diwedd mai'r Maffia oedd y tu ôl i hyn, ond fedrai o wneud dim am y peth, a does dim sy'n waeth na methu cysgu. Y noson cyn yr ornest, daeth dyn mewn siwt binstreip dywyll, yn gwisgo het ddu a rhuban gwyn i'w ystafell. Tynnodd ei sbectol dywyll ac eglurodd wrth Randy y buasai'n ddoeth iddo edrych lawr o'r cylch paffio y noson ganlynol a studio'r bobol oedd yn y seddau blaen. Yno byddai'n ei weld ef a'i gyfeillion, a byddai pob un ohonynt yn cario un o'r rhain meddai — gan dynnu pistol allan o'i boced. Doedd dim pwynt iddo feddwl am ennill, meddai, — "Colli neu adref mewn arch" oedd byrdwn ei neges.

Pan gyrhaeddodd Randy y cylch ac edrych o'i gwmpas y noson ganlynol, canfu nad gwag oedd y bygythiad. Roedd dau ddyn siwtiau tywyll efo tei gwyn ar bedair ochor i'r cylch paffio. Ceisiodd eu hanwybyddu ar ôl cychwyn ymladd gan fod Sugar Ray ar ei orau ac yn ddigon o broblem ynddo'i hun. Roedd colli'r teitl wedi codi'i wrychyn ac roedd yn mynd i geisio'i adennill hyd eithaf ei allu.

Hwyrach yn wir mai colli fuasai Randy wedi ei wneud p'run bynnag. Ond wnaeth y ffaith bod hogia'r 'Cosa Nostra' yn codi'u hetiau oddi ar eu pengliniau i ddangos pistolau Smith an' Weston rhwng pob rownd ddim helpu'r achos. Pobol o ddifri ynglŷn â'u bygythiadau ydi'r rhain, fel y gŵyr pawb.

Yn y Polo Grounds yn Efrog Newydd ar y deuddegfed o Fedi y cynhaliwyd y ffeit, ac mi dalod 61,370 o bobol 767,630.96 o ddoleri wrth fynd i mewn — hon oedd y giât fwyaf y tu allan i'r pwysau trwm yn hanes bocsio hyd at y cyfnod hwnnw.

Ar ôl dychwelyd adref, prynodd Randy Castell Gwrych a rhan o fynydd y Gogarth ger Llandudno a daliodd i baffio yn llwyddiannus am beth amser. Ond roedd gwrthwynebwyr gwaeth na Sugar Ray a bois y Smith an' Weston yn dechrau ymweld yn gyson â'r Castell. Nid efo pistols yn eu dwylo y deuai'r rhain — ond dan gario 'briefcesus' y llywodraeth. (Welsoch chi ddyn yn sy'n cario briefces yn gwenu erioed? Naddo siŵr iawn — mae rhywbeth ynglŷn â briefces sy'n chwyddo dyn a'i wneud yn rhy bwysig i wenu. Dyna pam mai bag plastic Woolworths neu Kwiks y byddaf i'n ei ddefnyddio i gario 'nhrugareddau bob amser. Yn y rheiny mae cynnwys y llyfr hwn wedi cael eu halio ledled y byd!)

Y dynion tacs, ciwed y dreth incwm, oedd ymwelwyr Randy wrth gwrs, — a toes 'na ddim diawliaid gwaeth na'r rheini coeliwch chi fi!

Camgymeriad mawr Randy oedd iddo ennill cymaint o arian gyda'i gilydd — toedd eu cyfraith nhw ddim yn caniatau hynny. O ganlyniad bu raid iddo werthu'r castell a'r tir. Prynodd Dransport Caffi yn Leamington Spa, a daeth i reslo efo'n criw ni gan adael y caffi yng ngofal Gwen.

Roedd Randy wedi troi at reslo ar ôl darfod ei yrfa fel paffiwr, ac roedd y wasg wrth gwrs yn wfftio at hyn. Gwelent hwy ef fel arwr oedd yn iselhau ei hun. Ond roedd Randy yn mwynhau'i hun — os nad ydach chi erioed wedi bod mewn cylch, wedi'ch cau i mewn gan raffau, torf enfawr o'ch cwmpas, y gloch yn canu a'r gelyn yn nesau — yna, allwch chi ddim deall y profiad. Dyna pryd y mae pob llygad yn gwylio pob symudiad, ac mae'r hen andrenalin yn pwmpio drwy'r gwaed.

Er gwaethaf dynion y tacs, roedd Randy yn dal yn arwr mawr ymhob rhan o Wledydd Prydain a llifai'r torfeydd i'w weld lle bynnag yr ymddangosai. Yr oedd gan y dyn yn y stryd barch mawr iddo, hyd yn oed os oedd cyfraith ei wlad yn ei erlyn.

Roedd y reslars a'r paffwyr yn nes at ei galon ef na'r dreifars lorris y deuai ar eu traws yn ei gaffi — ac wrth gwrs, roedd ennill £100 yr ornest yn helpu'r achos hefyd. Ond un nos Sadwrn ar ôl cyrraedd adref wedi iddo ef a minnau fod yn Iwerddon am ddeng niwrnod hefo'n gilydd, dyma Gwen yn fy ffonio. Trychineb, — roedd Randy wedi saethu ei hun. Roeddwn yn credu 'mod i'n nabod yr hen Randy yn dda, ac yn tybio nad oedd y pethau yma yn ei boeni o gwbwl. Ond pwy ohonom a ŵyr am y dyfnder mawr o dan y tonnau ar yr wyneb, yntê?

Peltan dyn ar foddi gan Robinson, oedd a'i lygad yn pistyllio gwaedu ar y pryd, a loriodd Randy yn y ddegfed rownd.

Reslo Cefn Gwlad

PENNOD 27

"Maen nhw'n gafael o amgylch cefnau'i gilydd
ac yn ceisio towlu'r naill a'r llall ar lawr —
ac os llwyddir i dowlu dau neu dri o fyrddau
llawn gwydrau cwrw, a chwalu'r bwrdd pŵl yr un pryd,
— wel, gorau i gyd!"

Mae'n fwy na thebyg bod cryn fri ar ymaflyd codwm yng ngwledydd Prydain ymhell cyn i'r Rhufeiniaid gyrraedd yma, ac mae'n eithaf posib hefyd bod y dull Groegaidd-Rufeinig yn un eithaf dof o'i gymharu â'r dulliau gwyllt Celtaidd oedd eisoes yn boblogaidd. Beth bynnag, efallai i'r milwyr Rhufeiniaid adael eu dylanwad ar y dull o ymaflyd a arferid yma — fel y gwnaeth y Feicings hwythau yn ddiweddarach. Yn raddol datblygodd y gwahanol wledydd sydd ar yr ynysoedd hyn amrywiaeth o ddulliau o ymaflyd, ac mae rhai o'r rheiny'n dal yn llewyrchus, ac yn wir yn ennill tir, yn ein dyddiau ni.

Mae gan Iwerddon, Cernyw, Yr Alban, Llydaw a Chymru eu harddull eu hunain o reslo — ac mae'r un peth yn wir am ardaloedd yn Lloegr megis Westmorland a Chumberland, Swydd Gaerhirfryn a Dyfnaint. Diddorol sylwi mai mannau agos at ddylanwad Celtaidd yw'r ardaloedd hyn yn Lloegr. Digon teg yw dweud eu bod yn tarddu o'r 'dull Celtaidd' o reslo felly.

Ceir cofnodion sy'n adrodd hanes gornestau rhyngwladol rhwng Cernyw a Llydaw, a Chernyw ag Iwerddon sy'n mynd yn ôl gannoedd o flynyddoedd. Yn ystod y ganrif hon, adferwyd yr arfer o gynnal y rhain, gyda'r gyntaf yn Kemper yn Llydaw ym 1928. Yn ei ddydd, bu Francis Gregory yn bencampwr Rhyng-Geltaidd.

Yn ôl y sôn, roedd gornestau ymaflyd codwm yn cael eu cynnal rhwng y gwledydd hyn er mwyn setlo unrhyw ffraeo fyddai yna ynglŷn â hawliau pysgota, felly roedd y grefft yn un bwysig iawn i'r gymdeithas. Roedd gan y Cernywiaid gryn enw iddynt eu hunain fel ymaflwyr led-led Ewrop ar un adeg, a dau ddyn yn ymaflyd codwm oedd ar eu baner genedlaethol yn y

Reslo Cumberland yn Grasmere ym 1903.

cyfnod hwnnw. Mae'r reslwyr yno yn gwisgo siacedi arbennig, a cheisio rhoi'r gwrthwynebydd ar ei gefn neu ar ei ysgwyddau ar lawr yw'r gamp yno.

Arferai'r Cernywiaid reslo yn erbyn gwŷr Dyfnaint hefyd — ac roedd yna hen gynnen rhwng y ddwy garfan. Yn ôl rheolau gwŷr Dyfnaint, caent hwy wisgo esgidiau wedi eu pedoli wrth reslo, ac roedd ganddynt hawl i gicio'r gwrthwynebwyr! Ond ymryson yn droednoeth wnâi'r Cernywiaid, a chredent hwy mewn mwy o urddas wrth ymaflyd.

Mae reslo yn hynod o boblogaidd yn Ardal y Llynnoedd yn Lloegr hefyd, a bu cryn adfywiad yno yn ddiweddar. Yn ôl hen goel ar lafar gwlad, y Llychlynwyr — y Feicings ffyrnig rheiny — ddaeth â'r dull hwn o reslo i'r ardal gyntaf. Dull go lonydd o reslo yw hwn, heb fod yn rhyw sbectaciwlar iawn. Mae'r ddau ymaflwr yn cydio am ei gilydd: un fraich dros ysgwydd, ac un fraich o dan gesail y gwrthwynebydd, gan ddal dwylo y tu ôl i gefnau ei gilydd. Maent yn cymryd straen fel hyn cyn cychwyn gwneud 'tafliad' — gall hynny bara am rhyw ugain munud weithiau wrth i'r ddau brofi cryfder y naill a'r llall. Petai'r ddau yn disgyn gyda'i gilydd, yr un sydd oddi tanodd sy'n colli. Mae angen cryn nerth a dipyn go lew o grefft i fod yn llwyddiannus efo'r dull hwn.

Yn Ucheldiroedd yr Alban mae'r grefft o ymaflyd codwm yn cael ei harfer yn y Cynulliadau Chwaraeon sy'n dal i gael eu cynnal yno. Mae'r dull yno yn debyg iawn i un Ardal y Llynnoedd. Reslwr enwog o'r Ucheldiroedd oedd Donald Dinnie a ddaliodd ati i reslo nes ei fod yn 75 oed, ychydig cyn iddo farw ym 1916. Meithrinodd hwn ei ddull ei hun o reslo, sef gafaeliad yn ôl rheolau Ardal y Llynnoedd, ond ei fod hefyd yn caniatau defnyddio'r coesau er mwyn taflu'r gwrthwynebydd. Ar ben hynny roedd rhaid dal y gwrthwynebydd ar lawr am 30 eiliad — sef dull oedd yn siwtio dyn o gryfder Donald i'r dim!

"Ar Gouren" — sef 'Y Goron', gwobr a roid i bencampwyr reslo yn nyddiau'r Rhufeiniaid — yw'r enw ar y dull o reslo a geir yn Llydaw. Mae'n debyg iawn i'r dull sy'n cael ei arfer yng Nghernyw ac Iwerddon. Mae'r ddau ymaflwr yn gwisgo crysau arbennig ac yn cydio yng nghrysau'i gilydd gan ddefnyddio'u coesau wrth geisio taflu. Y gamp yw llorio'r gwrthwynebydd yn sgwar ar ei ddwy ysgwydd. Dechreuodd y grefft ddirywio yn ystod y ganrif ddiwethaf, gyda dim ond ambell ardal yn y gorllewin yn dal eu gafael ar y traddodiad. Erbyn hyn mae 'Ar Gouren' yn ôl yn eithriadol o boblogaidd yno.

Yng Nghymru roedd ymaflyd codwm yn un o hen gampau oes y tywysogion, ac mae'n siŵr ei fod yn mynd yn ôl llawer pellach na hynny hefyd. Ychydig iawn a roddwyd i lawr ar bapur ynglŷn â'r dull a ddefnyddid, ac mae'r traddodiad wedi'i fylchu erbyn hyn. Y sôn diweddaraf sydd amdano yw ymysg porthmyn troad y ganrif hon. Byddai'r rhain yn s'lensio ac yn ymgodymu â'i gilydd wrth gyfarfod mewn ffeiriau, neu wrth bedoli gwartheg ac ati. Roedd y porthmyn yn enwog am ddod â baledi, caneuon ac alawon Gwyddelig neu Seisnig yn ôl adref gyda hwy, felly tybed ai dynwared rhywbeth a welsant ar eu teithiau yr oeddent wrth ymaflyd codwm? Ond yn ôl pob sôn, roedd eu dull hwythau'n unol â'r dull Celtaidd, sef dau yn ymgodymu ar eu traed gan geisio taflu'r gwrthwynebydd, yn hytrach na reslo ar lawr.

Dw i'n cofio clywed sôn am ymaflyd codwm ymysg y porthmyn a arferai gyfarfod yn Ysbyty Ifan — roedd fanno'n ganolfan i wartheg o bob cwr o Wynedd yr adeg honno, cyn eu symud yn eu blaenau am ffeiriau Wrecsam neu dros Glawdd Offa. Clywais

Na, — nid dawnsio mae'r rhain, ond reslo!
Reslo yng Ngŵyl Gampau Ucheldiroedd yr Alban.

hefyd bod ffarmwr Hafod Ifan yn yr hen ddyddiau yn gawr o ddyn ac yn giamstar ar y gamp hon. Deuai porthmyn a s'lensiwyr yno o bell er mwyn ei herio, ond doedd neb yn medru gwneud mistar arno. Mae stori am un dyn yn cerdded yno bob cam o Langwm. Ysgwydwyd llaw cyn cychwyn ar yr ornest, ond gwasgwyd llaw y s'lensiwr o Langwm cymaint fel na fedrai ymladd dim ar ôl hynny. "Melin Godwm" oedd y term a ddefnyddient hwy ar yr ymaflyd hwn — ac enw da ydi o hefyd. Y drefn yn yr hen ddyddiau oedd bod collwr yn talu am gwrw drwy gyda'r nos i'r buddugwr! Mae rhai yn byw yn 'Sbyty o hyd sy'n cofio gweision ffermydd yn s'lensio'i gilydd pan oedd hi'n wlyb i gneifio ac ati.

Bu S4C yn gefn mawr i hyrwyddo reslo yng Nghymru, ac erbyn heddiw mae llawer o ddiddordeb o'r newydd yn y gamp ymysg y Cymry Cymraeg. Mi geisiais annog rai ohonynt i dderbyn hyfforddiant gennyf a throi'n reslwyr proffesiynol, ond digon tawel oedd yr ymateb i hynny. Dim llawer ohonynt am adael eu hardaloedd a'u gwlad, efallai.

Yna bûm yn cysidro sut y buasai hi petaem yn adfer yr hen gamp o Reslo Celtaidd yma yng Nghymru. Mae bri ar y gamp mewn gwledydd Celtaidd eraill, — felly pam ddim yma yng Nghymru hefyd? Wedi cael gair gyda hen bererin o 'Sbyty o'r enw P, doedd dim dwywaith na fuasai modd trefnu gornest ymysg y llanciau lleol yn Nant Conwy. Dw i wedi gweld ugeiniau

o hogiau Cymraeg yn reslo â'i gilydd o ran hwyl mewn dawns-
feydd yn Y Rhyl, ac mewn tai tafarnau cefn gwlad. Herio nerth
ei gilydd mae'r rhain, ac yn trio 'gneud mistar' ar ei gilydd heb
frifo'n ormodol. Maen nhw'n gafael o amgylch cefnau'i gilydd
ac yn ceisio towlu'r naill a'r llall ar lawr — ac os llwyddir i dowlu
dau neu dri o fyrddau llawn gwydrau cwrw a chwalu bwrdd pŵl
yr un pryd, — wel, gorau i gyd!

Dyma drio llunio rheolau mwy penodol, gan ddeddfu mai'r
gorau o dri chwymp sydd yn fuddugol. Dewiswyd neuadd Ysbyty
Ifan fel man i lwyfannu'r ornest, a chymerwyd rhan gan ddeg
o slaffiau cryfion lleol ac ôl iddynt gael rhai sesiynnau o ymarfer.
Roedd y neuadd fach yn orlawn a bu'r noson yn llwyddiant
ysgubol. Mynd â thîm o 'Sbyty i wynebu tîm o Fethesda mewn
gornest yn Theatr Gwynedd fu'n hanes ni wedyn, a chafwyd
derbyniad ardderchog yn fanno hefyd, a 'Sbyty'n fuddugol o
wyth cwymp i bedwar yn y diwedd.

Braf gweld yr hen gamp yn ail-ennill tir — hei lwc na welwn
dimau'n codi ym mhob cwr o Gymru yn fuan iawn.

Reslo Cefn Gwlad yn 'Sbyty

Mewn Cynefin Ardal

"Llansannan yw fy newis fro
A melys i mi yw byw,
Crwydrais am oes lle mynnais fy hun,
Caf farw lle mynno Duw."

Mae'r bennod olaf 'ma wedi ei sgwennu ar ôl i'r hysbysiadau cyntaf am y llyfr hwn ymddangos yn y wasg. Newyddiadurwr o'r Rhyl adawodd y gath allan o'r cwd yn y lle cyntaf — roedd o yn rhyw ddotio fod rhychwr enwog o beldroediwr a reslwr amheus ei dactegau a dyn adnabyddus am godi helynt wedi medru, ac yn wir wedi mentro, rhoi pensal ar bapur. Roedd yn rhaid iddo gael y stori i'r 'Daily Post', a dyna sut yr agorwyd y llifddorau.

Roedd yna rhyw ysfa wedi bod ynof er dwy neu dair blynedd i sgwennu llyfr, gan fy mod yn gwybod bod gennyf stori dda i'w hadrodd. Gan nad wyf i erioed wedi twyllo fy hun fy mod i'n ddyn gwylaidd, gwn dy fod di — ddarllenwr hoff — yn cydweld yn hollol â mi erbyn hyn.

Cychwynnodd y daith i mi yng nghesail y mynyddoedd sydd yn gedyrn amddiffynfa i 'Sbyty Ifan, lle tardd Afon Conwy hithau. Bachgen uniaith a orfodwyd i adael yr ardal a mynd allan i wynebu'r byd a'i holl helyntion. Cred llawer o bobol bod eich oes chi wedi ei rhagluniaethu ar eich cyfer yn yr hen fyd yma. Yn aml iawn mi fydda i'n tueddu i goelio hyn — a minnau bellach wedi bod trwy'r felin, fel petae.

Ond gwir neges y llyfr 'ma — os oes 'na neges hefyd — ydi nad ydw i ddim callach wedi bod yn yr holl lefydd, ac wedi gweld yr holl drugareddau, na phe taswn i wedi treulio fy oes gyfan yn fy ardal enedigol, heb symud cam ohoni.

Treuliais ddeuddeng mlynedd yn Y Rhyl lle cefais hyd i fy ngwraig, Wendy, — ac iddi hi mae'r diolch fy mod wedi fy ngwareiddio rhyw gymaint. Llwyddodd hi i fy narbwyllo nad bôn braich ydi'r ateb i bob dim, ac ar ôl sawl cyhuddiad o G.B.H.

a llawer sgarmes waedlyd arall na chafodd ei chofnodi ar lyfrau'r gyfraith, mi rydw i'n falch o ddweud fy mod wedi callio rhyw ychydig bellach.

Ar ôl i Wendy a minnau grwydro'r byd, ei led a'i hyd, am ddeuddeng mlynedd hefo'n gilydd, dyma benderfynu ei bod hi'n bryd i ni gael teulu. Ar yr wythfed o Ragfyr, 1983, ganwyd merch fach inni, ac enillais innau deitl newydd sbon. Nid "Pencampwr Ewrop", na "Phencampwr Cymru" hyd yn oed – ond y teitl syml "Dad", ac yn wir i chi, dyna'r teitl gorau a enillais erioed.

Bedyddiwyd y ferch fach yng Nghapel Coffa Henry Rees yn Llansannan gan roi iddi'r enw Tara Bethan Orig Williams. Mae Wendy a minnau wedi cydweithio llawer yn Iwerddon a gair Gwyddeleg am 'hapusrwydd' yw 'Tara'. Tara oedd enw'r llecyn yn Iwerddon yn yr hen ddyddiau lle cyfarfyddai hen frenhinoedd y wlad i ddathlu a chael sbri a threulio dyddiau mewn dedwyddwch. Mae'r enw 'Bethan' yn cyfiawnhau ei hun yn iawn wrth gwrs – enw Cymraeg yn yr hen drefn. Ond pam cynnwys yr enw 'Orig' yn enw'r greadures fach, meddech chi? Mae'r enw 'Orig' wedi creu cryn drafferth i mi ledled y byd, ond bellach mae pawb yng Nghymru yn ei gysylltu â reslo. Y syniad syml gen i oedd y buasai pawb yn swyddfeydd S4C yn cofio'r enw 'Orig' pan aiff hon i chwilio am waith ymhen rhyw ugain mlynedd, felly mi fydd hi'n saff o gael swydd fel y gall hithau barhau i 'Gario'r Ddraig'.

Pan oedd Wendy yn disgwyl, dyma ni'n penderfynu y buasai ardal Gymraeg yn amgennach na'r Rhyl i fagu ein plentyn ni. Pob parch i'r Rhyl – rwyf wedi treulio rhai o flynyddoedd hapusaf fy mywyd yno, serch hynny, ardal Saesneg ydi hi erbyn hyn, ac mi fydda i wastad yn meddwl bod brwes yn magu gwell pobol na chandi fflos!

Y gamp fawr oedd cael hyd i ardal Gymraeg o fewn cyrraedd fy swyddfa yn y Rhyl. Ar ôl hen chwilio, dyma daro'n lwcus a chael hyd i hen ffermdy oedd â chryn waith adnewyddu arno gan ei fod wedi bod yn wag am dros ddeng mlynedd. Ar ben hynny roedd y tŷ hwn mewn ardal Gymraeg ddiwylliedig iawn, sef Llansannan, sydd hefyd o fewn cyrraedd hwylus i'r Rhyl.

Dyma ichi ardal dda ydi Llansannan – ardal Gymreig yn yr hen drefn, gyda'r capeli yn dal i fod yn bwysig ym mywyd y pentrefwyr, a Chymraeg wrth gwrs yw'r iaith bob dydd hefyd. Ardal ardderchog i Tara Bethan dderbyn ei haddysg gynnar ynddi, ac i dyfu i fyny yng nghanol yr hen draddodiadau Cymreig. Ardal,

Tara Bethan wedi landio!
"Ac yn ei chalon, iaith fy nghalon fydd."

gobeithio, fydd yn cynnau'r fflam genedlaethol yn ei mynwes.

"Ac yn ei chalon
Iaith fy nghalon fydd."

Mewn ardal gyffelyb y treuliais innau fore fy oes, a gallaf ddweud o waelod fy nghalon mai hynny a drysoraf fwyaf erbyn hyn. Gyda'r cefndir hwnnw y tu ôl i mi 'euthum, gwelais a gorch-fygais' ym mhedwar ban byd. Os bu hynny'n ddigon da i mi, mae o yn siŵr o fod yn ddigon da i'r dywysoges fach sydd ar yr aelwyd acw hefyd.

Yn y tridegau, mae'n siŵr bod pobol o'r tu allan yn ein rhoi ni yn 'Sbyty 'cw yn bobol dlawd. Efallai wir y buasai'r stori hon yn swnio tipyn gwell pe bawn i wedi pwysleisio pa mor dlawd oeddan ni bryd hynny — ond celwydd noeth fuasai hynny, oher-wydd 'toeddan ni ddim yn gweld ein hunain yn dlawd yntôl!

Roeddan ni'n cael llond ein boliau o fwyd, sgidia hoelion newydd bob tro roeddan ni wedi cicio'r hen rhai yn dyllau, siwt orau ar gyfer y Sul a phâr o shŵs i fynd yn barchus hefo honno. Roedd pawb yr un fath â'i gilydd, a toedd neb yn gweld colli dim byd.

Yn yr ysgol fach, caem ein haddysgu am Lywelyn Fawr, Owain Glyndŵr a Hywel Dda. Beth a phwy ddiawl oedd Crom-

221

well i ni, yntê.

> Er i flwyddau fyned heibio
> Minnau o fy nghartre 'mhell
> Ardal annwyl fy mhlentyndod
> Caraf di bob dydd yn well.

Erbyn cyrraedd Ysgol Ramadeg Llanrwst, roedd y stori gryn dipyn yn wahanol wrth reswm. Roedd Cromwell yn ddyn uchel yn y fan honno, ac roedd gan ei fyddinoedd berffaith hawl i feddiannu gwledydd eraill. Arwyr oedd byddinoedd Lloegr yn fan'no, ac nid llofruddion.

Erbyn heddiw rwyf wedi gweld â'm llygaid fy hun nad oedd gan y byddinoedd rheiny ddim math o hawl i orchfygu Affrica ac anfon cenhadon yno i drio 'achub a gwareiddio' y trueiniaid oedd yn byw yno. Y broblem fawr oedd nad oedd gan y 'trueiniaid' rheiny ddim math o awydd cael eu hachub — roeddan nhw'n berffaith hapus gyda'u heilunod, a chyda'u rhyddid i redeg yn ddinnoeth drwy'r coedwigoedd. Erbyn hyn maen nhw wedi gwrando ar y dyn gwyn, ac wedi ceisio efelychu ei ddull o o fyw — ac mae 'na gythrel o greisus go iawn yno yn awr.

Mae'r Saeson 'ma yn dal i yrru 'cenhadon' i Lansannan a llefydd tebyg — ond y werin ydi'r ceffyl blaen yno o hyd diolch byth. 'Gyda'n gilydd fe safwn ni'.

> "Am dy fod yn un sy'n meddwl
> Nad peth bach yw marw iaith,
> Am dy fod yn mynnu gwneuthur
> Mwy na siarad am y ffaith."

Pan oeddwn i yn hogyn ac yn byw yn 'Sbyty, mi fedrech chi fynd rhyw ugain milltir bob ffordd heb orfod defnyddio gair o Saesneg. Heddiw, 'daech chi ddim tair milltir.

Yn tydi o yn resyn o beth bod hyn wedi digwydd. "Pam?" ydi'r cwestiwn mawr. "Pam?" ac "Ar bwy mae'r bai?" Yn fy nhyb tlawd i, arnom ni ein hunain mae'r bai — rhyw deimlo yr ydw i fod llawer o bobol o'r ardaloedd yma — ac ardaloedd eraill ledled Cymru — yn ceisio dangos i'w cyfeillion eu bod nhw wedi bod allan o'u cynefin ac yn medru siarad Saesneg yn rhugl.

Hwyrach mai dim ond blwyddyn fuon nhw i ffwrdd — a dim pellach na rhyw hanner can milltir efallai, ond maen nhw'n dod yn eu holau'n Saeson. Pobol wan ydi'r rhain wrth gwrs, wedi eu geni â rhyw ginc ynddyn nhw, Pobol heb hyder, yn daeogion gwasaidd yn dioddef rhyw gymhlethdod o israddoldeb, ac yn ceisio cuddio hyn i gyd drwy siarad Saesneg.

Yn Y Rhyl y ganwyd ac y magwyd Wendy, fy ngwraig. Cafodd rhywfaint o wersi Cymraeg yn yr ysgol, ond Saesneg oedd yr iaith bob dydd a buan iawn yr anghofiodd yr hyn a ddysgodd. Mae hi wedi bod mewn cyrsiau Cymraeg erbyn hyn ac yn ymdrechu'n bwyllog i feistroli'r iaith.

I Ysgol Llansannan yr â Tara Bethan pan ddaw ei hamser, ac wrth gwrs caiff addysg drwyadl Gymraeg yn y fan honno. Mae'n rhaid cael Saesneg y dyddiau hyn wrth gwrs, ond mae pob plentyn yn saff o ddysgu'r iaith honno erbyn heddiw. Waeth i ni heb nag anwybyddu'r Sais, — 'daiff o ddim oddi yma drwy ei anwybyddu.

Ond rhaid dangos a dysgu'r plant cystal ac mor werthfawr yw'r Gymraeg — rhaid gwneud hynny ar yr aelwyd gartref ac yn yr ysgol, ac wrth ei mwynhau hi o ddydd i ddydd. Mae gan y Saeson eu harwyr, ac maen nhw'n uchel eu cloch wrth eu clodfori. Ond mae ganddom ninnau ein harwyr hefyd — dowch, gadewch i ninnau ganmol y rheiny.

Yn hyn o beth mae S4C yn un o'r pethau gorau sydd wedi digwydd i ni dros y can mlynedd diwethaf. Mae llawer yn cloriannu'r sianel hon, a llawer un yn reit llym arni, ond ifanc ydi hi o hyd — cropian cyn cerdded ydi ei hanes hi ar hyn o bryd. Mae S4C ar y trac iawn ac rwy'n credu bod dyfodol gwych o'i blaen — bydd ei llewyrch dros y blynyddoedd nesaf yn saff o gryfhau'r hen, hen iaith:

> "Mae Duw ar ei orsedd yn galw
> I godi'r hen wlad yn ei hôl."

Pocedi o ardaloedd Cymraeg sy' 'na ledled Cymru erbyn heddiw, ac mae'r Saesneg yn gwasgu'r pocedi hynny'n llai a llai o hyd. Caernarfon ydi'r dref Gymraeg go iawn gyntaf ar ôl i chi groesi'r ffin a chanlyn ffordd yr arfordir. Mae'r Gymraeg yn llewyrchus yma, a thynnwch linell drwy Ddyffryn Nantlle i Borthmadog, ac yna rydych wedi cornelu y darn cryfaf o Gymru wrth edrych tua'r gorllewin o'r llinell honno. Ardal odidog ydi Llyn a threuliais flynyddoedd o hapusrwydd yno.

Barddonai Cynan yn gyson gan ryfeddu at yr ardal hon, ac os oedd Cynan yn rhyfeddu, pwy ydan ni i'w amau:

> Cerddi'r haf ar fud sandalau'n
> Llithro dros weirgloddiau Llŷn;
> Cerddi am flodau'r pren afalau'n
> Distaw ddisgyn un ac un;

Cerdd hen afon Talcymerau
 Yn murmur rhwng yr eithin pêr,
Fel pe'n murmur nos-baderau
 Wrth ganhwyllau'r tawel sêr.

Ar gae pêl droed Pwllheli yn yr hen ddyddiau roedd "Gôl Lan Môr" a "Gôl Talcymerau" gan fod yr afon yn llifo wrth gefn un o'r gôls. Wrth chwarae at gôl Talcymerau y bydden ni yn chwarae orau bob amser — hwyrach bod Cynan yn ein tynnu ato!

Cadernid Llŷn ydi ei bod yn y pen pellaf oddi wrth Lloegr, ac felly ymhellach rhag dylanwad y Saeson — yr un fath â Donegal yn Iwerddon. Yno mae'r Wyddeleg gryfaf, a threfnais ornest reslo mewn tref yn y sir honno yn ddiweddar. Y prif reslwr oedd y Giant Haystacks sydd yn gawr saith troedfedd ac yn pwyso 42 stôn. Mae'n enedigol o County Mayo ac felly'n arwr mawr yn yr Ynys Werdd.

Ar ôl cyrraedd lleoliad yr ornest, sef y Maas Inn, cefais sioc o weld mai dim ond saith troedfedd a chwe modfedd oedd uchder y nenfwd yn yr ystafell lle roedd y reslo i ddigwydd! Wedi hir bwyllgora gyda'r bobol leol, dyma benderfynu symud yr ornest i neuadd arall, sef i'r Highland Hotel yn Glenties — a hynny ar yr un un noson. Y broblem fawr oedd sut y gallem ddweud wrth y torfeydd oedd wedi bwriadu dod i'r Maas Inn y noson honno mai yn yr Highland Hotel y byddai'r reslo erbyn hyn.

Dim ond un ffordd oedd 'na, meddai'r hyrwyddwr lleol, a hynny oedd ei roi o ar y bwletin newyddion Gwyddeleg am bump o'r gloch y noson honno.

"Ewch at y Garda — sef yr heddlu — a gwnewch gais iddynt hwy roi'r hysbysebiad ar y newyddion," meddai wrthyf. Meddyliwch am fynd ar ofyn y Glas yng Nghymru gyda chais cyffelyb! Ffwrdd â ni at y Garda, a hwnnw wrth ei fodd yn cael cyfle i ffonio'r orsaf radio.

Am naw y noson honno, roedd mil a phum cant o bobol wedi ymgynnull yn yr Highland Hotel — mesur o boblogrwydd reslo yn yr ardal a hefyd o gryfder y Wyddeleg yn Donegal. Yn ddiweddarach y noson honno cawsom sbri tan bedwar o'r gloch yn y bore yng nghwmni Liam y Gardai.

I Donegal y byddai'r hen I.R.A.'n dianc rhag y 'Black an' Tans" adeg eu Rhyfel Annibynniaeth yn nauddegau'r ganrif hon. Pan fyddai'r Tans yn eu herlid ar hyd y mynyddoedd, roedd y trigolion yn troi'r mynegbyst er mwyn camarwain y milwyr Prydeinig.

Yn y dyddiau hynny cyflawnodd Iwerddon gamp anhyg-oel wrth ennill ei rhyddid oddi wrth yr Ymerodraeth Brydeinig. Mae'r wlad wedi datblygu'n arw erbyn heddiw, ac mae hwyl dda ar y bobol yno a chroeso cynnes i bob Cymro sy'n ymweld â hi. Bu'r môr yn help garw iddi wrth gwrs — yn union fel y bu'r môr yn gymorth i Wledydd Prydain o dan fygythiad Hitler. Mae'r hen fôr yn gythgam o amddiffynydd — bechod na fuasai Cymru yn ynys yntê?

Llwyddodd Iwerddon i gael hunan-lywodraeth, a'r adeg honno roedd llawer yn credu nad oedd posibl i wlad fechan, dlawd edrych ar ei hôl ei hun. Erbyn hyn mae'r stori'n wahanol, ac mae ganddi bŵer a llais drosti ei hun yn senedd Ewrop er mwyn cwffio dros ei buddiannau. Mor wahanol ydi hanes Cymru.

Ni chafodd Iwerddon ei rhyddid heb gael ei merthyron yn ogystal. Saethwyd arwyr Gwrthryfel y Pasg, a chamgymeriad mawr arall a wnaeth Lloegr oedd carcharu Arglwydd Faer Corc — Terrence McSweeny — gan bigo cydwybod y Gwyddelod i gyd.

Mae'r gân isod yn cynrychioli teimladau'r Gwyddelod pan fu farw Terrence McSweeny o newyn yn ei gell yn Lleogr. Saesneg yw'r geiriau, ond Gwyddelig i'r carn ydi'r ysbryd y tu ôl i'r awen:

"In a dreary Brixton prison
Where a dying rebel lay,
By his side a priest was standing
'Ere his soul should pass away,
And he faintly murmured "Father",
As he clasped his dying hand,
"Tell me this before you leave me:
Shall my soul pass through Ireland?"

"Twas for loving dear old Ireland
In this English jail I lie,
Twas for loving dear old Ireland
In this foreign land I die,
Shall my soul pass through old Ireland?
Pass through Cork's old city grand?
Shall I see that Old Cathedral
Where St. Patrick took his stand?

"Shall I see that little chapel
Where I pledged my heart and hand,

Tell me this before you leave me
Shall my soul pass through Ireland?
Shall I see my little daughter
Try to make her understand
That her father died a hero
Fighting for old Ireland?"

UP THE REPUBLIC!

Ymprydiodd McSweeny hyd farwolaeth gan ei fod yn credu mor gryf yn ei achos. Aed â'i gorff yn ôl i Corc, a gorchuddiwyd ei arch a baner y Weriniaeth — baner oedd wedi ei gwahardd ar y pryd. Trywannwyd pob Gwyddel gan y digwyddiad a sbardunwyd hwy i uno i hawlio eu rhyddid.

Mae hi'n dal yn derfysg yn y chwe sir yng ngogledd Iwerddon wrth gwrs. Mae gen i ffrindiau yno sy'n Gatholigion ac yn Brotestaniaid, ac rwyf wedi bod yn reslo yn y Shankil Road, Belfast ac yn y Bogside yn ninas Derry gan dderbyn cystal croeso yn y naill le fel y llall. Mae'r ddwy sect yn bobol ardderchog, a Duw a ŵyr pam fod cymaint o gasineb rhyngddynt. Crist ei hun sy'n llefaru'r geiriau canlynol, sef rhan o bryddest lafar am y sefyllfa yn y Chwe Sir:

There are too many Saviours on my cross
Lending their blood to flood out my ballot box with needs of their
You carry me secretly naked in your heart   own...
and clothe me publicly in armour
crying 'God is on our side',
yet I openly cry.
Who is on mine, who, tell me who.
You who bury your sons and cripple
your fathers whilst you buried my father
in crippling his son...
You nightly watchers of Gethsemine
who sat through my nightly trials
delivering me from evil,
now deserted, I watch you share your silver,
your purse rich in hate bleeds my veins of love,
shattering my bone in the dust
of the Bogside and the Shankill Road.

Ar ôl crwydro dipyn ar y byd a sylwi peth ar arferion a thraddodiadau cenhedloedd eraill, a gweld bod i bob cenedl ei rhagoriaethau a'i gwendidau, mae'n anodd peidio â'u cymharu a'm cenedl fy hun. Mae gennym ninnau ein rhagoriaethau, ac yn anffodus, wendidau hefyd. Rheswm da am y gwendidau mae'n debyg yw ein bod wedi cael ein rheoli a'n cyflyru gan estroniaid ers cyhyd. Prin y gellir dweud mai ganddyn nhw y cawsom ein rhagoriaethau.

Os ydym yn colli gornest o hyd ac o hyd mi awn, yn naturiol, yn ddibryder, − mae'n rhyfeddod ein bod yn dal yn genedl ac yn wyrth na fuasem ni wedi diflannu ers llawer dydd. Aethom yn genedl fach ofnus, yn rhedeg yma ac acw yn hollol ddigyfeiriad fel iâr wedi torri'i phen.

Does gennym ni ddim arweinydd sy'n sefyll ben ac ysgwydd yn uwch na neb arall ac sy'n abl i'n tywys o'r anialwch. Mae gennym ddigon o fân arweinyddion yn gweiddi am hyn a'r llall, ac wrth gwrs mae ein llywodraethwyr estron wrth eu bodd yn gweld hynny − rhannu a rheoli fu eu polisi hwy erioed. Fuo nhw ddim yn feistradoedd ar ymerodraeth fawr heb ddysgu rhywbeth, er rhyfedded ydyn nhw.

Rydan ni'n rhy barod o lawer i ymgecru ynghylch mân wahaniaethau, heb ymdrechu o gwbl i geisio gweld yr hyn a ddylai fod yn ein clymu ynghyd. Wedi'r cwbwl, 'dyw cenedl yn ddim ond nifer o gymunedau ar ddarn o ddaear a rhywbeth yn gyffredin iddynt yn eu clymu wrth ei gilydd.

Erbyn heddiw, fedrwn ni wneud dim − hyd yn oed o fewn ein cymunedau ein hunain − heb blygu glin i ofyn caniatâd. Meddyliwch mewn difrif: cenedl dywysogaidd fel ni yn plygu fel carcharorion. Mae fel petaem yn gofyn i'r dyn drws nesaf "plis ga i gymryd blodyn o'm gardd fy hun.'' Mae yna sefydliadau a phwyllgorau a chwangos estronol eu natur sydd wedi eu dewis yn gyfrwysgall gan y llywodraeth yn Llundain a'i chŵn bach yng Nghaerdydd i wylio trosom. 'Chawn ni ddim gan y rhain ond briwsion sydd yn digwydd disgyn oddi ar y bwrdd, ac maen nhw'n rhoi'r argraff arnom yr un pryd ein bod yn lwcus iawn i gael y fath wledd.

Mae'n amser i ni afael yn yr awenau, ac o fewn ein plwyfi a'n cymunedau ein hunain y mae gwneud hynny. Mi fydd yna helynt − wrth gwrs y bydd. Mi fydd yna ddioddef − heb os. Hanfod pob ennill yw ymdrech a dioddef.

Ers talwm yn Ysbyty Ifan, byddai'r gweision mewn ffarm yn hel at ei gilydd i'r 'sgubor neu'r stabal pan na fyddai'r

Towlu fy ngwrthwynebydd wrth reslo yn 'Sbyty yn ddiweddar.

tywydd yn ddigon da i fynd allan, gan hanner disgwyl iddi wella. "Smit" fydden nhw'n galw peth felly. Pan fyddai'r tywydd mor ddrwg a phawb wedi rhoi heibio pob gobaith iddi wella, mi fyddai hi'n "Smit bodlon". 'Submit' — ildio — ydi'r tarddiad, mae'n debyg.

Dydi hi ddim wedi mynd yn "Smit bodlon" eto. "Smit" ydi hi hyd yma.

Rhyw olwg gwella sydd arni weithiau, ac y mae yna rai pethau sy'n codi calon. Mae gennym Gymdeithas yr Iaith sydd wedi dangos eu parodrwydd i ymdrechu a dioddef ac maen nhw wedi ennill tir. Mae yna rai eraill hefyd wedi codi'r faner ac wedi ennill. Y mae un felly yn werth mwy na mil o'r cŵn cyfarth sydd gennym. Gwneud rhywbeth sy'n bwysig — nid siarad. Gweithredu ydi'r peth mawr.

Bu miloedd o bwyllgorau ar hyd y blynyddoedd yn siarad a siarad. Sylwch chi, mae hi'n saff i bwyllgora, fel y mae hi'n saff i fynd a llyfr emynau dan ein cesail i'r capel a chyfrannu rhyw fymryn rhag ofn, ac yna eistedd yn gyfforddus gan gredu bod popeth yn iawn wedyn. Nid y rhai y mae'n esmwyth arnynt sy'n mynd â'r maen i'r wal. Nid y rhai sy'n fodlon eu byd na rhai sydd heb galon sy'n ennill y dydd.

Mae gennym ni ein traddodiadau a'n harferion a'n hanes. Oherwydd ein diffyg hyder ac oherwydd ein bod wedi cael rhwbio ein trwynau yn y baw mor amal, rydym wedi mynd â chywilydd i arddel y rheiny hyd yn oed. Ond raid inni ddim cywilyddio o gwbl: o'u cymharu â champau cenhedloedd eraill, gallwn ymfalchio ynddynt.

Rhyfeddaf at ein gwytnwch ar ôl canrifoedd o orfod ymostwng, ac o gofio cymaint o gynffonwyr sy'n ein mysg sy'n or-barod i chwifio baner estron o hyd.

Onid oes gennym bobol o alluoedd anghyffredin? Ychydig sy'n cael y cyfle i aros i wneud dim yn eu gwlad eu hunain. Mae dros ddeng mil ohonom yn gorfod gadael bob blwyddyn — ac mae hyn wedi digwydd ers blynyddoedd maith. Unwaith yr ân nhw dros y ffin a thros y môr, mae llawer ohonynt yn dod yn arweinwyr yn eu maes. Collant y diffyg hyder a'u nodweddai ar eu tir eu hunain.

Magwn hyder a meithrinwn dipyn o feddwl ohonom ein hunain fel y gallwn ddal ein pennau'n uchel fel cenhec oedd rhydd eraill.

Dydi hi ddim yn "Smit bodlon" eto, a ni sydd i ymorol na fydd hi ddim 'chwaith.

Pan oeddwn yn Iwerddon ym Mai 1985, daeth ffôn i'm swyddfa yn Y Rhyl gan adrodd y newydd trist bod Bholu, yr hen gadfridog dewr o Bakistan wedi marw. Roedd ticed i mi hedfan i'w gynhebrwng yn fy nisgwyl yn Heathrow, oedd y neges. Yn anffodus, ni fedrais dderbyn y gwahoddiad gan fy mod yng nghanol gornestau ar yr Ynys Werdd.

Cafodd ei gladdu yn ei annwyl Punjab. Roedd pum miliwn o bobol ar hyd strydoedd Lahore yn talu'r deyrnged olaf i'w harwr.

Mae Salim a minnau wrthi'n trefnu gornestau er cof amdano yn Lahore ym mis Medi a bwriedir sefydlu canolfan i addysgu reslwyr ieuanc gyda'r arian a gesglir. Enw'r ysgol, wrth gwrs, fydd "Ysgol Reslo Bholu".

Mae'r dewrion yn mynd, o un i un...

"O Fywyd! dyro eto hyn,
  A'r gweddill, ti a'i cei!
 Un foment lachar, pan yw clai'n
  Anfarwol megis Duw,
 Un foment glir, pan fedraf ddweud
  "Yn awr bûm innau byw!"

"Fy more fu yn 'Sbyty
Ofer a gwag fore gwyn,
Afradus fore ydoedd
Bore gwyn fel barrug oedd."

DIOLCH....

I Huw Selwyn Owen am nifer o awgrymiadau gwerthfawr;
nifer o bapurau bro am gymorth wrth gasglu'r deunydd;
Rhodri Gwynn Jones am ei atgofion; Papurau'r Herald,
Y Cymro a'r Faner am ddefnyddio rhai toriadau; Sioned
Green am hawl i ddyfynnu o 'Gerddi Cynan'; Richard
Morris Jones am gymorth gyda'r ymchwil; Gareth Heulfryn
Williams a Gwasanaeth Archifdy Gwynedd; Huw Jones,
Rhuddlan am nifer o awgrymiadau ynglŷn â'r cysodi;
Arianwen Parry am gymorth gyda'r proflenni.

Hefyd i Arthur Morgan, Rob Davies, Cwmni Na Nog,
Gerallt Llywelyn, Hugh Williams, John Bowen Hughes,
Glyn Russell Owen, Falcon Studios, Penmachno, Teulu
Plas Uchaf, Ysbyty Ifan, British Wrestling Federation,
British Boxing Board, Beryl, Capel Curig,
Trevor Jones, Llanrwst a llu o gyfeillion eraill am roi a
benthyca lluniau gwerthfawr ar gyfer y gyfrol.